Gisa Pauly
Gestrandet

SERIE
PIPER

Zu diesem Buch

Kommissar Erik Wolf kann sich keinen Reim auf den gewaltsamen Tod Magdalena Feddersens machen, zumal der Hauptverdächtige Mathis Feddersen, Sylter Hotelier und Neffe der Toten, ein perfektes Alibi hat. Die Verwirrung ist komplett, als sich am nächsten Tag im versiegelten Haus der Toten eine zweite Leiche findet: Donata Zöllner, die nette Reisebekanntschaft von Mamma Carlotta, Erik Wolfs italienischer Schwiegermutter, die gerade zu Besuch ist. Natürlich kann Erik nicht wissen, was Mamma Carlotta weiß: dass Donata nach Sylt gekommen ist, um mit Magdalena Feddersens Hilfe ein großes Geheimnis zu lüften ... Atmosphärisch dicht und voller Situationskomik ist Gisa Paulys zweiter Sylt-Krimi, in dem sich Mamma Carlotta erneut mit italienischem Temperament in die Ermittlungen einmischt.

Gisa Pauly, geboren 1947 in Gronau, stieg nach zwanzig Jahren aus dem Lehrerberuf aus und veröffentlichte 1994 das Buch »Mir langt's – eine Lehrerin steigt aus«. Seitdem lebt sie als freie Schriftstellerin, Journalistin und Drehbuchautorin in Münster und auf Sylt. Zuletzt veröffentlichte sie die Romane »Das Mörderspiel«, »Doppelt gemordet hält besser«, »Reif für die Insel« und den ersten Fall von Mamma Carlotta, »Die Tote am Watt«. Gisa Pauly wurde mehrfach ausgezeichnet, darunter mit dem Satirepreis der Stadt Boppard und der Goldenen Kamera des SWR für das Drehbuch »Déjàvu«.
Weiteres zur Autorin: www.gisa-pauly.de

Gisa Pauly

Gestrandet

Ein Sylt-Krimi

Piper München Zürich

Mehr über unsere Autoren und Bücher:
www.piper.de

Von Gisa Pauly liegen bei Piper im Taschenbuch vor:
Die Tote am Watt
Gestrandet

Mix
Produktgruppe aus vorbildlich bewirtschafteten
Wäldern und anderen kontrollierten Herkünften
www.fsc.org Zert.-Nr. GFA-COC-1223
© 1996 Forest Stewardship Council

Originalausgabe
1. Auflage Juli 2008
3. Auflage November 2008
© 2008 Piper Verlag GmbH, München
Umschlag: Büro Hamburg. Anja Grimm, Stefanie Levers
Bildredaktion: Büro Hamburg. Alke Bücking, Charlotte Wippermann
Umschlagfoto: Franz Bischof/buchcover.com/VISUM
Autorenfoto: Studio Wiegel, Münster
Satz: Filmsatz Schröter, München
Papier: Munken Print von Arctic Paper Munkedals AB, Schweden
Druck und Bindung: CPI – Clausen & Bosse, Leck
Printed in Germany   ISBN 978-3-492-25118-1

Carlotta Capella begann die zweite Reise ihres Lebens in strahlender Laune. Sie strahlte, als ihre Kinder sich mit sorgenvollen Gesichtern und langatmigen Ermahnungen von ihr verabschiedeten, sie strahlte, als ihre Enkel sie baten, mit vielen Geschichten zurückzukommen, und sie strahlte, während die gleichaltrigen Frauen ihres Dorfes ein letztes Mal ihre Zweifel an der Unternehmung vorbrachten. Sie strahlte sogar noch, als sie ihren Ältesten, der sie nach Rom zum Flughafen gebracht hatte, ein letztes Mal an sich drückte, und die Bodenstewardessen strahlte sie so lange an, bis eine von ihnen bereit war, sich anzuhören, wie Carlotta Capella in ihrem umbrischen Dorf aufgebrochen war, um die Familie ihrer verstorbenen Tochter zu besuchen: »Vor ein paar Monaten war ich schon einmal auf Sylt. Das war, als dort zwei grausame Morde geschahen. Terribile! Aber mein Schwiegersohn hat die Morde aufgeklärt.«

Eigentlich wollte Mamma Carlotta noch erwähnen, welche Rolle sie selbst bei der Ermittlungsarbeit gespielt hatte, aber leider kam es dazu nicht mehr, weil die Wartenden hinter ihr darauf drängten, auch endlich abgefertigt zu werden.

Als sie ihren Platz im Flugzeug einnahm, ging erneut ein Strahlen über ihr Gesicht. Denn sie stellte fest, dass ihre Sitznachbarin eine Frau in ihrem Alter war, und Carlotta Capella kannte keine Frau in den Fünfzigern, die nicht gerne plauderte oder sich durch die Plauderei einer anderen die Zeit vertreiben ließ. Jedenfalls war das in ihrem umbrischen Dorf so. Und die Erfahrung, dass diese Bereitschaft nördlich des italienischen Stiefels abnahm, hatte sie mittlerweile erfolgreich verdrängt. Was gab es Schöneres, als einer Reisebekanntschaft die eigene Familiengeschichte zu erzählen und zu erfahren, welches Glück und Leid eine andere Familie erlebt hatte?

Donata Zöllner hatte zunächst zurückhaltend auf Mamma Carlottas Freundlichkeit reagiert, taute dann aber allmählich auf. Vielleicht, weil sie erkannte, dass ihr gar nichts anderes übrig blieb. Sie würde sich anhören müssen, was Carlotta zu erzählen hatte, würde selbst wenig zu Wort kommen, und wenn das Flugzeug in Hamburg zur Landung ansetzte, viel mehr erfahren haben, als sie wissen wollte.

Genau so kam es. Carlotta Capella erzählte von ihren sieben Kindern, den Schwieger- und Enkelkindern, von ihrem armen Dino, der zwanzig Jahre lang ein Pflegefall gewesen war, bis der Himmel ein Einsehen gehabt und ihn zu sich genommen hatte, von ihrer Tochter Lucia, die in der Nähe von Niebüll einem Autounfall zum Opfer gefallen war, von den armen Halbwaisen, die sie hinterlassen hatte, und dem bewundernswerten Schwiegersohn, der die Sylter Verbrecher das Fürchten lehrte.

Als der Flug zur Hälfte vorbei war, machte Donata Zöllner einen etwas erschöpften Eindruck. Daraufhin beschloss Carlotta, die Rolle der Erzählerin mit der der Zuhörerin zu vertauschen. »Wollen Sie in Hamburg Verwandte besuchen?«

Donata Zöllner zögerte. »Ich bleibe nicht in Hamburg«, sagte sie dann. »Ich werde mit dem Zug nach Sylt weiterfahren.«

»Wir haben dasselbe Ziel? Das ist ja … portentoso! Einfach herrlich!« Dann erkundigte Carlotta sich, ob Donata ganz allein Urlaub auf Sylt machen würde.

»Ich will keinen Urlaub machen, sondern auf Sylt eine alte Bekannte besuchen«, erwiderte Donata Zöllner lächelnd. »Ich habe sie sehr lange nicht gesehen.«

Mamma Carlotta war entzückt. Eine alte Bekanntschaft aufleben zu lassen, das war ja noch interessanter, als eine Freundschaft über Jahrzehnte zu bewahren. »Wie wunderbar!« Und als sie hörte, dass Donata Zöllner ihre Freundin Magdalena im zarten Alter von sechzehn Jahren zum letzten Mal gesehen hatte, kannte ihre Begeisterung keine Grenzen. »Benissimo! Hoffentlich werden Sie sich überhaupt wiedererkennen.«

Erik Wolf trat von einem Bein aufs andere. Er fühlte sich unwohl, und das gleich aus mehreren Gründen. Ein multiples Unbehagen, das seine Mundwinkel nach unten zog und in seine Stirn zwei senkrechte Falten grub. Ich will hier weg!, dachte er. Ich will meine Ruhe!

Menschenansammlungen waren ihm verhasst, grelle Lautsprecherdurchsagen, eilige, nervöse, unbeherrschte Zeitgenossen ebenfalls. Überdimensionierte Räume konnte er nicht leiden, hochglänzende Fußböden machten ihm Angst, und beim Anblick landender und startender Flugzeuge schmerzte ihn die Sehnsucht nach seiner Insel, nach seinem kleinen Haus, nach den knarrenden Fußböden und den klappernden Fensterläden so sehr, dass er glaubte, es nicht aushalten zu können.

Als er seine Schwiegermutter von Weitem sah, seufzte er und richtete sich mühsam auf. Er war nicht überrascht, als sie an der Seite einer Dame in die Ankunftshalle trat, mit der sie in ein inniges Gespräch vertieft war. Mamma Carlotta und ihre Freude am Erzählen, er kannte es zur Genüge! Er brauchte nur an ihren ersten Aufenthalt in Wenningstedt zu denken. Seine Schwiegermutter hatte während der beiden Wochen mehr Bekanntschaften gemacht als er selbst in zwei Jahren. Die Kassiererin von Feinkost Meyer hatte noch gestern nach ihr gefragt, und der Bäcker, bei dem Erik seine Brötchen kaufte, ließ jedes Mal Grüße an sie ausrichten.

Er beobachtete ihre großen Gesten, die jeden Norddeutschen befremdeten, runzelte die Stirn beim Anblick ihrer vibrierenden Löckchen und litt einen winzigen Augenblick an der Frage, ob auch Lucia sich unter der Witwenschaft derart entfaltet hätte, wenn nicht sie, sondern er das Opfer dieses schrecklichen Autounfalls geworden wäre.

Erik versuchte den bedrückenden Gedanken abzuschütteln. Nein, nicht an Lucia denken! Es war schwer genug, dass sie in den folgenden zwei Wochen fast so nah sein würde wie unmittelbar nach ihrem Tod. Die mühsam verheilte Wunde würde wieder aufbrechen, wenn Erik in Carlottas Augen sah, die die gleiche Farbe hatten wie Lucias, wenn er Carlottas Grübchen sah, an denen er sich bei Lucia nicht hatte sattsehen können, wenn er die helle Stimme seiner Schwiegermutter hörte und das Lachen, das dunkel und rau war. Genau wie bei Lucia.

Mürrisch sah er Carlotta entgegen. Die italienische Mamma, die er früher gekannt hatte, in ihrer schwarzen Kleidung, mit dem pflegeleichten Haarknoten, in ihrer Umgebung, in der schnelles und lautes Reden nicht unangenehm auffiel, hätte er unbefangener willkommen geheißen als diese aufgeblühte Witwe, die Lippenstift und Lockenstab im Gepäck hatte, ein längs gestreiftes Kleid trug, als wäre es ihr wichtig, die Figur zu strecken, und über der Schulter einen kleinen Lederrucksack.

Er seufzte, als sie strahlend auf ihn zukam, und seufzte noch einmal, als sie die Arme öffnete und schon zehn Meter bevor sie ihn erreichte mit den Händen wedelte, als wollte sie ihn in ihre Umarmung locken. »Enrico!«

Dass er sich nicht locken ließ, verstand sich von selbst. Aber dass er trotzdem an ihre Brust gezerrt wurde, leider auch.

Als er sich Mamma Carlottas Begleitung zuwandte, hatte er das unangenehme Gefühl, dass seine Schwiegermutter seinem Gesicht das Muster ihres Kleides aufgedrückt hatte.

Donata Zöllner, die ihm von seiner Schwiegermutter begeistert vorgestellt wurde, erwies sich zum Glück als angenehm wortkarg. So hatte Erik nichts dagegen, sie in seinem Wagen mit nach Sylt zu nehmen. Mamma Carlotta schien großen Wert darauf zu legen, ihrer Reisebekanntschaft diese Gefälligkeit zu erweisen, und ihm war es lieb, denn Donata Zöllner würde ihm einen Teil der anstrengenden Konversation abnehmen. Das konnte nur von Vorteil sein.

Dass diese elegante, sehr distinguiert wirkende Frau wusste, worauf sie sich einließ, setzte er voraus. Wenn sie nach dem gemeinsam verbrachten Flug nichts dagegen hatte, das Zusammensein mit Carlotta Capella zu verlängern, gehörte sie wohl zu denen, die sich an lärmender Unterhaltung erfreuten und nichts dabei fanden, etwas über den Lebenslauf eines italienischen Weinbauern zu erfahren, der siebzehn Kinder von drei Frauen hatte, oder eines Dorfgeistlichen, der den Messwein selbst trank und den Gläubigen Apfelsaft unterschob.

Donata Zöllner schien es sogar zu genießen. Erik warf gelegentlich einen Blick in den Rückspiegel und stellte fest, dass das Lächeln in ihrem Gesicht selbst in Niebüll noch nicht verschwunden war.

Vor der Verladerampe schlossen sie sich einer langen Autoschlange an und warteten auf den Zug, der sie über den Hindenburgdamm nach Sylt bringen sollte. Sie stiegen aus, um während des Wartens die Luft und die Sonne zu genießen. Dichte Wolken zogen über den Himmel, tief hingen sie, aber sie waren nicht bedrohlich. Hell und bauschig wie dicke Zuckerwatte sahen sie aus, wie Schaumberge in der Badewanne.

»Ein schöner Himmel! Nicht so ein langweiliges Blau wie in Italia«, stellte Mama Carlotta fest.

Erik schenkte ihr ein erstes warmes Lächeln. Dass sie im kalten Norden etwas fand, was dem sonnigen Süden überlegen war, ließ ihn hoffen.

»Warum haben Sie ausgerechnet das Hotel Feddersen gebucht?«, fragte er Donata Zöllner, während Mamma Carlotta sich mit einem älteren Ehepaar bekannt machte, das ihren italienischen Akzent bemerkt und vor Kurzem Urlaub in Umbrien gemacht hatte. »Waren die guten Häuser schon besetzt?«

Obwohl Erik von eleganter Kleidung nicht viel verstand, hatte er doch gleich erkannt, dass das helle Kostüm, das Donata Zöllner trug, teuer gewesen war und ihr Schmuck und ihre Handtasche vermutlich so viel wert waren wie sein alter Ford.

»Ich habe es in den guten Häusern nicht versucht«, entgegnete Donata leise, als schämte sie sich ihrer schlechten Wahl.

»Ja, in der Hauptsaison ist es schwierig«, gab Erik zurück und blickte in den Himmel, als wollte er sich vergewissern, dass das Wetter dem Juli Ehre machte. In Wirklichkeit jedoch sah er immer in den Himmel, wenn er in Niebüll auf den Autozug wartete. Auf dieser Geraden, die zum Horizont führte, konnte er seine Insel bereits erahnen. Und er genoss es, den Möwen nachzublicken, die das gleiche Ziel hatten, aber vor ihm da sein würden.

»Ob das Hotel Feddersen das Richtige für Sie ist …?« Er vollendete den Satz nicht.

Mamma Carlotta stellte gerade fest, dass das Ehepaar auf seiner Umbrienreise in einem Ort übernachtet hatte, in dem ihre Großcousine väterlicherseits wohnte. Grund genug, vor lauter Freude noch schneller zu reden und noch größere Gesten in die Luft zu schreiben.

Donata Zöllner lächelte, als wollte sie Erik verzeihen, dass er sie für eine Frau hielt, für die das Beste gerade gut genug war. Aber ihr Lächeln zeigte auch, dass er recht gehabt hatte. »Ich bleibe ja nur ein paar Tage«, meinte sie. »Es wäre unhöflich gewesen, woanders zu wohnen. Ich fahre nach Sylt, um meine alte Freundin Magdalena zu besuchen. Ihr Neffe ist der Besitzer des Hotels Feddersen.«

»Magdalena Feddersen?« Jetzt ging es Erik beinahe so wie seiner Schwiegermutter, die vor Freude außer Rand und Band war, wenn sie jemanden kennenlernte, der einen anderen kannte, der wiederum mit jemandem verwandt war, den Carlotta kannte. Aber natürlich äußerte sich Eriks Freude anders: Er lächelte und strich seinen Schnurrbart glatt, sein Höchstmaß an sichtbarer emotionaler Bewegung. »Ich kenne sie recht gut. Auch ihren Neffen und seine Frau.«

»Magdalena hat Glück gehabt«, sagte Donata. »Sie ist auf dem Aktienmarkt reich geworden.«

»Stimmt, 1997 war das, glaube ich. Da setzte plötzlich alle Welt auf den Neuen Markt. Ein paar, die es richtig gemacht haben, sind Millionäre geworden, andere haben viel oder sogar alles verloren.«

Donata Zöllner nickte. »Magdalena hat klug investiert und rechtzeitig wieder verkauft.«

»Ihr Neffe leider nicht«, ergänzte Erik. »Mathis hat damals alles verloren. Seitdem geht sein Hotel den Bach runter. Er müsste renovieren und investieren. Aber wovon?«

Donata nickte. »Magdalena hat mir am Telefon davon

erzählt. Noch kurz vor dem großen Crash hatte sie ihren Neffen beschworen, seine Aktien zu verkaufen. Aber er wollte nicht auf sie hören. Er glaubte, die Kurse würden bald wieder anziehen.«

Erik warf seiner Schwiegermutter einen nervösen Blick zu. Aber die hatte gerade die Entdeckung gemacht, dass das Ehepaar in seinem Urlaub sogar in der Trattoria gegessen hatte, die der Mann ihrer Großcousine mit Gemüse belieferte. Darüber hatte sie ihren Schwiegersohn vergessen und ihn einer Konversation überlassen, die ihn anstrengte.

Er redete nicht gern mit Zufallsbekanntschaften, erzählte ungern von sich und wollte von fremden Intimitäten nichts wissen. Aber da er Donata sympathisch fand, gab er sich Mühe. »Haben Sie Ihre Freundin lange nicht getroffen?«, erkundigte er sich.

»Wir waren noch sehr jung, als wir uns das letzte Mal sahen«, antwortete Donata und sah lange einer Möwe nach, die ihre Flügel spreizte und sich auf den Wind legte. »Und die Umstände waren nicht gerade erfreulich. Aber das war in einem anderen Leben ...«

Die Möwe war längst zu einem winzigen Punkt am Himmel geworden, Teil eines Schwarms anderer winziger Punkte. Aber Donata starrte trotzdem noch hinauf. Sie ließ sogar zu, dass ihre sorgfältig frisierten Haare von einem frechen Windstoß aus der Form gebracht wurden.

Erik beobachtete, wie seine Schwiegermutter mit dem Austausch von Adressen eine gerade mal neun Minuten alte Bekanntschaft besiegelte. »Du kennst diese Leute doch gar nicht«, brummte er in Mamma Carlottas Strahlen hinein.

Aber ihr Strahlen verlor keinen einzigen Funken. »Sie werden mich besuchen, wenn sie noch einmal nach Umbrien kommen.«

Erik warf Donata Zöllner einen Blick zu, in der Hoffnung, in ihren Augen ein kleines Lächeln zu finden, das sie in der Beurteilung italienischer Lebensart zu seiner Komplizin machte. Aber Donata sah erneut in den Himmel, als wollte sie von nun an trotz der Gesellschaft ihrer Reisebegleiter allein bleiben.

Dann kamen einige der Autofahrer aus dem Bistro, und schon rumpelten die ersten Wagen auf den Autozug. Donata wühlte in ihrer Tasche herum, bis sie fand, was sie suchte: ein Buch, das sie aufschlug, kaum dass sie sich im Fond des Wagens niedergelassen hatte. Erik sah ungläubig in den Rückspiegel. Sie wollte lesen, während der Sylt-Shuttle dem Meer entgegenfuhr? Während die würzige Nordseeluft durchs geöffnete Fenster drang? Während der Zug gemächlich in See stach, verfolgt von kreischenden Möwen?

Ja, sie tat es wirklich. Und damit verlor sie einen Teil der Sympathie, die Erik ihr entgegengebracht hatte. Seiner Schwiegermutter hätte er nachsehen können, wenn sie angesichts des Friedens, der über dem Watt lag, in laute Verzückung ausgebrochen wäre, statt still die Schönheit des Wattenmeeres zu genießen. Aber ungerührt die Seiten umblättern, während sich vor den Fenstern dieser Frieden ausdehnte? Nein, das war nicht zu entschuldigen.

Erik lächelte Mamma Carlotta an und bereute nun, dass er nicht mit ihr allein geblieben war. Sie erkannte wie er den Frieden, der über dem Watt lag, er spiegelte sich in ihren Augen. Sie genoss ihn und verzichtete sogar darauf, fröstelnd die Arme um den Oberkörper zu schlagen, weil die Sylter Sonne nur eine müde Verwandte jener Sonne war, die auf Umbrien hinabbrannte.

Mamma Carlotta verbrachte ihren ersten Tag auf Sylt in einem Wechselbad der Gefühle. Sie schäumte über vor

Glück, als sie ihre beiden Enkelkinder in die Arme schließen konnte, und weinte, während sie alles betrachtete, was sie an Lucia erinnerte. Sie kniff in Carolins Wangen, damit sie ihre Blässe verloren, und zupfte ihre Haare aus dem Gummiband, damit sie locker auf Carolins Schultern fielen. »Ecco! So bist du noch hübscher!« Dann schob sie Felix' Käppi in eine völlig uncoole Position und unternahm sogar den Versuch, seine Hose, deren Schrittnaht zwischen den Knien baumelte, in die Höhe zu ziehen. »Madonna! Warum straft mich der Himmel mit einem Enkelsohn, der aussieht wie ein Landstreicher?«

Felix genoss jeden einzelnen ihrer Gefühlsausbrüche, drehte den Schirm seines Käppis zurück und zog seine Hose wieder an den richtigen Platz. Carolin dagegen zwang ihre Haare in das Gummiband zurück und wandte sich ab, wenn ihre Nonna die Arme öffnete, um jedes Enkelkind zu umschlingen. Genau so hatte sie es gemacht, wenn die emotionalen Ausschweifungen ihrer Mutter sie bedrängt hatten. Während Felix sich auch als Vierzehnjähriger noch gerne herzen, küssen und mit vielen Kosenamen überschütten ließ, zog Carolin sich an die Seite ihres Vaters zurück und war zufrieden mit der Hand, die er ihr auf die Schulter legte.

Erik sah schon nach wenigen Stunden völlig entkräftet aus. Als Mamma Carlotta beschloss, einen Besuch an Lucias Grab zu machen, erklärte er hastig, er müsse im Kommissariat nach dem Rechten sehen. Doch kaum erwähnte seine Schwiegermutter, dass sie auf dem Rückweg vom Friedhof bei Feinkost Meyer fürs Abendessen einkaufen würde, versprach er, pünktlich zurück zu sein.

Das versicherte auch Felix, der zur Freude seiner Großmutter etwas angezogen hatte, was jedem Jungen gut stand, in Umbrien wie auf Sylt: ein Fußballtrikot.

»Ich bin Stürmer«, erzählte er stolz. »Und unser Trainer

hat gesagt, ich könnte es noch weit bringen. Am Sonntag ist ein wichtiges Spiel, wir müssen jeden Tag trainieren.«

Als Erik nach Hause kam, war Mamma Carlottas Glück, zu dem unbedingt eine gehörige Portion Sentimentalität gehörte, vollkommen. Der Besuch an Lucias Grab hatte den Blick auf das Wunderbare gelenkt, das ihre Tochter hinterlassen hatte. Und während Carlotta Gemüse schnippelte, Fisch entgrätete und das Fleisch mit Knoblauch einrieb, war Lucia so gegenwärtig, dass das Glück, sie gehabt zu haben, das Unglück, sie verloren zu haben, erträglich machte.

Als sie am späten Abend ins Gästezimmer hinaufstieg, das einmal Lucias Nähzimmer gewesen war, konnte sie sich vor das Bild ihrer Tochter setzen, ohne zu weinen, konnte feststellen, wie ähnlich Felix seiner Mutter war, ohne zu seufzen, und Lucia sogar von ihren Sorgen erzählen, ohne dass ihre Stimme vor Empörung zitterte.

»Man muss ihn verstehen. Natürlich trauert er noch um dich, aber ist es nicht normal, dass ein Mann sich wieder nach der Nähe einer Frau sehnt?« Sie nahm das Bild ihrer Tochter in beide Hände und strich sanft über den Silberrahmen. »Aber doch nicht diese Frau! Du musst das verhindern, Lucia! Gib mir ein Zeichen, dass du dich darum kümmern wirst. Wenn die Wolken morgen früh tief hängen, dann weiß ich, dass du uns nahe bist. Dann kann ich sicher sein, dass du uns helfen wirst. Enrico darf sich nicht in diese Frau verlieben! Nicht in diese!«

Sie hatte es gleich gespürt. Für die Liebe hatte sie einen sechsten Sinn, das war in ihrem Dorf überall bekannt. Hatte sie nicht die Verlobung der hübschen Krankengymnastin mit dem Sohn des größten Weinbauern schon vorhergesagt, ehe die beiden sich selbst über ihre Gefühle klar geworden waren? Und die Affäre des Bäckers mit der

Frau des Notars hatte sie auch bemerkt, lange bevor der Notar seine Frau zum Teufel jagte.

Als die blonde junge Frau mit dem schmalen, blassen Gesicht aus dem Hotel Feddersen trat, war eine Veränderung in Erik vorgegangen. So wie es bei dem Bäcker zu beobachten gewesen war, wenn die Frau des Notars bei ihm einkaufte. Winzig nur, aber Mamma Carlotta zögerte mit der Deutung dieser Nuancen keine Sekunde. Sie sah das sanfte Rot, das in Eriks Wangen stieg, bemerkte, wie er die Hände aus den Hosentaschen nahm und sich den Schnauzer glatt strich und dass er die Sonnenbrille, die er beim Autofahren getragen hatte, auf den Kopf schob, wie es der prahlerische junge Mann getan hatte, der in einem schwarzen Cabrio an ihnen vorbeigebraust war. Und dann begrüßte Erik die junge Frau mit einem Lächeln, das Carlotta erst ein einziges Mal an ihrem Schwiegersohn gesehen hatte. Damals, als er in ihr Dorf gekommen war und ihre Tochter Lucia zum ersten Mal erblickt hatte ...

Mamma Carlotta war fassungslos, als sich herausstellte, dass sie Valerie Feddersen vor sich hatte, die Frau des Hotelbesitzers. Wie konnte Erik sich in eine verheiratete Frau verlieben! Carlotta nahm sich vor, ihm bei nächster Gelegenheit ins Gewissen zu reden. Andererseits – war ihm überhaupt klar, was mit ihm geschah? Oder hatte er bisher nicht mehr als eine wundersame Anziehungskraft gespürt, ohne zu ahnen, welches Gefühl dahintersteckte? Dann war es falsch, ihn darauf hinzuweisen und ihn womöglich zu nötigen, Stellung zu beziehen. Nein, besser war es wahrscheinlich, erst einmal abzuwarten und den Schwiegersohn genau zu beobachten.

Mit der gebührenden Schroffheit begrüßte Mamma Carlotta Valerie Feddersen und wurde erst zugänglicher, als sie hörte, dass sie mit Lucia befreundet gewesen war.

»Lucia, Angela und ich wollten einmal gemeinsam in Umbrien Urlaub machen. Aber dann wurde Angelas Vater krank, und so wurde nichts daraus.«

Mamma Carlotta erinnerte sich. Damals hatte sie sich über diese Pläne gefreut, heute war sie froh, dass sie nicht eine Frau bei sich beherbergt hatte, die ihrem Schwiegersohn Jahre später den Kopf verdrehen würde.

Erik zeigte auf die Tasche, die Valerie in der Hand hielt. »Willst du verreisen?«

»Nur bis morgen«, lächelte sie. »Ich werde nach Niebüll fahren, Angela hat Musicalkarten.« Lächelnd wandte sie sich an Mamma Carlotta. »Angela Reitz, Sie erinnern sich? Sie war es, die mit Lucia und mir nach Umbrien fahren wollte.«

Mamma Carlotta nickte gnädig und betrachtete Valerie, die gar nicht bemerkte, welches Interesse sie erregte. Lediglich Erik sah ein paarmal nervös zu seiner Schwiegermutter. Entweder beunruhigte ihn ihre ungewöhnliche Schweigsamkeit oder der scharfe Blick, mit dem sie Valerie musterte.

»Dann wirst du sicherlich über Nacht in Niebüll bleiben«, meinte er.

»Natürlich«, gab Valerie zurück. »Ich schlafe bei Angela. Morgen Vormittag komme ich zurück.«

Valerie ging auf den rostroten Golf zu, an dessen Heck ein Abziehbild klebte: *Bochum, ich komm aus dir!* Sie war sehr hübsch mit ihrer schlanken, biegsamen Figur, den langen, blonden Haaren, die glatt und glänzend auf ihren Rücken fielen. Natürlich nicht so hübsch wie Lucia, ergänzte Carlotta heimlich, aber Valeries hellblaue Augen waren sicherlich nicht weniger ausdrucksvoll als Lucias, die Erik liebevoll »Brombeerlichter« genannt hatte.

Donata Zöllner erschien plötzlich hinter ihnen. »Ich habe eingecheckt und werde jetzt mein Zimmer beziehen«, sagte sie und streckte Erik die Hand hin. »Danke, dass Sie mich mitgenommen haben.« Mamma Carlotta reichte sie das Buch, das sie während der Fahrt im Autozug zu Ende gelesen hatte. »Ich leihe es Ihnen. Ein Roman von Gero Fürst, sehr spannend. Erst ganz am Ende begreift der Leser den Zusammenhang zwischen der Haupthandlung und den Nebenhandlungen.«

»Haupt- und Nebenhandlungen?«, wiederholte Carlotta ehrfürchtig, dann nahm sie das Buch freudestrahlend entgegen, und als Donata in Aussicht stellte, einen der nächsten Tage gemeinsam zu verbringen, kannte ihr Glück keine Grenzen.

»Ich werde Sie anrufen«, sagte Donata Zöllner und ging ins Hotel zurück.

»Eigentlich wollte ich Mathis noch begrüßen«, murmelte Erik. Aber dann zog er seine Schwiegermutter zu seinem Wagen. »Das ist nicht so wichtig.«

Der rostrote Golf verschwand gerade um die Ecke, als ein etwa zwölfjähriger Junge aus dem Hotel gelaufen kam. »Mama!«, rief er und sah sich suchend um.

Erik winkte ihm zu. »Deine Mutter ist schon weg, Ole.«

Der Junge winkte zurück, dann senkte er den Kopf und ging enttäuscht ins Hotel zurück.

Mamma Carlotta sah ihren Schwiegersohn vorwurfsvoll an. Das wurde ja immer schöner! Nicht nur, dass diese Frau verheiratet war, sie war sogar Mutter eines Sohnes! Dio mio! In den beiden Wochen, die vor ihr lagen, würde es viel zu tun geben.

Die Tür öffnete sich lautlos. Carolin erschien im Raum, so leise, dass Mamma Carlotta zusammenzuckte, als ihre Enkelin plötzlich neben ihr stand.

»Carolina! Du schläfst noch nicht?«

Carolin schüttelte den Kopf. »Ich möchte dir etwas zeigen.« Sie hielt ihrer Großmutter ein Blatt hin, das dicht beschrieben war.

»Was ist das?«, fragte Mamma Carlotta erstaunt.

»Eine Kurzgeschichte«, flüsterte Carolin, als hätte sie Angst, dieses Wort laut auszusprechen. Und noch leiser fügte sie an: »Ich habe sie selbst geschrieben.«

Mamma Carlotta erstarrte. Und wie immer, wenn sie intellektuellen Kräften gegenüberstand, verstummte sie vor Erfurcht. Zumindest für einige Augenblicke.

»Du willst nicht mehr Lehrerin werden?«, brachte sie schließlich hervor.

Carolin schüttelte den Kopf. »Schriftstellerin will ich werden. Ich habe mich auch für einen Ferienkurs in kreativem Schreiben angemeldet. Ein richtiges Buch will ich schreiben, ein ganz dickes.« Und mit kräftiger Stimme ergänzte sie: »Ich schaffe das.«

»Glaubst du wirklich?« Mamma Carlotta, die ihre sämtlichen Enkelkinder für außerordentlich begabt hielt und ihnen alles zutraute, versagte angesichts dieser Pläne der Optimismus. »Ein ganzes Buch! Mit zweihundert oder dreihundert Seiten oder sogar noch mehr! Und auf jeder Seite müssen viele kluge Gedanken stehen.« Sie erinnerte sich an das, was Donata Zöllner ihr gesagt hatte. »Und du musst etwas von den Haupt- und Nebenhandlungen wissen.« Sie wies auf das Buch, das neben ihrem Bett darauf wartete, sie literarisch zu erbauen. »Sieh mal, diesen Roman hat mir meine Reisebekanntschaft geliehen.«

Carolin griff danach. Ihre Augen leuchteten, als wollte sie beweisen, dass tatsächlich ein italienisches Erbe in ihr schlummerte. »Gero Fürst ist mein Lieblingsautor.« Sie setzte sich zu ihrer Großmutter und schien nicht zu merken, dass ihr erneut das Haar aus dem Gummiband gezogen wurde. »Er ist gelegentlich auf Sylt, wusstest du das? Er hat hier ein kleines Haus, in das er sich zurückzieht, wenn er an einem Roman arbeitet.« Carolins Blick heftete sich auf das Foto ihrer Mutter. »Mama hat auch so gern Bücher von Gero Fürst gelesen.«

Erik erwachte, als der Wind die Gardine ins Zimmer bauschte, die sich am Fenstergriff verfing und einen wilden Tanz mit dem Sonnenlicht begann. Er rieb sich die Augen, dann drehte er sich zur Wand und versuchte, das Helle, das durch die geschlossenen Lider drang, zu ignorieren. Aber er spürte schon bald, dass an Schlaf nicht mehr zu denken war. Die Luft, die ins Zimmer drang, roch nach Sommer und Sonne und nach dem salzigen Wind, der sich frühmorgens am Meer aufmachte und den neuen Tag auf die Insel trug. Sie roch sogar schon nach Fischlieferungen, Backstuben und nach …

Erik richtete sich auf. Ja, sie roch auch nach Kaffee! Er sah auf die Uhr, es war kurz vor sieben. Mamma Carlotta war schon auf den Beinen? Deprimiert ließ er sich zurücksinken. Er selbst hatte immer zwei Tage gebraucht, um sich von den Strapazen der Reise zu erholen, wenn er mit Lucia und den Kindern einen Besuch in Umbrien gemacht hatte. Und er war fünfzehn Jahre jünger als seine Schwiegermutter!

Mühsam rappelte er sich auf. Es war immer das Gleiche! In Mamma Carlottas Gegenwart fühlte er sich alt, unbeweglich und fade. Vielleicht war das der Grund, warum er so ungern nach Umbrien gefahren war? Wenn Lucia die Koffer packte, hatte er manchmal heimlich gehofft, ein Mord auf der Insel könnte seinen Italienurlaub abwenden. Aber niemals hatte es auch nur das kleinste Kapitalverbrechen gegeben, wenn Lucia beschloss, mit ihm in ihre Heimat zu reisen.

Er stellte den Wecker ab, noch bevor er klingeln konnte. Warum nur hatte er so schlecht geschlafen? Die Antwort fiel ihm ein, als er einen Blick aus dem Fenster warf. Bei seinen Nachbarn war in der Nacht eine laute Party gefeiert worden. Das Ehepaar Kemmertöns hatte im letzten Winter die Garage ausgebaut und daraus zwei weitere Ferienwohnungen gemacht. *Mit Gartenbenutzung!* So stand es auf dem Schild, das sie am Straßenrand aufgestellt hatten. Und die Touristen, die zurzeit dort Urlaub machten, nutzten den Garten ausgiebig. Vor allem nachts, wenn der werktätige Sylter seine Ruhe haben wollte.

»Wäre die Hauptsaison doch endlich vorbei!«, knurrte Erik, als er sich auf den Weg ins Bad machte.

Besonders die Stimme einer Frau hatte ihm den Schlaf geraubt. Eine Stimme mit italienischem Akzent, die oft minutenlang allein zu hören gewesen war. Einschläfernd und deswegen einigermaßen erträglich. Aber nach diesen Minuten hatte regelmäßig donnerndes Gelächter eingesetzt, sodass Erik froh gewesen war, als ein lautes »Ciao!« und »Buona notte!« zu hören und endlich Ruhe gewesen war. Diese Italienerinnen! Anscheinend waren sie alle gleich. Lucia hatte auch gern die Nacht zum Tage gemacht. Und er hatte ihr oft vorgehalten, dass sie nachts noch schneller redete als tagsüber.

Auf einmal hörte er das Telefon schrillen. Ein Anruf um diese Zeit? Das konnte mehrere Gründe haben: Jemand hatte sich verwählt, auf Sylt war ein schweres Verbrechen oder in Umbrien etwas Spektakuläres geschehen. Wenn dort ein Sturm die Feigenernte bedrohte, wenn ein Tourist die Zimmerrechnung nicht bezahlte oder ein Gewitter den Pfarrer erschreckte, sodass er mitten in der Nacht die Kirchturmglocke in Gang setzte, dann mussten die Mitglieder der Familie Capella, die fern von Umbrien lebten, darüber in Kenntnis gesetzt werden. Und zwar sofort! Man konnte sich eigentlich glücklich schätzen, dass die italienische Offensive sich bis sieben Uhr morgens Zeit gelassen hatte.

Aber er hatte sich geirrt. »Sören!«, hörte er seine Schwiegermutter rufen, die den Anruf entgegengenommen hatte. »Sie kommen zum Frühstück? Ich werde gleich zum Bäcker laufen und Panini kaufen. Soll ich Konfitüre für Sie besorgen? Mortadella und Parmaschinken? Keine Widerrede!«

Die Kinder würden heute ihren Wecker nicht nötig haben. So wie in Umbrien an Ausschlafen nicht zu denken war, wenn auch nur ein einziges Mitglied der Familie Capella im Haus war, würde es auch hier keine morgendliche Ruhe geben, wenn Mamma Carlotta jemanden fand, mit dem sie reden konnte. Und sollte partout niemand in ihrer Nähe auftauchen wollen, würde sie so lange mit dem Geschirr klappern, bis einer kam, der sie fragte, warum sie einen solchen Lärm machte.

»Was wollte Sören?«, rief Erik die Treppe hinab.

»Bescheid sagen, dass er dich abholt«, schallte es zurück.

»Bescheid sagen, dass er bei uns frühstücken will«, korrigierte Erik brummend. Es konnte ja niemand sehen, dass er lächelte, dass er sich darauf freute, in eine Küche zu kommen, in der jeder Stuhl besetzt war, in der geredet und gelacht wurde, in der die Behaglichkeit duftete.

Mamma Carlotta stellte so geräuschlos wie möglich das Geschirr zusammen. Nur gut, dass sie eine Kopfschmerztablette im Badezimmerschrank gefunden hatte! Und gut, dass sie mit dem Espresso beschäftigt gewesen war, als Erik über den Lärm in Kemmertöns' Garten geschimpft hatte. So brauchte sie ihn nicht anzusehen, als er von einer Italienerin sprach, die ganz maßgeblich an dem ruhestörenden Lärm beteiligt gewesen war.

Eigentlich hatte sie ja gar nicht die Absicht gehabt, sich zu Kemmertöns' Feriengästen zu gesellen. Es hatte sich einfach so ergeben. Rein zufällig war sie noch einmal in den Garten gegangen, um ein wenig von der frischen Luft zu schöpfen. Auf Sylt war sie so herrlich erquickend, ganz anders als die Abendluft in Umbrien, die nach dem Gras roch, das die Sonne verbrannt hatte. Und während sie am Zaun entlangspazierte, hatte sie einen friesischen Witz gehört, der sie so amüsierte, dass sie sich das Lachen nicht verkneifen konnte. Dadurch waren die Feriengäste auf sie aufmerksam geworden, und sie hatte sich für ihr unfreiwilliges Lauschen mit einem italienischen Witz entschuldigt. Hätte sie ablehnen sollen, als man sie daraufhin herüberbat? In ihrem Alter kam man mit wenig Schlaf aus. Aber wie lange dauerte es eigentlich, bis so eine Kopfschmerztablette ihre Wirkung entfaltete?

Sie brauchte frische Luft und beschloss, sich auf den Weg ans Meer zu machen. Dort würde es ihr bald besser gehen. Fietje Tiensch würde in seinem Strandwärterhaus am Ende der Seestraße sitzen und sich freuen, Mamma Carlotta wiederzusehen. Und gegen Mittag würde Tove Griess seine Imbissstube geöffnet haben. Wenn er noch immer den Rotwein aus Montepulciano ausschenkte, sollte sie unbedingt überprüfen, ob er im Juli genauso gut schmeckte wie im April. Außerdem hatte sie in der vergangenen Nacht gelernt, dass ein Kater am besten zu bekämpfen war, wenn man nach dem Aufwachen mit der Sorte Alkohol weitermachte, mit der man in der Nacht aufgehört hatte.

Sie ging auf die Terrasse, hielt ihr Gesicht in die Sonne und stellte fest, dass ein Hochsommertag auf Sylt so anfing wie die allerersten Frühlingstage in Umbrien. Prickelnd wie frisch eingeschenkter Sekt, mit einer Sonne, die auf der Haut perlte. Mamma Carlotta hatte gerade ihre

Strickjacke übergezogen, als das Telefon klingelte. Donata Zöllner war am Apparat.

»Was für eine Überraschung!« Mamma Carlotta war begeistert.

»Wie wär's mit einem Frühstück im Café Lindow?«, fragte Donata. »Da ist es in der Hauptsaison ruhiger als im Kliffkieker oder im Meeresblick.«

»Sehr gerne!« Mamma Carlotta war entzückt. »Aber wollten Sie heute nicht Ihre Freundin besuchen, die Sie so lange nicht gesehen haben?«

»Das hat Zeit bis heute Nachmittag«, gab Donata zurück. »Magdalena ist eine Langschläferin. Ich habe gerade bei ihr angerufen, aber sie hat nicht mal abgenommen.«

Dann beschrieb sie den Weg zum Café Lindow und erklärte, dass sie um halb zehn dortsein würde. Fünf Minuten später hatte Mamma Carlotta Lucias Fahrradschlüssel gefunden, saß sechs Minuten später auf dem Sattel und bog in die Westerlandstraße ein. Es war noch genug Zeit, um das Meer und den Strand zu begrüßen.

Sie bog in die Seestraße ein und fuhr geradewegs auf das Meer zu. Der Strand unterhalb des Kliffs war erst zu sehen, wenn man an Fietjes Strandwärterhaus angekommen war. Mamma Carlotta trat kräftig in die Pedale, die Weite beschwingte sie. Das Gefühl, direkt in den Himmel zu radeln, vermittelte eine Freiheit, die der Gegenwind ihr nicht nehmen konnte.

Voller Bedauern stellte sie fest, dass das Strandwärterhaus leer war. Fietje war anscheinend unterwegs, um am Strand nach dem Rechten zu sehen. Mamma Carlotta stellte sich an die Brüstung der hohen Treppe, sah über das Meer und über den Strand. Fietje würde sie später begrüßen.

Sie wickelte die Strickjacke um ihren Körper und bestaunte die Feriengäste, die sich in Badekleidung an ihr vorbeidrängten. Im Gegensatz zu Mamma Carlotta hatte keiner von ihnen eine Gänsehaut. Inzwischen hatte sich Sonne hinter tief hängenden Wolken verborgen, die in transparenten Fetzen aufs Festland zutrieben. Vor zwei Stunden noch war die Bläue nur von ein paar milchigen Schlieren überzogen gewesen, jetzt jedoch plusterte der Himmel sich auf, die Wolken gaben mit dicken Backen den Ton an.

Mamma Carlotta lächelte in den Himmel hinein. Lucia war ihr nahe, sie hatte das Zeichen gegeben, um das ihre Mutter gebeten hatte. Auch Lucia wollte nicht, dass Erik sich in Valerie Feddersen verliebte. Sie würde dabei helfen, dass er, wenn es schon sein musste, sich in eine Frau verliebte, die frei für ihn war. Besser aber, er ließ es ganz.

Es war zwanzig nach neun. Mamma Carlotta überholte Donata Zöllner, die zu Fuß unterwegs war, sprang vom Fahrrad und ging die letzten Meter neben Donata her.

»Nun müssen Sie mir endlich von Ihrer Familie erzählen«, meinte sie ungeduldig.

Doch Donata ließ sich Zeit mit der Antwort, bis sie im Café Platz genommen und ihr Frühstück bestellt hatten. Zunächst fragte sie: »Wieso sprechen Sie eigentlich so gut Deutsch?«

Mamma Carlotta berichtete ausführlich, dass sie von ihrer Enkelin, als diese noch Lehrerin werden wollte, unterrichtet worden war, dass sie mit ihrer Tochter Lucia viel Deutsch gesprochen hatte, um zu üben, und mit ihrer Nachbarin ebenfalls, die eine gebürtige Deutsche war. Dann wiederholte sie ihre Frage nach Donata Zöllners Familie.

»Mein Mann ist viel unterwegs.«

»Und Ihre Kinder? Sind sie wohlgeraten? Und was ist

mit Enkelkindern?« Als sie sah, dass Donatas Augen sich verdunkelten und ihr Gesicht traurig wurde, ahnte sie, was kommen würde.

»Ich hatte nur ein Kind, meinen Sohn Manuel«, begann sie mit leiser Stimme zu erzählen. Ein Sorgenkind sei er gewesen, zunächst von schwacher Gesundheit, später auch von schwachem Ehrgeiz und schwacher Entschlusskraft. Er habe die Schule hingeworfen, die Beziehungen seines Vaters genutzt, habe sich mal hier und mal dort anstellen lassen, es aber nirgendwo lange ausgehalten. »Er versuchte alles Mögliche, aber nichts machte ihm Spaß«, seufzte Donata Zöllner.

Auf Carlottas Frage, wovon er gelebt hatte, wich sie aus, indem sie von Manuels Eheschließung erzählte. »Seine Frau war nicht die Richtige für ihn, das wusste ich gleich.« So war die Hochzeitsfeier kein rechtes Freudenfest geworden, und wie die Mutter es vorausgesagt hatte, geriet die junge Ehe schon bald in eine Krise. Verlegen gab Donata zu, dass daran allerdings nicht die Schwiegertochter, sondern ihr Sohn schuld gewesen sei. »Er hatte eine Affäre, und seine Frau kam dahinter. Sie können sich vorstellen, dass sie nicht begeistert war.«

Oh ja, das konnte Mamma Carlotta sich vorstellen. Schließlich hatte es so etwas auch in ihrem Dorf gegeben. »Ein Carabiniere aus Perugia machte Urlaub in unserer Gegend. Anscheinend brauchte er ein bisschen Amore, um sich zu erholen.« Und da der Klavierlehrerin gerade einige Schüler wegen einer Masernepidemie ausgefallen waren, hatte sie viel Zeit und der Carabiniere leichtes Spiel gehabt. »War das ein Theater, als der Ehemann später von den Nachbarn alles erzählt bekam!«

»Ja, so ähnlich war es bei Manuel und seiner Frau auch«, meinte Donata. »Sie hat ihm eine schreckliche Szene gemacht und ihm die Pistole auf die Brust gesetzt.

Aber ihm fiel die Entscheidung schwer, er brauchte erst mal Abstand. Sowohl von seiner Frau als auch von seiner Geliebten.« Sie schüttelte traurig den Kopf. »Beruflich hatte er auch große Schwierigkeiten zu dieser Zeit. Er wollte weg! Nichts mehr sehen von seiner kaputten Ehe, nichts hören von den Forderungen seiner Geliebten und die Augen verschließen vor den beruflichen Problemen. Also beschloss er, zusammen mit einem Freund ein paar Tage Urlaub zu machen. Das war 1999.« Die Tränen traten ihr in die Augen, als sie ergänzte: »Ich habe ihm sogar noch zugeredet. Die beiden wollten ins Aostatal, ich war davon überzeugt, dass Manuel sich dort gut erholen würde. Wir hatten oft gemeinsam dort Urlaub gemacht. Als kleiner Junge hat Manuel die Fahrt durch den Montblanc-Tunnel genossen. Wer konnte ahnen, dass gerade dort ...« Donata versagte die Stimme. Sie griff nach ihrer Serviette und tupfte sich die Augen.

Mamma Carlotta starrte sie mit offenem Mund an. »1999? Der Montblanc-Tunnel? Dio mio!«

Obwohl es schon lange her war, konnte sie sich gut an die Fernsehberichte über das Inferno im Montblanc-Tunnel erinnern. Ein mit Margarine und Mehl beladener Laster war in der Mitte des Tunnels in Brand geraten, das Feuer hatte sich in rasender Geschwindigkeit ausgebreitet, giftige Dämpfe und eine unvorstellbare Hitze hatten das sofortige Eingreifen der Feuerwehr verhindert. Am Ende war es kaum möglich gewesen, die rund vierzig Opfer zu identifizieren, die meisten waren zu Asche verbrannt.

»Es gab nicht mal sterbliche Überreste, die wir hätten beerdigen können«, sagte Donata leise. »Weder von Manuel noch von seinem Freund. Nur von dem Wagen, in dem die beiden unterwegs waren, wurde das Nummernschild gefunden. Somit hatten wir Gewissheit über das Schicksal unseres Sohnes.«

Wieder brauchte Donata Zeit, um sich zu fassen. Und auch Mamma Carlotta war angesichts dieser Tragik unfähig, die richtigen Worte zu finden. Schließlich flüsterte sie: »Che disastro! Das ist das Schlimmste, was ich jemals gehört habe.« Mitleidig legte sie eine Hand auf die von Donata. »Ich weiß, wie es ist, ein Kind zu verlieren. Meine Lucia …«

Es war halb elf, als Donata zur Uhr sah und nach ihrem Handy griff. Bittend sah sie Mamma Carlotta an. »Sie gestatten, dass ich noch einmal versuche, Magdalena zu erreichen? Wir haben noch keine Verabredung für den Nachmittag getroffen.«

Um Viertel vor elf versuchte sie es ein weiteres Mal, Punkt elf ein letztes Mal. Aber Magdalena Feddersen meldete sich nicht.

Zehn nach elf erhob sich Erik, ergriff die Akte, die er gerade bearbeitete, und ging mit ihr in den Revierraum des Kommissariats, wo Enno Mierendorf und Rudi Engdahl Dienst taten.

Vor dem Besuchertresen stand eine junge Frau in einem hellen Sommerkleid, eine schwarze Leinenjacke hatte sie über die linke Schulter geworfen, die Sandaletten mit den hohen Absätzen ließen sie größer erscheinen und noch schlanker. Erik kam sich bei ihrem Anblick viel kleiner und breiter vor, als er war.

Er strich sich mit einer unruhigen Bewegung den Schnauzer glatt, ehe er sie ansprach. »Valerie! Du hier?«

Valerie Feddersen fuhr zu ihm herum. Ihr Gesicht war blass und ungeschminkt, ihr Blick ängstlich, die Hand, die sie Erik reichte, vibrierte. Er kannte diese Unruhe an ihr. Seit Lucia sich mit ihr angefreundet hatte, war es sein Wunsch gewesen, ihr die Nervosität zu nehmen, unter der sie litt.

»Mein Auto ist gestohlen worden«, stieß sie hervor. »Du weißt doch, ich bin gestern nach Niebüll gefahren. Zu Angela.«

»Du hast das Auto mitgenommen?« Erik wunderte sich. Die Fahrt über den Hindenburgdamm war im Autozug erheblich teurer als in einem Abteil. Und die Feddersens waren gezwungen, jeden Cent zweimal umzudrehen, ehe er ausgegeben wurde.

Valerie nickte. »Angela wohnt außerhalb, das weißt du doch.«

Erik wusste es nicht. Aber da es den Anschein hatte, dass er es wissen sollte, nickte er.

»Wir sind dann mit meinem Wagen nach Flensburg gefahren. Das Theater des Nordens gastierte dort mit Anatevka!«

»Dein Wagen ist also in Flensburg gestohlen worden?«

Valerie runzelte die Stirn, der Takt, den ihre nervösen Finger auf dem Tresen schlugen, wurde immer schneller. »Nein, in Niebüll, in der Nähe von Angelas Wohnung. Dort habe ich ihn nach unserer Rückkehr abgestellt, aber heute Morgen ...« Sie machte eine hilflose Geste. »Heute Morgen war er weg.«

»Du hast den Diebstahl nicht in Niebüll angezeigt?«

Valerie sah Erik schuldbewusst an. »Ist das schlimm? Ich habe einfach nicht daran gedacht. Mir ist erst auf dem Hindenburgdamm eingefallen, dass ich den Diebstahl anzeigen muss.«

Erik beruhigte sie. »Es spielt keine Rolle, ob du hier oder in Niebüll die Anzeige aufgibst.«

»Es wird ja sowieso nichts bringen«, seufzte sie. »Oder glaubst du, dass ich das Auto zurückbekomme?«

Erik zuckte die Achseln. »Gut sind die Aussichten nicht.«

»Also gebe ich diese Anzeige nur auf, damit die Versicherung zahlt.«

Erik hielt sich noch eine Weile im Revierraum auf, während Valerie dem Kollegen Enno Mierendorf genau erklärte, wo sie ihr Auto abgestellt und am Morgen nicht wiedergefunden hatte. Er überlegte, welche dienstliche Aufgabe ihm eine Stunde Außendienst bescheren könnte, in der er Valerie nach Hause bringen konnte. Aber noch ehe ihm etwas eingefallen war, ging das Telefon.

Rudi Engdahl nahm ab, und wenig später stand fest, dass Valerie den Bus nehmen musste. »Nichts anfassen! Lassen Sie alles so, wie es ist. Wir kommen sofort.« Engdahl warf den Hörer auf die Gabel. »Leiche gefunden! Mit Gewalteinwirkung!«

»Ist der Name des Opfers bekannt?«

Er war bekannt. Fünf Minuten später bekam Rudi Engdahl ein dickes Lob von seinem Chef, weil er ihn nicht genannt hatte.

Mamma Carlotta hatte ihr Strahlen eingebüßt. »Da habe ich extra Insalata di funghi gemacht und Spaghetti al sugo di noci! Sogar der Fisch ist vorbereitet – und was passiert? Euer Vater kommt nicht zum Mittagessen nach Hause. Und Sören auch nicht.« Unzufrieden sah sie ihren Enkelkindern beim Essen zu, die sich bemühten, durch besonderen Appetit von den Unterlassungssünden ihres Vaters abzulenken.

Felix hingen die Spaghetti aus den Mundwinkeln, während er ihn verteidigte: »Was soll er machen? Wenn auf Sylt ein Mord passiert, muss er so schnell wie möglich zum Tatort. Wenn ich erst in der Bundesliga spiele, muss ich auch alles stehen und liegen lassen, wenn der Bundestrainer anruft.«

Aber Carlotta hatte sich in ihrem seelischen Tief eingerichtet. »Schon wieder ein Mord!«, jammerte sie. »Was ist das nur für eine Insel, auf der ständig gemordet wird? Überhaupt gefiel mir Sylt im Frühling viel besser. Diese vielen Autos! Diese halbnackten Touristen! Sie machen Ferien, aber eilig haben sie es trotzdem. Bei Feinkost Meyer musste ich mich an der Kasse in eine Schlange von zwanzig Leuten stellen. Und als ich endlich an der Reihe war, hatte die Kassiererin nicht einmal Zeit, mit mir zu plaudern. Ich hatte ihr gerade erzählt, dass ich mich mit einer neuen Bekannten im Café Lindow getroffen hatte, da schrie schon so ein Tourist in unanständig kurzen Hosen, er wolle auch mal drankommen. Terribile! Dabei hat die Kassiererin sich so gefreut, mich wiederzusehen.«

Carolin legte ihrer Nonna tröstend eine Hand auf den Unterarm. »Vielleicht ist der Todesfall gar kein Mord, sondern ein Selbstmord. Oder ein tragischer Unglücksfall! Dann wird Papa bald wieder hier sein.«

Aber Mamma Carlotta überwand ihre Misslaunigkeit erst, als Carolin auf die Kurzgeschichte zu sprechen kam, die sie ihrer Großmutter als Lektüre auf den Nachttisch gelegt hatte. »Gefiel sie dir?«

Prompt wurde aus dem seelischen Tief schweres Schuldbewusstsein. Wie unverzeihlich, einer angehenden Schriftstellerin zu gestehen, dass der übermäßige Konsum von alkoholischen Getränken verhindert hatte, sich mit ihrem Erstlingswerk zu befassen! Mamma Carlotta errötete vor Scham, weil sie nun auch noch erklären musste, wie es dazu gekommen war, und bat die Kinder, ihrem Vater die Ausschweifungen seiner Schwiegermutter zu verheimlichen. »Selbstverständlich dürft ihr nicht lügen. Aber vielleicht ... vielleicht fragt er euch ja nicht.«

Immerhin zahlte sich ihr Geständnis aus. Carolin war unter diesen Umständen bereit, ihrer Großmutter zu vergeben, und versicherte mehrmals, dass ihrem Selbstbewusstsein kein Schaden zugefügt worden sei, vorausgesetzt, die Nonna nutze die nächste Gelegenheit, sich von den literarischen Qualitäten ihrer Enkeltochter zu überzeugen. Mamma Carlotta versprach es hoch und heilig und sah zum Ausgleich darüber hinweg, dass die Kinder sich auf äußerst respektlose Weise über ihren Besuch im Nachbargarten amüsierten.

Nach dem Essen holte Carolin eine Zeitschrift und legte sie aufgeschlagen auf Mamma Carlottas Platz. »Ein Bericht über Gero Fürst und über das Buch, das er gerade schreibt. Hier auf Sylt! Es soll ›Mutter des Raben‹ heißen.«

Sie stützte den Kopf auf und sah schwärmerisch die gegenüberliegende Wand an, während ihr Bruder die Augen verdrehte und lautstark verkündete, dass ein Mensch, der sich freiwillig an den Schreibtisch setzte, um etwas zu tun, was der Erledigung von Hausaufgaben sehr ähnlich war, eine Meise haben musste.

»Wenn ich die Schule hinter mir habe, werde ich nie mehr einen Stift in die Hand nehmen«, behauptete er. »Als Profifußballer brauche ich das ja zum Glück nicht. Höchstens, um einen Vertrag zu unterschreiben.«

Doch Carolin und die Großmutter waren ins Leben der Schönen und Reichen eingetaucht und hatten keinen Blick mehr für einen Vierzehnjährigen, der sich zu den Schönen zählte, wenn sein Käppi besonders speckig war und die Schrittnaht seiner Hose so tief wie möglich hing.

»Am nächsten Sonntag spielt meine Mannschaft! Wir können aufsteigen, wenn es gut läuft. Ihr müsst natürlich zuschauen. Ich brauche meine Fans, vielleicht schaffe ich dann den entscheidenden Treffer. Das wäre turbogeil!«

Seine Großmutter murmelte etwas, was sich wie Bestätigung anhörte, und Felix drückte sich aus der Küche in der angenehmen Gewissheit, dass er längst auf dem Fußballplatz sein würde, ehe jemand nach der Erledigung seiner Hausaufgaben fragen konnte.

Mamma Carlotta und Carolin beratschlagten indessen, ob ein Mann wie Gero Fürst bereit sein könnte, einer sechzehnjährigen Sylterin die Tür zu öffnen, die seine Romane signiert haben wollte.

»Ich weiß, wo er wohnt«, sagte Carolin, »aber ich traue mich nicht, bei ihm anzuklopfen. Was ist, wenn ich ihn störe?«

Carlotta hatte noch immer das Gefühl, eine Menge wiedergutmachen zu müssen. »Wir versuchen es einfach«, beschloss sie. »Wir gehen zu ihm und fragen ihn. Das kriegen wir schon hin.«

Carolin sah sie an, als glaubte sie ihr jedes Wort. Das gab Mamma Carlotta die Kraft, selbst daran zu glauben, dass ein Bestsellerautor, der nach Sylt gekommen war, um ungestört an seinem Manuskript arbeiten zu können, sich gern von einer italienischen Mamma stören ließ.

Als Carolin aufstand, um Espresso zu kochen, blätterte Mamma Carlotta weiter. Ohne großes Interesse las sie, dass ein erfolgreicher Fußballspieler sich von seiner Frau scheiden ließ, um die Freundin seines Trainers zu heiraten, und der bekannte Schauspieler Severin Dogas der Star einer neuen Fernsehserie sein würde. Die Dreharbeiten sollten im Herbst beginnen.

»Hör dir das an, Carolin: 1999 sah es fast so aus, als wäre die Karriere von Severin Dogas zu Ende. Der Tod seines Sohnes, der im Montblanc-Tunnel umkam, schien ihm jegliche Kraft geraubt zu haben. Erst ein Jahr später nahm er wieder ein Engagement an und steht seitdem wieder regelmäßig vor der Kamera.« Mamma Carlotta ließ die Zeitung sinken. »Noch so ein bedauernswerter Mensch! Das Kind durch einen Unglücksfall verloren – so wie Donata und wie ich ...«

Das Haus lag im Risgap inmitten einer hellen Eigenheimsiedlung. Große Häuser standen weit voneinander entfernt, Einfamilienhäuser, in denen Ferienwohnungen untergebracht waren, zwei kleine Hotels, eine Pension. Das Anwesen, auf das Erik und Sören zugingen, unterschied sich von allen anderen. Es war kleiner und flacher, im Garten war kein Spielgerät zu sehen, wie die Vermieter es den Kindern ihrer Feriengäste gern zur Verfügung stellten. Alles sah so aus, als wohnte hier jemand, der es nicht nötig hatte, mit dem Fremdenverkehr Geld zu verdienen.

Das Haus machte einen sehr gepflegten Eindruck. Hinter dem akkuraten weißen Holzzaun prangten Sommerblumen, die Rasenflächen waren makellos, die prachtvollen Geranien in den Blumenkästen wiesen kein einziges getrocknetes Blütenblatt auf. Nur das Fahrrad störte das Bild der Vollkommenheit: ein klappriges Ding mit einem brüchigen Ledersattel und verrosteten Schutzblechen. Es lehnte neben der Haustür und bohrte seine Lenkstange in die Blütenpracht eines Blumenkastens.

Kommissar Vetterich, der Chef der Spurensicherung, öffnete die Tür. »Moin«, begrüßte er seine Kollegen und forderte sie mit einer Kopfbewegung zum Eintreten auf. »Der Tatort ist oben.« Vetterich wies zur Holztreppe, die mit elegantem Schwung in die erste Etage führte. »Dr. Hillmot ist noch oben im Schlafzimmer. Wir machen dort weiter, wenn die Leiche abtransportiert ist.«

Erik zögerte, bevor er die Schlafzimmertür aufschob. Sie war nur angelehnt, und er hörte Dr. Hillmot die Ergebnisse der ersten Leichenschau ins Diktiergerät sprechen. Erik zögerte immer, bevor er die Tür zu einem Raum öffnete, hinter der ein Verbrechen geschehen war. Es war eine Mischung aus Angst und Erwartung, die ihn hemmte. Auch nach so vielen Dienstjahren noch.

Magdalena Feddersen lag auf dem Rücken, den linken

Arm ausgestreckt, die rechte Hand auf die Brust gesunken, als hätte sie noch versucht, den Tod abzuwehren.

»Sie ist im Schlaf überrascht worden«, sagte Dr. Hillmot und richtete sich stöhnend und mit knirschenden Kniegelenken auf. Er war Ende fünfzig, litt unter erheblichem Übergewicht und fand, dass die körperlichen Strapazen, die mit einer Leichenschau einhergingen, für einen Mann mit seiner Konstitution eigentlich unzumutbar waren. Aber da seinem Wunsch nach Frühpensionierung noch nicht stattgegeben worden war, musste er sich immer wieder so anstrengen wie jetzt.

Magdalena Feddersens Gesicht war nicht zu erkennen. Der ganze Kopf war rot besudelt, im Stirnbereich ragten spitze, weiße Splitter aus dem Blut. Der Schädel war mit großer Wucht zertrümmert worden.

»Tatwaffe?«, fragte Erik.

Dr. Hillmot wies auf einen Kerzenleuchter, der, in einer Plastiktüte gesichert, auf einem Tisch am Fenster stand. Daneben lag, ebenfalls von Vetterich und seinen Leuten verpackt, eine blaue Kerze. Der obere Teil des Leuchters war voll getrockneten Blutes. Rostrote Rinnsale waren zum Sockel des Leuchters gesickert. Erreicht hatten sie ihn nicht.

»Fingerabdrücke?«

Dr. Hillmot zuckte die Achseln. »Vetterich meint, der Täter hat Handschuhe getragen. Aber vielleicht findet er ja trotzdem etwas, was Ihnen weiterhilft.« Er beugte sich erneut über das Mordopfer. »Die Wunde ist großflächig, der Täter muss mehrmals zugeschlagen haben. Und das mit großer Wucht.«

»Also ein männlicher Täter?«, fragte Sören.

»Nicht unbedingt. Die Frau war vollkommen wehrlos. Sie schlief, mit einer Gegenwehr war nicht zu rechnen, der Mörder konnte den Schlag in aller Ruhe vorbereiten«, meinte Dr. Hillmot. »Die Kraft, die nötig war, kann auch eine Frau aufgebracht haben.«

»Und der Todeszeitpunkt?«

»Ich schätze mal, vor acht bis zwölf Stunden.«

Erik blickte auf die Uhr. »Tatzeit also ungefähr zwischen Mitternacht und zwei. Wer hat sie gefunden?«

»Ihr Neffe, zusammen mit der Nachbarin«, erwiderte Dr. Hillmot. »Die beiden sitzen unten. Sie stehen noch unter Schock.«

Erik wandte sich an Sören. »Schicken Sie die beiden erst mal nach Hause. Mit der Nachbarin werde ich reden, wenn ich hier alles in Augenschein genommen habe. Bei Mathis Feddersen fahre ich auf dem Heimweg vorbei.«

Erik betrachtete das Schlafzimmer der Toten, während Dr. Hillmots Stimme durch den Raum sickerte. »Schmale Auftrefffläche, gelbliche bis braunrote Vertrocknungen in Form der Tatwaffe, vermutlich Kerzenleuchter, striemenartige, doppelt konturierte Hautblutungen, dazu punktförmige bis kleinfleckige Hautblutungen, der unterminierte untere Wundrand spricht für Gewalteinwirkung von oben, Schädelbasisfraktur …«

Erik versuchte seine Ohren zu verschließen. Die Fachterminologie des Gerichtsmediziners war für ihn wie das Messer, das aus einer tödlichen Wunde entfernt werden muss, damit das Mordopfer endlich seine Ruhe finden kann. Er konzentrierte sich auf den Raum, in dem er stand. Ein großes, helles Zimmer, sparsam möbliert, mit einem breiten Bett. Rechts und links daneben auf zierlichen Nachttischen Lampen mit blauen Schirmen. Blumen, Wohnaccessoires und ein paar Bilder in sanften Farben machten den Raum behaglich, nahmen ihm die Kühle, die vielen Schlafzimmern anhaftet, und auch die Zweckmäßigkeit, die riesige Schränke und Kommoden erzeugen. In Magdalenas Schlafzimmer gab es keinen

Schrank, eine Tür öffnete sich zu einem Ankleidezimmer, in dem ihre erstaunlich spärliche Garderobe in offenen Regalen untergebracht war.

Als Erik die Treppe hinabstieg, schloss Sören gerade die Tür hinter Mathis Feddersen und einer Frau, die Magdalenas Nachbarin sein musste. Während Erik ins Wohnzimmer ging, um sich dort umzusehen, berichtete Sören: »Mathis Feddersen ist heute Morgen mit frischen Brötchen hier erschienen, um mit seiner Tante zu frühstücken. Anscheinend tut er das öfter. Er hat sich gewundert, dass sie nicht öffnete, denn so früh geht sie normalerweise nicht aus dem Haus, sagt er. Sie ist eine Langschläferin, deswegen hat er den Schlüssel benutzt, den sie ihm anvertraut hat, und ist ins Haus gegangen. Er hat Kaffee gekocht, den Tisch gedeckt und wollte seine Tante gerade wecken – da kam die Nachbarin. Sie machte sich Sorgen, weil die Rollläden noch geschlossen waren. Daraufhin sind die beiden hochgegangen und … tja, den Rest kennen wir.«

Erik nickte und sah Vetterich und seinen Leuten eine Weile bei ihrer Arbeit zu. »Irgendwas Interessantes?«, fragte er schließlich.

Kommissar Vetterich schüttelte den Kopf. »Bis jetzt nicht. Nur das Übliche. Viel Familienkram. Wie das so ist bei Frauen Ende fünfzig.«

Erik ging mit Sören in die Küche. Auf dem Tisch lag eine gefüllte Brötchentüte, zwei Gedecke standen daneben, Butter und Marmelade, die Mathis Feddersen wohl aus dem Kühlschrank geholt hatte, bevor die Nachbarin erschienen war. Die Kaffeemaschine war noch eingeschaltet, sie zischte leise.

»Wie heißt die Nachbarin?«

Sören warf einen Blick auf seinen Notizblock. »Berhenne. Ebenfalls alleinstehend. Sie und die Tote haben schon vor Jahren verabredet, gegenseitig ein Auge auf die

Sicherheit der anderen zu haben. Frau Berhenne hat es sich zur Gewohnheit gemacht, bei Magdalena Feddersen zu klingeln, wenn nach zehn noch die Rollläden geschlossen waren. Einige Male ist es tatsächlich vorgekommen, dass Magdalena zu dieser Zeit noch im Bett lag. Gesund und munter.«

Erik kehrte ins Wohnzimmer zurück, wo Vetterich gerade den Schreibtisch der Toten öffnete. »Seht euch nach einem Testament um. Wir müssen möglichst schnell wissen, wer Nutznießer von Magdalena Feddersens Tod ist.«

»Glauben Sie, ich mache meinen Job erst seit gestern?«, knurrte Vetterich zurück.

Erik blieb von seiner Bärbeißigkeit unbeeindruckt. »Wissen Sie schon, wie der Täter ins Haus gekommen ist?«

Vetterich nickte. »Ein Fenster der Garage ist eingeschlagen worden. Von dort gibt es eine Tür, die ins Haus führt. Anscheinend war sie nicht verschlossen.« Er schob die Schublade zu, deren Inhalt er untersucht hatte. »Die Kollegen sichern gerade in der Garage die Spuren.«

»Soweit ich weiß«, meinte Erik, »ist Mathis Feddersen der einzige Verwandte. Wenn die Tote also nichts anderes verfügt hat, wird er alles erben.«

»Und er kann es verdammt gut gebrauchen«, ergänzte Sören. »Ein Motiv hat er also.«

»Mal sehen, ob er auch ein Alibi hat.«

Inzwischen war aus Mamma Carlottas Enttäuschung Verunsicherung geworden, ein ebenso unangenehmes Gefühl. Was sollte sie nur tun? Wie reagieren, wie der Enkelin Mut machen? Einfach sagen: »Ich finde die Geschichte gut«?

Zu wenig! Eine Literatin wollte mehr hören, wollte

wissen, ob ihre Botschaft rübergekommen war. Aber welche Botschaft sollte die unbedarfte Leserin erreichen? »Dio mio!« Mamma Carlotta wusste es nicht.

Bevor Carolin zu ihrem Kurs in kreativem Schreiben aufgebrochen war, hatte sie ihrer Nonna noch einmal ihre Kurzgeschichte ans Herz gelegt, hatte sie gebeten, auf die Einhaltung der Perspektive zu achten, auf den Spannungsbogen, auf eine versteckte Aussage in einem mehrdeutigen Wort, auf Interpretationsmöglichkeiten des Lesers, die nach dem letzten Satz in Gang kommen sollten. »Ich will keine Meinung festlegen, sondern dem Leser die Chance geben, zu einer eigenen zu kommen.«

Mamma Carlotta stützte den Kopf auf. Noch nie im Leben hatte sie sich derart überfordert gefühlt. Was sollte sie Carolin sagen, wenn sie von ihrem Kurs zurückkam? Das Kind durfte nicht noch einmal gekränkt werden und auf keinen Fall den Eindruck haben, ihre Nonna sei nicht an ihrem Talent interessiert. Erst recht sollte Carolin nicht zu der Ansicht kommen, ihre Großmutter sei es nicht würdig, die literarischen Werke ihrer Enkelin zu begutachten.

Carlotta erhob sich und schob Carolins Kurzgeschichte in ihre Handtasche. Tove Griess und Fietje Tiensch waren sicherlich keine Experten in Sachen schöne Künste, aber ein Gespräch mit ihnen würde vielleicht dennoch von Nutzen sein.

Da niemand zu Hause war, konnte auch niemand erfahren, dass sie sich mit dem zwielichtigen Besitzer der Imbissstube und dem Strandwärter besprach, den sonst keiner eines Blickes würdigte. Erik war natürlich strikt dagegen, dass sie Käptens Kajüte betrat. Das war verständlich, hatte er doch mehr als einmal dafür gesorgt, dass Tove hinter Schloss und Riegel landete, und auch Fietje hatte manche Nacht in Polizeigewahrsam verbracht, wenn er mal wieder dabei erwischt worden war, wie er in fremde Fenster sah und das Leben anderer beobachtete, an dem er selbst nicht mehr teilhatte.

Mamma Carlotta tauschte ihre graue Bluse gegen eine gelbe, die über und über mit rotem Klatschmohn bedruckt war, und legte das einzige Schmuckstück an, das sie je besessen hatte. Ihre Patentante hatte ihr das Bettelarmband mit einem einzigen Anhänger zur Erstkommunion geschenkt, und seit Dinos Tod hatte es unbeachtet in ihrem Nähkästchen gelegen. Für die Syltreise hatte sie es hervorgeholt und sich an den vielen Anhängern gefreut, die im Lauf der Jahre hinzugekommen waren, von dem jeder eine kleine Geschichte erzählte.

»Signora!« Ihr Herz erwärmte sich, als sie Toves ehrliche Freude sah. Er ließ die Fischfrikadellen im Stich, die gerade gewendet werden sollten, und kam um die Theke herum. »Sie sind wieder auf Sylt?« Er umfing sie mit seinen starken, dicht behaarten Armen, aus denen Mamma Carlotta sich schleunigst befreite. Nicht auszudenken, wenn einer der Gäste in Käptens Kajüte zu Eriks Bekannten gehörte und ihm später erzählte, dass er seine Schwiegermutter in einer Umarmung mit Tove Griess gesehen hatte!

Zum Glück erklärte der Kunde, der vor der Theke wartete, gerade in diesem Augenblick, dass er keine verbrannten Fischfrikadellen akzeptieren werde. Das brachte Tove zurück an seinen Grill und rettete sein Fischfrikadellengeschäft, wenn auch nur knapp. Während der nächste Kunde seinen Kartoffelsalat nach draußen trug, wo Tove ein paar Stehtische aufgestellt hatte, verschwand er in dem kleinen Raum hinter der Theke und kam kurz darauf mit einer Flasche Rotwein zurück.

»Der Wein aus Montepulciano«, strahlte er. »Extra für Sie eingelagert!«

Mamma Carlotta lächelte glücklich. Ja, so stellte sie sich ein gelungenes Wiedersehen vor!

»Auf Sylt war nichts los, als Sie wieder nach Italien abgereist waren«, behauptete Tove. »Das Wetter war schlecht, wir hatten häufig Nebel. Die Geschäfte gingen auch nicht gut. Ich war schon drauf und dran, Käptens Kajüte zu schließen. Vierzehn Tage hatte ich im Mai tatsächlich nicht geöffnet.«

»Weil Hauptkommissar Wolf dich eingebuchtet hat, jawoll«, ertönte da von der Tür die Stimme von Fietje Tiensch. »Deine Schlägerei mit dem letzten Gast war ja auch nicht von Pappe.«

»Da war ich im Recht«, knurrte Tove. »Er wollte nicht zahlen. Sollte ich mir das etwa gefallen lassen?«

Carlotta rutschte vom Barhocker, den sie gerade mühsam erklommen hatte, und musste sich noch einmal umarmen lassen. Auch diesmal nur kurz, denn Vertraulichkeiten mit dem übel beleumundeten Fietje würde Erik ebenso wenig gutheißen.

»Wenn du mich bei der Signora verpfeifst«, fügte Tove an, während er Fietje ein Jever hinstellte, »dann erzähl ich ihr, dass die Bank in meiner Zelle noch nicht kalt war, als du deinen Allerwertesten draufgesetzt hast. Die Leute, denen du ins Schlafzimmer geguckt hast, haben kurzen Prozess gemacht.«

Fietje zog sich seine Mütze, ohne die er auch im Sommer nicht auskam, in die Stirn und versteckte sein Gesicht im Bierglas. Er war im Gegensatz zu Tove ein schmächtiger Mann. Sein Gesicht war von einem ungepflegten Bart überwuchert, während Tove einen Dreitagebart trug. Mit Sicherheit hatte er keine Ahnung davon, dass er damit en vogue war. Tove war groß und stark wie ein Bär, mit buschigen Augenbrauen und einem harten Mund. Fietje dagegen versteckte unter seinem Bart ein zartes Gesicht, das einmal hübsch gewesen war, mit sanft geschwungenen Lippen und einer schmalen Nase. An seinen Augen war noch immer abzulesen, was ihn früher ausgemacht hatte, als er noch der Liebling der Frauen gewesen war. Hell und freundlich waren sie und sehr aufmerksam, wenn jemand zu ihm sprach.

Nach dem zweiten Glas Rotwein hatte Mamma Carlotta ihre Wiedersehensfreude bewältigt und Tove und Fietje erzählt, was sich in den vergangenen Monaten in ihrem Leben ereignet hatte. Die beiden wussten nun von der Fußpilzerkrankung der ältesten Schwiegertochter, vom Brautkleid der Nichte, die trotz ihrer fünfundvierzig Jahre in Weiß heiraten wollte, von dem unehelichen Kind der entfernt verwandten Friseurin und der Vermutung, dass der Bürgermeister dahintersteckte.

Dann kam Mamma Carlotta auf Carolins Kurzgeschichte zu sprechen. »Das Kind möchte eine Beurteilung von mir«, erklärte sie unglücklich. »Ich muss Carolina etwas sagen, was ihr hilft, eine richtige Schriftstellerin zu werden.«

Tove fiel plötzlich ein, dass seine Kaffeemaschine gereinigt werden musste. Zu der Fußpilzerkrankung hatte er eine Meinung gehabt, zu dem Brautkleid und dem unehelichen Kind ebenfalls – aber zu einem literarischen Werk? Nein! »Da müssen Sie Reich-Ranicki fragen«, brummte er und fing unter lautem Gepolter an, den Filter auseinanderzuschrauben.

Mamma Carlotta hatte keine Ahnung, wer Reich-Ranicki war, bestand aber nicht auf einer Erläuterung, da Fietje Interesse bekundete, sich Carolins Kurzgeschichte vorlesen zu lassen.

»Hoffentlich ist sie nicht lang«, knurrte Tove, »sonst vertreibt ihr mir noch die Kundschaft.«

Mamma Carlotta war angenehm überrascht, dass Fietje

ihr beim Vorlesen aufmerksam zuhörte. Trotzdem erwartete sie nichts, was ihr weiterhelfen könnte. Entmutigt ließ sie nach dem letzten Satz das Blatt sinken. »Was soll ich nur Carolina sagen? So richtig verstehe ich ihre Geschichte ja gar nicht.«

»Sie sind Ausländerin«, brummte Tove. »Das ist doch eine gute Ausrede.«

»Soll sie mich für dumm halten?«, fragte Mamma Carlotta empört. »Außerdem will ich wissen, warum der arme, alte Mann der Blumenfrau sein letztes Geld für Blumen gibt, für die er nicht einmal eine Vase hat. Und warum verkauft die Blumenfrau dem armen Kerl Blumen, wo sie doch weiß, dass er nicht einmal Geld fürs tägliche Brot hat?«

»Er ist verrückt geworden, und sie ist skrupellos«, vermutete Tove.

Mamma Carlotta schüttelte den Kopf. »Ich glaube, so einfach ist die Sache nicht.«

Tove fiel ein, dass er mit dem Gespräch nichts zu tun haben wollte, und widmete sich wieder seiner Kaffeemaschine.

Fietje fuhr sich durch den Bart und betrachtete nachdenklich den Blechkuchen, den Tove auf die Theke gestellt hatte. »Ich glaube, dass sich die eigentliche Aussage in den Blumen versteckt«, begann er vorsichtig. »Sie stehen für etwas anderes. Für Liebe, Freundschaft, Geborgenheit. Der alte Mann will endlich ein Lächeln von der Blumenverkäuferin, und er weiß, dass alle zahlenden Kunden eins bekommen. Jawoll!«

Mamma Carlotta sah aus, als wäre sie bis ins Mark erschüttert. »Sie haben recht! So muss es sein! Jetzt verstehe ich, was Carolina mit der Geschichte ausdrücken will.«

Fietje nickte und fuhr, mutiger geworden, fort: »Sie sollten Ihrer Enkeltochter raten, weniger Hauptwörter und mehr Verben zu benutzen. Das macht den Text lebendiger und bewegter. Hauptwörter verlangsamen, Tätigkeitswörter beschleunigen eine Erzählung.«

Mamma Carlotta starrte ihn mit offenem Munde an, Tove ließ den Kaffeefilter sinken und suchte nach Worten.

Aber bevor er welche gefunden hatte, fuhr Fietje schon fort: »Ruhe und Bewegung sind die Atemzüge vom Sprachrhythmus. Sie muss mit ihnen atmen, dann wird sie etwas schreiben, was uns bewegt.« Fietje nahm den Blick aus seinem Bier und lächelte. »Wer hätte das gedacht, dass einem die Kenntnisse aus der Schule doch noch was nützen, auch wenn ich damals das Gymnasium geschmissen hab.«

Mamma Carlotta war viel zu beeindruckt, um zu lächeln. Und Tove war sogar derart fasziniert, dass er sich weigerte, Fietje ein weiteres Bier zu zapfen. »Für Klugscheißer ist in Käptens Kajüte kein Platz!«

Frau Berhenne führte im Winter ein eintöniges Leben, im Sommer profitierte sie dafür von vom Leben ihrer Feriengäste. Sie kannte die Familienverhältnisse jedes Einzelnen, der mal bei ihr gewohnt hatte, und brüstete sich gern damit, dass beinahe jeder, der einmal ein Apartment in ihrem Hause bezogen hatte, ein zweites und drittes Mal gekommen war. So hatte sie sich im Lauf der Jahre eine Art Ersatzfamilie erschaffen, ohne dass die einzelnen Mitglieder dieser Familie etwas davon ahnten. Von gleichaltrigen Feriengästen sprach sie wie von Geschwistern, die sie nie gehabt hatte, von deren Nachkommen wie von eigenen Kindern, die sie ebenfalls nie gehabt hatte, und von dem alleinreisenden Lehrer, der die Herbstferien bei ihr verlebte, wie von einem Geliebten, den sie selbstredend auch nie gehabt hatte.

Als Erik an ihrer Tür klingelte, wurde ihm von einer

jungen Frau geöffnet, die sich als Feriengast vorstellte und ihn in Frau Berhennes Wohnzimmer führte, wo sich zwei weitere Gäste um die verstörte Zimmerwirtin kümmerten.

Erik schickte sie hinaus und schloss behutsam die Tür, dann setzte er sich Frau Berhenne gegenüber und bat sie mit sanfter Stimme, zu erzählen, was geschehen war.

Frau Berhenne schilderte zunächst lang und breit das gute Nachbarschaftsverhältnis, das sie mit Magdalena Feddersen gepflegt hatte. Erik ließ sie reden, um ihr Vertrauen zu gewinnen, und nickte aufmerksam, als Frau Berhenne ihm erklärte, dass Magdalena Feddersen ein ähnliches Leben geführt hatte wie sie: Auch sie war alleinstehend und hatte keine Kinder, im Gegensatz zu Frau Berhenne jedoch war sie nie verheiratet gewesen. Magdalena Feddersen hatte es nicht nötig gehabt, an Feriengäste zu vermieten, auch das unterschied sie von Frau Berhenne. Die war jedoch ohne Neid.

»Ich möchte auf die Bekanntschaft mit meinen Gästen nicht verzichten.« Sie hob die Schultern und ließ sie wieder fallen. »Magdalena hatte im Gegensatz zu mir eine wirkliche Familie, während ich nicht einmal einen Neffen habe.«

»Mathis Feddersen?« Erik fand, dass er ihr genug Zeit gelassen hatte, um auf den Punkt zu kommen. »Wie war das Verhältnis der Toten zu ihrem Neffen?«

Frau Berhenne dachte kurz nach. »Früher war es nicht gut«, begann sie zögernd. »Mathis war wütend auf seine Tante, weil sie auf dem Aktienmarkt viel Geld gemacht hatte, während er damals alles verlor.« Sie strich mit einer theatralischen Bewegung ihre graue Dauerwelle glatt. »Dabei hatte sie ihn gewarnt. Er könnte nur böse auf sich selbst sein. Aber das hat er ja irgendwann auch eingesehen.«

»Tante und Neffe hatten also ein gutes Verhältnis?«

»Seit einiger Zeit«, nickte Frau Berhenne. »Mathis hat sich bei seiner Tante entschuldigt. Er hat eingesehen, dass er ihr Unrecht getan hatte.«

»Und Valerie Feddersen?«

»Mit der hat Magdalena nie was am Hut gehabt. Die beiden sind sich immer aus dem Weg gegangen. Damals wie heute.«

»Kam es häufiger vor, dass Mathis Feddersen seine Tante zum Frühstück besuchte?«

Frau Berhenne nickte, dann erhob sie sich, weil ihr einfiel, dass der Schock, den sie erlitten hatte, mit einem kleinen Schnaps leichter zu ertragen war. »Mögen Sie auch einen Aufgesetzten? Mein Hein hat immer gesagt, der hilft bei allem. Ob der beste Freund ertrunken ist oder ob der beste Freund Vater geworden ist.«

Erik lehnte dankend ab und sah geduldig zu, wie Frau Berhenne sich einen Aufgesetzten einschenkte, ihn runterkippte und sich schüttelte, als hätte sie eine bittere Medizin eingenommen. Währenddessen wurde vor der Tür darüber beratschlagt, wer bereit sei, auf einen Tag am Strand zu verzichten, damit Frau Berhenne in ihrem Schmerz nicht allein bleiben müsse.

Sie setzte sich wieder, augenscheinlich gestärkt und sogar ein wenig getröstet. »Ein-, zweimal die Woche kam Mathis mit Brötchen ins Haus«, erzählte sie weiter. »Immer, wenn es nicht viel Arbeit im Hotel gab. Und die gab es ja immer weniger. Nur noch in der Hauptsaison, wenn Gäste bei ihm absteigen, die nirgendwo mehr ein günstiges Quartier finden.« Frau Berhenne schüttelte mitleidig den Kopf. »Feddersens Bruchbude muss dringend renoviert werden. Aber er hat ja kein Geld.«

»Konnte seine Tante ihm nichts leihen?«

»Warum?« Frau Berhenne lachte verächtlich. »Sie hat

ihn gewarnt, er wollte nicht auf sie hören – er musste selber sehen, wie er klarkam.«

»Hat er seine Tante jemals um einen Kredit gebeten?«

Erik las an Frau Berhennes Miene ab, dass ihr ein Gedanke kam, der ihr nicht behagte. Sicherlich konsumierte sie in den Wintermonaten den einen oder anderen Fernsehkrimi und wusste, wann man von einem Motiv reden konnte. Deswegen sprach sie ihren Gedanken nicht laut aus, sondern flüsterte kaum vernehmlich: »Ich weiß es nicht. Aber jetzt sieht ja sowieso alles anders aus. Jetzt, wo er alles erbt…« Frau Berhenne blickte zu der Flasche mit dem Aufgesetzten, dessen Unterstützung sie gebraucht hätte, um den schrecklichen Gedanken, der ihr gekommen war, auszusprechen. Doch sie ließ die Flasche stehen und schwieg.

»Sie wissen, dass der Neffe alles erbt?«, fragte Erik.

Frau Berhenne schüttelte zögernd den Kopf. »Wissen? Nein, wissen tu ich nichts. Aber er ist doch Magdalenas einziger Verwandter. Also muss man wohl davon ausgehen.«

Erik ließ sich erzählen, wie der Vormittag abgelaufen war. Auch diesmal hörte er sich zunächst geduldig an, wie gut Frau Berhenne ihre Gäste kannte, denen sie frühmorgens die frische Milch besorgte, und ließ sich schildern, wie sie in den Garten gegangen war, um die Schaukel abzutrocknen, die zu früher Stunde feucht vom Tau war. »Da sah ich, dass die Rollläden vor Magdalenas Schlafzimmerfenster noch heruntergelassen waren.«

»Sie haben sich Sorgen gemacht?«

Frau Berhenne schüttelte den Kopf. »Eigentlich nicht. Es ist schon oft vorgekommen, dass Magdalena vergessen hat, die Rollläden hochzuziehen. Und ebenso oft kam es vor, dass sie noch im Bett lag.« Sie schüttelte den Kopf und seufzte, als spräche sie von einem ungezogenen Kind.

»Aber es war nun mal so verabredet. Ich habe jedes Mal nach dem Rechten gesehen, auch wenn ich dann von Magdalena ausgelacht wurde.«

»Und diesmal?«

»Diesmal hat sie mich natürlich nicht ausgelacht.« Nun brauchte sie doch noch einen Aufgesetzten. »Ich wollte gerade den Schlüssel zu Magdalenas Haus raussuchen, da öffnete Mathis das Küchenfenster und fragte, ob ich wüsste, wo seine Tante ist. Ich bin natürlich sofort rübergelaufen, und – stellen Sie sich vor! – er machte sich überhaupt keine Sorgen. Er glaubte, sie wäre beim Arzt oder zum Einkaufen gefahren. Schade, sagte er noch, anscheinend hat sie bereits gefrühstückt, und ich komme mit meinen Brötchen zu spät.« Aufgeregt berichtete Frau Berhenne, dass sie Mathis den Vorschlag gemacht habe, im Schlafzimmer nachzusehen. »Mir kam das komisch vor. Magdalena war selten so früh unterwegs. Sie hasste es, sich am Morgen zu beeilen. Aber Mathis hat gesagt, es könne nicht sein, dass seine Tante noch schlafe. Er habe mehrmals das Telefon läuten hören, das auf ihrem Nachttisch steht, und sie habe das Gespräch nicht angenommen. Also könne sie nicht im Haus sein.«

Erik gönnte ihr ein paar anerkennende Worte, weil sie trotz dieser Indizien so umsichtig gewesen war und einen Blick ins Schlafzimmer geworfen hatte. Daraufhin übermannte Frau Berhenne die Erinnerung an das, was sie dort gesehen hatte. Laut schluchzend erging sie sich in Selbstvorwürfen, weil sie das Entsetzliche nicht hatte verhindern können.

Erik ließ sie eine Weile klagen, dann fragte er: »War in letzter Zeit irgendwas anders als sonst? Haben Sie jemanden bemerkt, der sich für das Nachbarhaus interessierte? War Frau Feddersen verändert in letzter Zeit? Hat sie sich Sorgen gemacht? War sie unruhig? Ängstlich?«

»Na ja, etwas war wirklich komisch. Magdalena hat mir oft davon erzählt. Allerdings habe ich ihr kein Wort geglaubt.« Sie schüttelte heftig den Kopf. »Nein, es ist unsinnig. Ich habe es ihr immer wieder gesagt. Magdalena, habe ich gesagt, du spinnst.«

»Worum ging es?«

»Vor einigen Wochen fing es an. Sie behauptete, jemand sei in ihrem Haus gewesen.«

»War ihr etwas gestohlen worden?«

Frau Berhenne zuckte die Schultern.

»Mal ein Stück Wurst, mal eine angebrochene Flasche Wein.«

»Kein Schmuck? Kein Geld?«

Frau Berhenne schüttelte den Kopf. »Manchmal behauptete sie sogar, es sei etwas weggekommen, während sie geschlafen hatte. Ihr teures Parfüm, die Pralinen, die sie sich immer aus Brüssel kommen lässt, ihr Terracotta-Puder, ohne den sie nicht aus dem Haus gegangen ist. Einmal hat sie sogar behauptet, das Glas Wasser, das auf ihrem Nachttisch stand, sei in der Nacht ausgetrunken worden, und ihr Roman, in dem sie vor dem Einschlafen gelesen hat, sei verschwunden gewesen.« Sie sah Erik verlegen an. »Natürlich habe ich ihr kein Wort geglaubt. Sie war vergesslich geworden und wollte es nicht wahrhaben, so war's.«

Erik nickte bestätigend. »Warum sollte auch jemand in ihr Haus einsteigen und ein Stück Wurst mitnehmen?«

»Vor allem, wenn eine teure Fotokamera daneben liegt«, ergänzte Frau Berhenne. »Mathis hatte als Einziger einen Schlüssel. Aber so schlecht geht es ihm nun auch wieder nicht, dass er seiner Tante ein Stück Wurst klauen muss oder eine angebrochene Flasche Wein. Nein, Magdalena wurde tüdelig, obwohl sie noch keine sechzig war. Ich habe mich oft gefragt, wann sie wohl vergessen wird, den Herd auszustellen, und dann einen Einbrecher dafür verantwortlich macht, dass ihr Haus abbrennt.«

Wenig später verabschiedete Erik sich und wurde von zwei Sommergästen zur Tür gebracht, die ihm mit sorgenvollen Mienen nachblickten. Vor dem Nachbarhaus ging er auf den Streifenpolizisten zu, der den Tatort bewachte. »Ist die Spurensicherung noch da?«

Der junge Beamte nickte. Erik fand Vetterich, der immer noch im Wohnzimmer mit der Durchsicht der Schränke und des Schreibtisches beschäftigt war.

»Die Tote war eine vermögende Frau«, brummte er. »In Westerland besaß sie ein Apartmenthaus, in Braderup zwei Villen, darüber hinaus ein Aktienpaket, das sich sehen lassen kann. Von ihrem Barvermögen ganz zu schweigen.«

Erik hatte nichts anderes erwartet. »Und sonst?«

Vetterich schüttelte den Kopf. »Auf den ersten Blick keine verdächtigen Spuren. Nur dieses eingeschlagene Fenster.«

»Sind Schränke durchwühlt worden?«

»Sieht nicht so aus. Bargeld haben wir in mehreren Schubladen gefunden, allerdings nicht viel. Und auch Schmuck. Aber keinen besonders kostbaren. Möglich, dass ein paar teure Klunker irgendwo rumlagen. Und eine dicke Brieftasche.«

»Also ein Raubüberfall?«

Vetterich sah Erik fragend an. »Wollen Sie wirklich meine Meinung hören?«

Erik nahm ihm die Antwort ab. »Okay, kein Raubüberfall. Einbrecher auf Diebestour gehen anders vor. Vor allem erschlagen sie nicht ohne Not eine schlafende Frau, die augenscheinlich nichts von dem Einbruch mitbekommen hat.«

»So ist es«, bestätigte Vetterich.

»Also vielleicht jemand, der den Anschein erwecken wollte, dass ein Einbruch begangen wurde? Um ein anderes Motiv zu verschleiern?«

Vetterich zuckte mit den Schultern und wandte sich ab. Seine Kommunikationsfreude, die ohnehin nicht besonders ausgeprägt war, hatte sich erschöpft.

Das Hotel Feddersen lag in der Nähe des Campingplatzes. Das machte das Haus nicht besonders attraktiv, denn in den Zelten und Caravans wohnten nicht die Syltbesucher, die später bei Gosch eine Auster schlürften oder mit ihrem Cabrio zur Sansibar flitzten. Früher hatte das Hotel wenigstens in einem großen Garten gestanden, doch nun gab es nur einen schmalen Grünstreifen rechts und links des Hauses. Den Rest seines Grund und Bodens hatte Mathis Feddersen seinen Nachbarn und dem Campingplatz überlassen. Dafür hatte er ein paar Tausend Euro bekommen, aber für eine gründliche Renovierung seines Hotels hatte das nicht gereicht.

Erik stolperte über eine Bodenplatte, die sich während des Frostes im letzten Winter angehoben hatte. In der Lobby blieb er stehen und ließ den Blick über die schäbigen Polstermöbel wandern, über den abgetretenen Läufer, die vergilbten Wände. Kein Zweifel, Mathis Feddersen konnte das Geld, das seine Tante ihm hinterließ, gut gebrauchen.

An der Rezeption stand ein junger Mann, den Erik schon einmal des Ladendiebstahls überführt hatte. Dass Mathis Feddersen ihn beschäftigte, zeigte, dass er seine Personalkosten so gering wie möglich hielt und dafür viele Nachteile in Kauf nahm. Erik war sicher, dass dieser junge Albaner für einen Hungerlohn arbeitete, weil ihn sonst niemand beschäftigte, und ebenso sicher war er, dass er den Rest seines Einkommens mit Diebstählen bestritt. Die Geldbörsen der Hotelgäste waren vor ihm vermutlich nicht sicher.

Erik fühlte sich in seinem Verdacht bestätigt, als sich die Augen des jungen Mannes erschrocken weiteten und gleich darauf umherirrten, als suchten sie nach einem Fluchtweg. Erst als er hörte, dass Erik den Hotelier sprechen wollte, verschwand die Angst aus seinem Gesicht. »Es geht um den Mord an Frau Feddersen, oder? Der Chef und seine Frau sind in der Wohnung.« Er wies zu einer Tür, auf der *Privat* stand. Bevor Erik klopfte, ergänzte er: »Die beiden sind völlig fertig.«

Valerie saß neben Mathis auf dem Sofa, einen Arm um seine Schultern gelegt. Erik kniff die Augen zusammen, als müsste er sich an ein grelles Licht gewöhnen, bevor er den Raum betreten konnte. Er hatte das Ehepaar Feddersen noch nie so nah beieinander gesehen und musste dem Wunsch widerstehen, sich umzudrehen und ein zweites Mal hereinzukommen, damit sie die Gelegenheit hatten, sich voneinander zu lösen, bevor er eintrat. Er wollte Valerie wieder so erleben, wie er sie nie anders erlebt hatte: mit einem Abstand von mindestens einer Armeslänge zu ihrem Mann.

Valerie erhob sich und reichte Erik wortlos die Hand. Ihr Gesicht war ernst. Zwar sah er keine Trauer darin, aber es strahlte Würde aus und ein angemessenes Mitgefühl – mit dem Schicksal der Toten und der Trauer ihres Mannes.

Mathis Feddersen schien zu kraftlos zu sein, um sich zu erheben. Als er Erik die Hand reichte, hob er lediglich seinen Körper um ein paar Zentimeter an, um zu zeigen, dass er höflich sein wollte, aber zu einem größeren Maß an Entgegenkommen nicht in der Lage war.

Er war ein großer, schlanker Mann mit einem verschlossenen Gesicht und kühlen Augen. An diesem Tag trug er eine dunkle Hose und ein weißes Hemd mit offenem Kragen. Vermutlich hatte er sich morgens für diese legere Kombination entschieden, damit er sich nach dem Besuch seiner Tante nur ein Jackett überziehen musste, um korrekt gekleidet zu sein, wie es sich für einen Hotelier gehörte.

Valerie in ihrem duftigen Sommerkleid, der hellen Haut, den blonden Haaren und den stahlblauen Augen schien nicht richtig zu ihrem Mann zu gehören, der düster wirkte, schroff und mürrisch. Erik fand Mathis Feddersen nicht besonders sympathisch, was aber vermutlich seinen Grund darin hatte, dass Mathis mit Valerie verheiratet war.

Erik ließ sich in einem Sessel nieder und wartete, bis Mathis begriff, warum er gekommen war. Nicht als Lucias Mann, als Bekannter, der sein Beileid aussprechen wollte, sondern als Kriminalbeamter, der den Mord an Magdalena Feddersen aufzuklären hatte. Er strich ausgiebig seinen Schnauzer glatt, ehe er Mathis bat zu erzählen, was sich zugetragen hatte.

Alles, was der Hotelier mit schwankender Stimme vorbrachte, deckte sich mit dem, was Frau Berhenne berichtet hatte. »Es war entsetzlich«, schloss Mathis kaum hörbar. »Das viele Blut! Einfach schrecklich!«

Auf Eriks Frage, wem er diese Tat zutraute und wer ein Motiv für den Mord haben könnte, zuckte Mathis die Achseln. »Da fällt mir niemand ein. Tante Magdalena hatte keine Feinde.«

»Erzähl mir von ihr, ich habe sie ja nur flüchtig gekannt«, bat Erik. »Vielleicht findet sich ein Motiv in ihrer Vergangenheit.«

Mathis hielt das für ausgeschlossen. »Außerdem gibt es über Tante Magdalenas Leben nicht viel zu berichten. Sie ist auf Sylt geboren und hat, soviel ich weiß, nie woanders gelebt.« Er stockte. »Mit einer Ausnahme. Als Sechzehnjährige hat sie ein halbes Jahr auf dem Festland verbracht.«

»Zu welchem Zweck?«

Mathis lächelte schief. »Genaues weiß ich nicht. Darüber wurde in unserer Familie immer nur hinter vorgehaltener Hand getuschelt. Ich weiß nur so viel: Tante Magdalena hatte sich in einen Mann verliebt, der ihren Eltern nicht passte. Um die beiden auseinanderzubringen, wurde sie weggeschickt. Vermutlich so lange, bis sicher war, dass die Liebe die Trennung nicht überdauert hatte.« Für ein paar Augenblicke stahl sich ein Lächeln auf sein Gesicht, das winzige Funken in seinen Augen entzündete. »Anscheinend war es eine große Liebe. Sie hat später nie wieder einen Mann angeguckt. Nach dem Tod ihrer Eltern hat Tante Magdalena mit meinem Vater, ihrem Bruder, das Hotel weitergeführt. Als mein Vater heiratete, hat sie sich auszahlen lassen. Meine Mutter und Tante Magdalena verstanden sich nicht besonders gut.«

»Was hat deine Tante mit dem Geld gemacht, das dein Vater ihr zahlen musste?«

Mathis zuckte mit den Schultern. »Soviel ich weiß, hat sie es zur Bank gebracht. Und später hat sie damit an der Börse spekuliert. Erfolgreich, wie du weißt.«

Erik nickte. »War sie berufstätig?«

»Sie hatte Hotelkauffrau gelernt. Als sie das Hotel Feddersen verließ, hat sie eine Anstellung in Westerland angenommen. Im Hotel Stadt Hamburg hat sie an der Rezeption gearbeitet. Bis sie am Neuen Markt reich wurde und es von da an nicht mehr nötig hatte, Geld zu verdienen.«

»Ist dir etwas aufgefallen in letzter Zeit? War etwas anders als sonst? War deine Tante verändert?«

Mathis Feddersen schüttelte auf jede Frage den Kopf.

Valerie sah Erik unverwandt an, und zum ersten Mal fiel ihm auf, dass eine schmale Narbe ihre linke Braue teilte. In ihrem linken Augenwinkel zuckte es in einem rasenden Rhythmus.

Erik riss sich von dem Anblick los und sah wieder Mathis an. »In jedem Mordfall stellt sich die Frage nach dem Motiv«, begann er vorsichtig. »Wenn auf den ersten Blick keins zu erkennen ist, wird die nächste Frage gestellt: Wer hat einen Vorteil von dem Tod des Opfers? Mit anderen Worten: Wer beerbt Magdalena Feddersen?« Er legte so viel Gelassenheit in seinen Blick, als hätte er Mathis nach der Uhrzeit gefragt. »Du?«

Mathis hob die Schultern. »Keine Ahnung.«

»Du bist der einzige lebende Verwandte?«

Mathis nickte. »Aber ich weiß nicht, ob Tante Magdalena ein Testament gemacht hat.«

»Eins, in dem sie einen anderen zum Erben bestimmt? Wen zum Beispiel?«

»Ich weiß es nicht.«

»Die Kirche? Irgendeine wohltätige Organisation?«

»Von der Kirche hielt sie nichts, und besonders spendenfreudig war sie nicht.«

»Also ist anzunehmen, dass du sie beerbst.«

Erik verzichtete auf das Fragezeichen, und Mathis unterließ es, etwas zu entgegnen. Es war Valerie, die mit einer Frage antwortete: »Macht das meinen Mann etwa verdächtig?«

Erik schüttelte den Kopf. »Von einem Verdacht kann keine Rede sein. Trotzdem muss ich euch leider fragen, wo ihr die vergangene Nacht verbracht habt. Das ist meine Pflicht.«

Valerie antwortete: »Ich war in Niebüll bei Angela, das weißt du ja.«

Erik nickte und ließ unerwähnt, dass er ihr Alibi dennoch überprüfen würde. Dann sah er Mathis erwartungsvoll an.

Der brauchte nicht zu überlegen. »Ich habe mit Gästen zusammengesessen, die heute abreisen. Wir haben Abschied gefeiert.«

»Wie lange?«, fragte Erik.

Feddersen grinste schief. »Die ganze Nacht. Zwei Ehepaare aus Castrop-Rauxel, die von Sylt nicht viel gesehen haben. Nachts haben sie gesoffen und tagsüber geschlafen.« Er schüttelte den Kopf und versuchte zu lächeln.

»Schreckliche Leute«, sagte Valerie. »Aber wir können uns unsere Gäste nicht aussuchen.«

Mathis sah sie ärgerlich an. »Sie sind bereits zum zweiten Mal bei uns.«

»Meinst du, mit denen haben wir auch endlich Stammgäste?«, fragte Valerie spöttisch.

Mathis warf ihr einen Blick zu, der Erik wehtat. Mitleid mit einem Menschen, für den man keine Sympathien empfand und auf keinen Fall welche aufbringen wollte, tat immer weh.

»In welcher Zeit warst du mit ihnen zusammen?«

Mathis antwortete mit fester Stimme: »Von acht bis gegen vier Uhr morgens. Es war kurz vor halb fünf, als ich mich ins Bett legte.« Er griff sich an die Stirn, als wollte er mit den Fingerspitzen seinen Kopfschmerzen auf die Spur kommen. »Ich hatte ziemlich viel getrunken. Heute Morgen war ich wirklich versucht, im Bett zu bleiben. Aber Valerie war nicht da, und unser Personal ist nicht sehr zuverlässig.« Er lachte freudlos. »Sogar mit einem Kater arbeite ich besser als die.«

Erik beobachtete Valerie, um zu sehen, wie sie auf die nächtlichen Ausschweifungen ihres Mannes reagierte, aber ihr Gesicht blieb ausdruckslos.

»Als das Frühstücksbüfett fertig war und der Kaffee

und die Eier auch«, erzählte Mathis weiter, »brauchte ich frische Luft. Deswegen bin ich zu Tante Magdalena gefahren. Als ich bei ihr ankam, fühlte ich mich schon besser. Der Morgen war kühl und die Luft wunderbar klar.«

Erik zückte seinen Notizblock. »Kannst du mir die Namen und die Adressen der beiden Ehepaare nennen?«

Mathis nickte. »Berling und Achtermann. Du kannst sie sofort sprechen, wenn du willst. Sie sind noch nicht abgereist, obwohl sie die Zimmer eigentlich um zwölf räumen sollten.«

»Aber die sind in den nächsten beiden Wochen nicht belegt«, fügte Valerie an. »Und das in der Hauptsaison!« Sie zog verächtlich die Mundwinkel herab.

Mathis warf ihr einen kurzen Blick zu. »Sie wollen den letzten Autozug nehmen. Allmählich dürften die Männer wieder fahrtüchtig sein. Oder wie lange dauert das mit dem Restalkohol?«

Als Erik das Hotel Feddersen verließ, schleppten die Berlings und ihre Freunde, die Achtermanns, gerade die Koffer aus dem Hotel. Mathis und Valerie Feddersen standen in der Tür und blickten ihnen nach. Der zwölfjährige Ole hatte sich zwischen sie gedrängt, schmiegte sich an Mathis und hielt die Hand seiner Mutter.

Erik schüttelte, ärgerlich über sich selbst, den Kopf. Was machte er sich Gedanken über die Feddersens? Dass Mathis ein Mann war, mit dem Erik nie warm geworden war, hatte nichts zu bedeuten. Ebenso wenig wie die Tatsache, dass die beiden nicht glücklich miteinander waren. Lucia hatte gelegentlich über die Ehe der Feddersens gesprochen, die nach dem Börsencrash immer schlechter geworden war. Aber sie hatte jede Erzählung über die Feddersens mit Valeries Vorsatz beendet, an der Ehe festzuhalten. Mathis war ihrem Sohn Ole, den sie mit in die

Ehe gebracht hatte, der beste Vater, den sie sich wünschen konnte. Er liebte den Jungen, und Valerie war fest entschlossen, die Familie, die sie ihrem Kind geschaffen hatte, zu erhalten. »Sie hat eine total überspannte Angst, ohne Familie zu sein«, hatte Lucia gesagt. »Valerie kann froh sein, dass Mathis kein starker, selbstbewusster Mann ist. Dann würde er sich nicht damit begnügen, für Valerie Familie zu sein, er würde auch ihr Mann und ihr Geliebter sein wollen.«

Erik startete und fuhr langsam am Hotel Feddersen vorbei. Berlings und Achtermanns inspizierten gerade ihren Reiseproviant, der vor allem aus Bierdosen bestand. In der ersten Etage öffnete sich ein Fenster, und Donata Zöllner hielt ihr Gesicht der verlöschenden Sonne entgegen. Ob sie wusste, was mit ihrer alten Freundin geschehen war? Ob sie ihm vielleicht sogar wertvolle Hinweise geben konnte? Oder fand sich ein Motiv vielleicht gerade bei ihr?

Erik beschloss, später mit ihr zu reden. Jetzt musste er erst mal nach Hause fahren, um sich seiner Schwiegermutter zu widmen. Das Gespräch mit Donata Zöllner hatte Zeit.

Mamma Carlotta hatte ihr Strahlen zurückgewonnen. Sie schwenkte die Paprikaschoten wie Trophäen und schleuderte sie mit einer Grandezza in die Marinade, die Anna Magnani in keinem ihrer Filme besser gelungen war.

»Du hast wunderbar herausgearbeitet, dass die Blumen für Liebe und Freundschaft stehen, Carolina. Also ... zumindest bin ich zu dieser Meinung gekommen. Aber natürlich können andere Leser auch zu einer ganz anderen Ansicht gelangen. Einfach wunderbar, wie du jedem Leser die Möglichkeit gibst, eine eigene Entscheidung zu treffen.« Die Champignons landeten so schwungvoll auf den Paprikaschoten, dass die Marinade an die Gardinen spritzte. »Und dann dein Sprachrhythmus! Er ist … also, meistens ist er es auch … nur manchmal …« Mamma Carlotta versuchte, die Auberginen sprechen zu lassen, indem sie sie rhythmisch durch die Marinade zog und zusah, wie das Olivenöl-Balsamico-Gemisch im gleichen Rhythmus aus der Schale schwappte.

Carolin tupfte die Spritzer mit dem Zeigefinger auf und sah ihre Großmutter mit großen, staunenden Augen an. »Wie meinst du das?«

Mamma Carlotta dachte angestrengt nach. Auf keinen Fall sollte das Staunen aus Carolins Blick verschwinden. Langsam und vorsichtig versuchte sie zu wiederholen, was Fietje gesagt hatte: »Ruhe und Bewegung, das sind die Atemzüge vom Sprachrhythmus. Ja, genau! Die Sprache muss atmen, und der Autor muss genauso atmen wie sie.«

Carolin starrte ihre Nonna an. »Ich muss das sofort überprüfen«, sagte sie aufgeregt. »Bei jedem Text, den ich geschrieben habe.« Sie griff nach dem neuesten Roman von Gero Fürst. »Und dann muss ich unbedingt nachsehen, ob Gero Fürst das auch so macht. Mit dem Sprachrhythmus atmen …«

Ohne ein weiteres Wort verließ sie die Küche. Felix war schon gegangen, als seine Schwester und seine Großmutter dieses langweilige Gespräch begonnen hatten. Er war zum Fußballplatz aufgebrochen, obwohl nicht zu erwarten war, dass Mathis Feddersen, der Trainer der Jugendmannschaft, heute auf dem Platz stehen konnte. Trotzdem hatte Felix nicht zu Hause bleiben wollen. »Sonntag ist unser wichtiges Spiel gegen die Husumer. Vielleicht hat Mathis für Ersatz gesorgt.«

Mamma Carlotta warf einen Blick auf die Goldbrasse, die im Backofen schmorte, dann machte sie sich daran,

Maraschino und Marsala unter die Mascarpone zu rühren.

Sie war gerade fertig, als sich die Haustür öffnete. Das Lächeln, mit dem Erik in die Küche trat, machte Mamma Carlotta glücklich. »Hier riecht es ja wunderbar«, sagte er.

»Es gibt Orata al cartoccio, danach Dolce al mascarpone«, strahlte sie. »Als Vorspeise Insalata di funghi, der ist heute Mittag übriggeblieben.« Sie schob Erik einen Stuhl hin, nahm ihm die Jacke ab und setzte die Espressomaschine in Gang. »Du brauchst erst mal einen guten Kaffee.«

Während sie die Tassen aus dem Schrank holte, redete sie von Carolins Talent, von dem Sprachrhythmus, den jeder Text brauchte, und von der versteckten Aussage, die einer guten Kurzgeschichte innewohnen sollte. Als sie den Zucker gefunden hatte, wusste Erik, dass sie sich am Morgen mit Donata Zöllner im Café Lindow getroffen und dass die arme Frau ihren Sohn 1999 im Montblanc-Tunnel verloren hatte. Erst als die dampfenden Espressotassen auf dem Tisch standen, fiel Mamma Carlotta auf, dass ihr Schwiegersohn noch schweigsamer war als sonst.

»Dieser Todesfall ist wohl doch kein Unglücksfall oder ein Selbstmord?«, fragte sie mitfühlend.

Erik schüttelte den Kopf. »Ein Mord. Noch dazu ein besonders brutaler.«

Mamma Carlotta bekreuzigte sich und bat ihn, sie mit Einzelheiten zu verschonen. »Es sei denn, es hilft dir, sie auszusprechen. Wenn du es dir von der Seele reden musst, höre ich mir alles an, ohne ein einziges Wort zu sagen.«

Erik sah auf und lächelte leicht. »Wirklich kein einziges?«, fragte er und strich seinen Schnauzer glatt, als müsste er darüber nachdenken, ob er ihr glauben könnte.

Mamma Carlotta fühlte sich gehänselt und runzelte die Stirn. »Dann eben nicht«, antwortete sie gekränkt und erkundigte sich nach Sören. Erik sollte bloß nicht glauben, dass sie neugierig auf das war, was sie angeblich nichts anging!

»Er wird spätestens dann hier auftauchen, wenn ich ihm erzähle, dass du Antipasti eingelegt hast«, antwortete Erik.

Mamma Carlotta war versöhnt. »Allora! Was ist mit diesem Mord? Ist das Opfer eine Frau oder ein Mann? Hast du schon einen Täter in Verdacht?«

»Nun ja, diese Reisebekanntschaft, die du gemacht hast ...«, begann Erik vorsichtig.

Mamma Carlotta sprang auf. »Madonna! Donata Zöllner ist tot? Che terribile! Wer hat das getan? Und warum?«

Erik machte eine Bewegung, als wollte er seine Schwiegermutter auf ihren Stuhl zurückziehen. »Du hast mich falsch verstanden. Donata Zöllner lebt.«

Mamma Carlotta starrte ihn empört an. »Warum sagst du dann, dass sie ermordet wurde? Wie kannst du mir so einen Schreck einjagen?«

»Ich habe nichts dergleichen gesagt«, verteidigte Erik sich. »Ich habe nur ...«

»Von meiner Reisebekanntschaft hast du gesprochen!« Mamma Carlotta saß wieder auf ihrem Stuhl, kerzengerade, ohne die Rückenlehne zu berühren.

»Aber ich habe nicht gesagt, dass sie tot ist.«

Mamma Carlotta dachte nach. Tatsächlich, wirklich gesagt hatte er es nicht. Aber angedeutet hatte er es. Oder etwa nicht? Warum sagte er nicht endlich, worum es ging?

»Sie wollte doch eine Freundin besuchen. Magdalena Feddersen.«

»Und die ist ermordet worden?« Mamma Carlotta griff sich ans Herz. »Deswegen also war sie telefonisch nicht zu erreichen.« Dann erzählte sie, dass Donata mehrmals versucht hatte, Magdalena Feddersen anzurufen. »Sie hat nie abgenommen.«

»Kein Wunder!«

»Dio mio! Da wollten sich die beiden wiedersehen nach so vielen Jahren! Sie wollten in Erinnerungen schwelgen, wollten sich erzählen, was sie erlebt hatten in der langen Zeit, was ihre Familien durchgemacht hatten, was aus gemeinsamen Freunden geworden war ...«

Felix, der gerade unverrichteter Dinge vom Fußballplatz zurückgekehrt war, riss die Tür auf. »Was ist passiert?«

»Madonna! Madonna!«

Auch Carolin erschien in der Küche, blass und ängstlich. Sie starrte ihre Großmutter an, dann wanderte ihr Blick zu ihrem Vater.

Erik schüttelte besänftigend den Kopf. »Macht euch keine Sorgen, Kinder! Es ist nichts passiert.«

»Nichts? Niente?« Mamma Carlotta sah aus, als wollte sie vor Empörung die Antipasti in den Ausguss kippen. »Donata Zöllners Freundin wurde heimtückisch ermordet – und du sagst, es ist nichts passiert?«

Erik und Carolin ließen den Schwall der Entrüstung über sich ergehen, ohne aufzubegehren, duckten sich einfach und warteten, dass es vorübergehen würde, so wie sie es bei Lucia getan hatten. Felix allerdings pflichtete seiner Nonna lautstark bei, versuchte sie in ihren Formulierungen zu übertreffen, so wie er es bei seiner Mutter getan hatte, vermischte sein dürftiges Italienisch mit deutschen Kraftausdrücken und warf sich schließlich auf einen Stuhl, als wollte er testen, wie viel Erregung die vier Beine aushielten.

Mamma Carlotta ließ währenddessen ihre Aufwallung an der Goldbrasse aus, die die Behandlung erstaunlich gut überstand, dann war es endlich so weit, dass Erik über

Magdalena Feddersens Tod reden konnte, ohne durch schrille Kommentare unterbrochen zu werden.

»Nach dem Abendessen werde ich mit Donata Zöllner reden«, schloss er. »Alte Freundinnen wissen oft mehr als Familienangehörige.«

»Du willst sie verhören?« In Mamma Carlotta begann es schon wieder zu brodeln. »Das kannst du nicht machen! Was soll sie von mir denken, wenn mein Schwiegersohn bei ihr auftaucht und ihr unangenehme Fragen stellt?«

»Ich will sie nicht verhören, sondern befragen«, korrigierte Erik und hoffte, dass seine Schwiegermutter seinem Gesicht nicht ablesen konnte, dass er über ein Motiv Donata Zöllners nachdachte.

»Befragung! Verhör! Wo ist da der Unterschied?« Mamma Carlotta machte sich über die Knoblauchzehen her, die den Antipasti noch fehlten. »Ich möchte, dass du höflich mit ihr umgehst. Ich habe ihr nur Gutes von dir berichtet! Was wird sie für einen Eindruck haben, wenn du sie nun verhörst wie … wie eine Kriminelle!«

»Ich habe dir doch gesagt …«

Mamma Carlotta warf das Messer in die Spüle. »Ich werde mitkommen und dafür sorgen, dass du freundlich zu ihr bist. Sie ist eine Freundin. Ich will, dass sie meine Familie mag.«

Erik sah nun so aus, als wäre es mit seiner Ruhe bald vorbei. »Ich kann dich nicht mitnehmen, wenn ich eine Zeugin vernehme.«

»Und was ist, wenn sie den Tod ihrer Freundin nicht erträgt? Wenn sie zusammenbricht? Wenn sie Hilfe braucht? Willst du sie dann etwa in den Arm nehmen und trösten?«

Das wollte Erik zwar nicht, aber er blieb dabei: »Ich werde allein mit ihr reden.«

Sören wartete in der Nähe des Hotels. Sein rundes Gesicht, das an einen rotbackigen Winterapfel erinnerte, strahlte, als wäre es frisch poliert worden. »Signora! Sie auch hier? Das ist aber eine Überraschung!«

Erik sorgte mit einer energischen Handbewegung dafür, dass die Wiedersehensfreude, die am Morgen wegen des Mordfalls kurz und bündig ausgefallen war, nun nicht in extenso nachgeholt wurde.

»Ich hielt es für besser, meine Schwiegermutter mitzubringen. Sie kennt Donata Zöllner und kann sich um sie kümmern. Es könnte ja sein, dass sie der Tod der alten Freundin sehr mitnimmt.«

Mamma Carlotta holte tief Luft, setzte zu einer großen Geste an, doch ehe sie Gelegenheit bekam, in allen Einzelheiten zu erzählen, wie es zu ihrer Bekanntschaft mit Donata Zöllner gekommen war, fragte Erik: »Haben Sie das Alibi von Valerie Feddersen überprüft?«

Sören nickte. »Die Freundin hat es bestätigt. Valerie Feddersen war bei ihr in Niebüll, sagt sie. Die beiden sind ins Theater gegangen und haben anschließend gemeinsam die Nacht in Angela Reitz' Wohnung verbracht.«

»Und am nächsten Morgen festgestellt, dass Valeries Auto gestohlen worden war«, ergänzte Erik.

Wieder nickte Sören. »An dem Alibi ist wohl nicht zu rütteln. Obwohl ... die Freundin wirkte nicht sehr überzeugend. Ihre Stimme war ziemlich nervös, sie konnte das Gespräch gar nicht schnell genug beenden.«

»Ich kenne Angela Reitz«, entgegnete Erik. »Und ich kenne auch Valerie Feddersen.« Er ging auf den Hoteleingang zu und machte Sören und seine Schwiegermutter auf die erhöhte Bodenplatte aufmerksam, damit sie nicht stolperten. »Machen Sie sich keine Gedanken über die Glaubwürdigkeit der beiden.«

Aber Sören ließ sich nicht so schnell abwimmeln. »Sie

sind anscheinend dicke Freundinnen. Was ist, wenn Frau Reitz für Frau Feddersen lügt?«

»Sie vergessen das Auto, das Valerie Feddersen in Niebüll gestohlen wurde«, antwortete Erik ärgerlich.

»Bewiesen ist das nicht. Wenn sie den Diebstahl noch in der Nacht in Niebüll angezeigt hätte, dann ja. Aber so …«

»Unsinn, Sören!« Erik war mit zwei, drei Schritten wieder an seiner Seite. »Für Valerie lege ich die Hand ins Feuer.«

Die Hotellobby lag im Dämmerlicht. Die Sonne war ausgesperrt worden, sie fiel nur durch die spärlichen Ritzen der Rollläden und zeichnete in die Kühle warme, goldene Streifen.

Erik ging auf Mathis Feddersen zu, der hinter der Rezeption stand, und fragte nach Donata Zöllner.

Mathis sah ihn erstaunt an. »Was willst du von Frau Zöllner? Der Arzt ist bei ihr.«

Erik erschrak. »Der Arzt? Warum?«

Mathis wies auf die Sitzgruppe. »Es geht ihr nicht gut«, begann er, als alle Platz genommen hatten. »Ich hatte in der Aufregung ganz vergessen, dass Frau Zöllner nach Sylt gekommen war, um meine Tante zu besuchen. Es fiel mir erst wieder ein, als sie herunterkam und nach dem Weg zu Tante Magdalenas Haus fragte. Sie wollte zu ihr gehen, weil sie sie telefonisch nicht erreicht hatte.«

Mamma Carlotta schlug eine Hand vor den Mund. »Che tragedia! Sie wusste noch gar nicht, was geschehen war?«

Mathis sah betreten aus. »Ja, es war sehr unangenehm für mich, ihr mitzuteilen, dass Tante Magdalena tot ist.«

»Ermordet!«, korrigierte Mamma Carlotta mit dramatischer Stimme.

Mathis nickte und sah schuldbewusst von einem zum

andern. »Ich hätte es ihr eher und wohl auch schonender mitteilen müssen. Aber ich bin ja selbst noch total von der Rolle.«

Erik nickte ihm verständnisvoll zu. »Mach dir keine Vorwürfe, Mathis. Was du heute Morgen erlebt hast, war schrecklich genug.«

Mamma Carlottas Augen weiteten sich, ihre Locken vibrierten. »Hat sie einen Zusammenbruch gehabt? Un attacco cardiaco ... wie sagt man ... einen Herzanfall?«

»Schon möglich«, antwortete Mathis Feddersen zögernd. »Ich war wirklich sehr erschrocken über ihre Reaktion. Die beiden hatten sich jahrelang nicht gesehen, mindestens zwanzig Jahre gab es überhaupt keinen Kontakt. Und nun diese ... diese Betroffenheit! Man konnte meinen, Frau Zöllner hätte einen nahen Angehörigen verloren.«

Mamma Carlotta sah ihn schockiert an. »Sie waren alte Freundinnen! Donata Zöllner hat es mir persönlich erzählt.« Sie funkelte Mathis an, als hätte er sie schwer beleidigt. »Eine gute alte Freundin steht einem oft näher als ... als ...«

Doch bevor Mamma Carlotta darüber lamentieren konnte, dass gute alte Freundinnen den Grund ihrer Seelen kannten, den die eigenen Ehemänner nicht einmal zu finden versuchten, war Mathis Feddersen schon aufgesprungen. »Ich werde nach Frau Zöllner sehen.« Mit zügigen Schritten durchquerte er die Lobby, während Mamma Carlotta theatralisch die Augen schloss, um ihrer Erschütterung Herr zu werden.

Beinahe hätte Erik gelächelt. Ein Mann wie Mathis Feddersen, der ein freundliches Lächeln schon für einen Gefühlsausbruch hielt, kam mit Carlottas dramatischem Naturell noch schlechter zurecht als der durchschnittliche Friese. Erik hob die Hand, als wollte er seine Schwiegermutter in den Sessel zurückdrücken, die Anstalten machte, dem Hotelier zu folgen. Denn natürlich sprach sie ihm die Befähigung ab, sich mit der nötigen Hingabe um Donata Zöllner zu kümmern. Aber sie ließ sich tatsächlich von Eriks Geste beeindrucken und sank zurück.

»Wir werden abwarten, was der Arzt zu sagen hat«, erklärte Erik. »Wenn er uns gestattet, Donata Zöllner zu befragen, werde ich sehr behutsam mit ihr umgehen. Versprochen.«

Carlotta nickte zufrieden und kreuzte die Arme vor der Brust. Fasziniert beobachtete Erik, in welchem Tempo sie von einer Gemütslage in die nächste wechselte. Darin hatte Lucia sich von ihrer Mutter unterschieden. Sie war beständiger gewesen in ihren Empfindungen. Vielleicht, weil sie nie angetrieben worden war, jeden Augenblick auszukosten. Mamma Carlotta hatte längst erfahren, wie kurz das Leben sein konnte, Lucia dagegen hatte nie an die Möglichkeit gedacht, nicht mehr genug Zeit zu haben für alle Gefühle, die das Leben bot. Vor jeder gemeinsamen Reise nach Umbrien hatte sie zu ihm gesagt: »Sei nett zu meiner Mutter. Sie hat es verdient.« Trotzdem war er oft nicht besonders nett zu ihr gewesen. Dabei hatte sie es wirklich verdient. Das Leben war nicht zimperlich mit ihr umgegangen: Heirat mit sechzehn, sieben Schwangerschaften und Geburten und dann die mühsame Pflege ihres schwer kranken Mannes, die begonnen hatte, noch ehe das letzte Kind aus den Windeln war! Zwanzig Jahre hatte Mamma Carlotta am Bett ihres Mannes verbracht, der keinen Augenblick ohne sie sein wollte. Sie hatte Lucia ziehen lassen müssen, ohne sie jemals besuchen und sich vergewissern zu können, dass es ihrer Tochter auf Sylt gut ging. Nicht einmal an Lucias Beerdigung hatte sie teilnehmen können. Eigentlich musste er sie bewundern, dass sie darüber nicht verzagt war und am Leben immer wieder schöne Seiten entdecken konnte.

Er schenkte ihr ein kleines Lächeln, war dann aber froh, dass sie es nicht bemerkte, weil sie gerade versuchte, den Zimmerservice des Hotels zu durchschauen. »In der Pension von Signorina Argento gibt es nur drei Zimmer, und trotzdem geraten ihr ständig die Schlüssel durcheinander. Wie klappt das, wenn es zwanzig Zimmer gibt?«

Zum Glück sah sie weder Erik noch Sören an, sodass keiner von den beiden sich genötigt fühlte, ihr zu erklären, dass es Hotels gab, die zehnmal so viele Zimmer hatten, ohne dass die Schlüssel durcheinander gerieten.

Sören beugte sich vor und sah seinen Chef fragend an. »Wie sieht's mit Feddersens Alibi aus?«

»Er hat eins«, entgegnete Erik. »Die Berlings und die Achtermanns sagen übereinstimmend aus, dass Mathis Feddersen die ganze Nacht mit ihnen getrunken und gefeiert hat. Bis morgens um vier! Die beiden Ehepaare schwören Stein und Bein, dass Mathis sich nur aus der fröhlichen Runde entfernt hat, um zur Toilette zu gehen.«

Sören sah deprimiert aus. »Also können wir Mathis Feddersen von unserer Liste streichen. Obwohl er ein Motiv hat.«

Erik nickte. »Als Einziger.«

»Seine Frau hat auch ein Motiv«, meinte Sören. »Schließlich sitzen die beiden im selben Boot.«

»Sie hat aber ebenfalls ein Alibi!«, sagte Erik mit so scharfer Stimme, dass Sören schweigend nickte.

In versöhnlicherem Ton fügte Erik an: »Wir müssen nach einem anderen Motiv suchen. Womöglich finden wir eins in der Vergangenheit. Mal sehen, was das Gespräch mit Donata Zöllner bringt.«

Als hätte sie auf ihr Stichwort gewartet, erschien sie in der Lobby, wohlfrisiert, in einem hellbraunen Leinenrock und einer schneeweißen Bluse. Hinter ihr der Arzt, der von Mathis Feddersen zum Ausgang begleitet und dort verabschiedet wurde.

Mamma Carlotta stürzte sich mit einem Schwall von Beileidsbekundungen auf Donata Zöllner. Erik und Sören erhoben sich höflich und warteten, bis Mamma Carlotta ihrer neuen Freundin ausgiebig Mut zugesprochen hatte, dann durften auch sie Donata Zöllner die Hand reichen. Aber gegen italienische Herzlichkeit kamen sie natürlich nicht an. Staunend beobachtete Erik, wie Donata sich bereitwillig ein Kissen unterschieben und ein weiteres in den Rücken stopfen ließ, dass sie Carlottas Mitgefühl ertrug, ohne Überdruss erkennen zu lassen, und die Fragen nach einem erfrischenden Getränk mehrmals mit einem Kopfschütteln beantwortete, ohne die Geduld zu verlieren. Im Gegenteil, sie lächelte Mamma Carlotta dankbar an, ehe sie sich an Erik wandte.

»Herr Feddersen sagt, Sie wollen mich sprechen?«

»Nur, wenn es Ihnen nichts ausmacht!«, fuhr Mamma Carlotta dazwischen. »Wenn Sie es nicht ertragen können, wird mein Schwiegersohn morgen wiederkommen. Oder übermorgen!«

Donatas Lächeln vertiefte sich. »Es wäre nicht nötig gewesen, einen Arzt zu holen«, erklärte sie. »Herr Feddersen war etwas zu … besorgt.«

Erik rang nach ein paar gefühlvollen Worten, wie sie seiner Schwiegermutter leicht von der Zunge rollten, aber dann gelang ihm doch nicht mehr als die sachliche Frage: »Was wissen Sie über Magdalena Feddersen? Wie haben Sie sich kennengelernt?«

Donata sah ihn nicht an, während sie antwortete: »Auf einer Ferienfreizeit in der Nähe von Bremen. Wir waren sechzehn damals und haben uns schnell angefreundet. Später haben wir uns gelegentlich geschrieben, hin und wieder auch telefoniert, aber dann …« Sie hob die Schultern und ließ sie wieder fallen.

»Und warum jetzt? Nach …« Er sah Donata fragend an. »Nach wie vielen Jahren?«

»Achtunddreißig.«

»Nach achtunddreißig Jahren ein Wiedersehen! Warum?«

Ehe Donata antwortete, bat sie Mamma Carlotta um ein Papiertaschentuch und Mathis Feddersen um ein Glas Wasser. Erik sah, dass ihre rechte Hand zitterte, als sie das Glas zum Munde führte, die linke nestelte am Leinenrock herum.

»Es war Magdalenas Idee gewesen. Sie meinte, es wäre schön, sich wiederzusehen.« Nun flüsterte sie, als gehorchte ihr die Stimme nicht mehr: »Hätten wir uns doch schon am Abend meiner Ankunft getroffen! Dann hätte ich Magdalena noch lebend gesehen. Und wer weiß … vielleicht wäre der Mord dann gar nicht geschehen.«

»Wie meinen Sie das?«

Donata strich über die Knopfleiste ihrer weißen Bluse. Ihre Hände zitterten noch immer. »Nun, wir hätten sicherlich lange geredet, vermutlich die halbe Nacht. Oder sogar die ganze. Der Einbrecher wäre nicht ins Haus eingedrungen, wenn er Licht gesehen hätte.«

»Warum glauben Sie, dass der Mörder ein Einbrecher war?«

Donata sah Erik unbehaglich an. »Wer sonst sollte meine Freundin umgebracht haben?«

Erik warf seiner Schwiegermutter einen Blick zu, der um Vergebung bitten sollte, weil er ihre Freundin mit ein paar schaurigen Einzelheiten bekannt machen musste. »Magdalena Feddersen wurde im Schlaf erschlagen. Wenn es ein Einbrecher war, dann hatte sie ihn nicht gehört. Warum also sollte er diesen Mord begehen?«

Donata starrte ihn aus großen Augen an. Sie sagte kein Wort. »Wir gehen davon aus, dass Magdalena Feddersen einem eiskalt geplanten Mord zum Opfer fiel«, sagte Erik vorsichtig.

Donata starrte ihn erschrocken an, rang nach Luft, ihre Hände fuhren verzweifelt in die Höhe, dann löste sich der Schreck in einem tiefen Seufzer und ging anschließend in haltloses Schluchzen über. Sie schlug die Hände vors Gesicht, beugte sich vor und stützte die Ellbogen auf ihre Schenkel. Ihre Schultern bebten, Tränen rannen durch ihre Finger.

Carlotta sprang auf, warf sich auf die Armlehne von Donatas Sessel, riss ihre neue Freundin in ihren Arm und wiegte sie wie ein Kind, als Donata sich an ihre Brust lehnte.

»Wie kannst du nur so schreckliche Dinge sagen?«, fuhr Mamma Carlotta ihren Schwiegersohn an.

Erik saß wie erstarrt da, während Sören eilig das leere Wasserglas ergriff, um es neu zu füllen.

Mathis Feddersen rief: »Soll ich noch einmal den Arzt rufen?«

Mamma Carlotta war früh erwacht. Zu Hause in Umbrien wurde sie gewöhnlich vom »O sole mio« des Bäckergesellen geweckt, der die Panini und Cornetti in die Pension von Signorina Argento brachte, oder, wenn er sich verspätete, vom Geschrei ihres jüngsten Enkels. Auf beide war Verlass, sonst – so hatte Mamma Carlotta bisher geglaubt – würde sie schlafen, bis die Kirchturmuhr zwölfmal schlug. Aber anscheinend hatte sie ihr Ruhebedürfnis falsch eingeschätzt. In Umbrien ging sie erst weit nach Mitternacht zu Bett und war demzufolge noch müde, wenn der Bäckergeselle verkündete, dass die Nacht zu Ende war. Und sie war es dann unwiderruflich, denn die beiden hatten todsicher den Hahn des Tischlers angestachelt, der so lange krähte, bis die Kreissäge einfiel und an Schlaf nicht mehr zu denken war. An den Wochenenden war es nur geringfügig anders. Die Kreissäge fiel aus, wurde aber vollauf vom Glockengeläut ersetzt, das früh begann und so lange anhielt, dass jeder Gläubige es schaffen musste, dem Gottesdienst pünktlich beizuwohnen.

Auf Sylt war alles anders. Der Süder Wung lag ruhig da, auf der Westerlandstraße fuhr nur gelegentlich ein Lieferwagen, der die Hotels und die Läden mit frischen Waren versorgte, die Feriengäste lagen noch in ihren Betten und schliefen einem sonnigen Urlaubstag entgegen. Und Mamma Carlotta machte die befremdliche Erfahrung, dass sie trotz der Ruhe gegen sechs Uhr aufwachte. Das konnte nur daran liegen, dass Erik zu einer Zeit schlafen gegangen war, in der in Umbrien erst die Antipasti aufgetragen wurden. Mamma Carlotta war schließlich aus lauter Langeweile ins Gästezimmer hinaufgestiegen und zu einer Zeit eingeschlafen, da sie zu Hause die Dolci aus dem Kühlschrank holte.

Ein frischer Wind bauschte die Gardinen, und das Sonnenlicht malte die zarten Schatten der Kirschbaumzweige auf den Teppich. Von diesen sonnigen Tagen hatte Lucia oft erzählt. Mamma Carlotta richtete sich auf und lächelte dem Bild ihrer Tochter zu.

»Ich werde aufpassen, Piccola«, flüsterte sie. »Ehrlich gesagt, weiß ich nicht, warum du mit Valerie Feddersen befreundet warst. Ich mag sie nicht besonders. Sie hat so einen … berechnenden Blick. Und sie sieht ihren Mann so an, als verachte sie ihn. Mir scheint, die Ehe ist nicht besonders glücklich. Aber Gott sei Dank meint Erik, Valerie würde sich niemals scheiden lassen. Oder will er mir das nur weismachen, um mich in Sicherheit zu wiegen? Ist ihm klar geworden, dass ich gemerkt habe, wie er Valerie ansieht?« Mamma Carlotta stand auf und nahm Lucias Bild zur Hand. »Sag was, Lucia! Gib mir ein Zeichen.«

Aber kein Schatten fiel auf Lucias Gesicht, kein Sommergewitter nahte, nirgendwo im Haus fiel etwas zu Boden und zerbrach. Entweder war Lucia sorglos, oder sie sah keine Möglichkeit, ins irdische Geschehen einzugreifen. Wenn das so war, dann verließ sie sich auf ihre Mutter. Mamma Carlotta musste also sehen, dass sie Augen und Ohren offen hielt.

So geschickt hatte sie am Abend das Gespräch auf Valerie Feddersen gebracht, dass Erik keine Absicht dahinter erkannt haben konnte. Dass er dann so ausführlich berichtete, hatte Mamma Carlotta schwer beunruhigt. Denn wenn Erik gesprächig wurde, musste ihm das Thema der Unterhaltung sehr am Herzen liegen.

»Valerie weiß nichts von ihren Eltern, sie wuchs im Heim auf, hat niemals Familienleben kennengelernt. Später hat sie sich auf einen Mann eingelassen, der ihr Geborgenheit, Sicherheit und Familie versprach. Aber als sie schwanger war, hat er sie verlassen.«

Mamma Carlotta war erschüttert. »Die arme Frau!« Doch als sie Eriks nachdenklichen Blick sah, beschloss sie, bei ihrer Abneigung gegen Valerie Feddersen zu bleiben. Wenn Erik in sie verliebt war, gab es keinen Grund, sie sympathisch zu finden!

Erik stand auf und kam kurz darauf mit einer Flasche zurück. »Rotwein aus Montepulciano«, lächelte er. »Damit du nicht auf die Idee kommst, ihn in Käptens Kajüte zu trinken. Mit Tove und seinem Jähzorn wird es immer schlimmer. Was der sich seit der Vorsaison alles geleistet hat! Es wird noch mal böse enden mit ihm.«

Mamma Carlotta beeilte sich, das Gespräch wieder auf

das Ehepaar Feddersen zu lenken. »Der kleine Ole ist also gar nicht Mathis' Sohn?«

Erik schüttelte den Kopf. »Valerie hat ihn mit in die Ehe gebracht. Aber Mathis liebt den Jungen wie sein eigenes Kind. Ole hängt sehr an ihm.«

»Da hat Valerie ja richtig Glück gehabt«, stellte Carlotta fest und beobachtete ihren Schwiegersohn mit scharfem Blick.

Erik strich seinen Schnauzer glatt, dann ordnete er seine geliebten grünen Kissen, indem er zwei hellgrüne in die eine Sofaecke stellte und die beiden dunkelgrünen in die andere. Schließlich antwortete er: »Ja, das mag sein. Ich weiß von Lucia, dass Valerie sich ihr Leben lang immer nur eins gewünscht hat: eine intakte Familie. Wenn sie auch nicht glücklich mit Mathis ist, so ist sie doch zufrieden, dass Ole alles hat, was sie selbst als Kind entbehren musste.«

»Du magst Mathis Feddersen wohl nicht?«

Erik schüttelte den Kopf. »Er hat so etwas … Düsteres. Ich fühle mich nicht wohl in seiner Gegenwart.«

»Er ist unglücklich«, gab Mamma Carlotta zu bedenken. »Jeder Mann ist das, wenn er von seiner Frau verachtet wird. Ich finde, er kann einem leidtun.«

Carlotta erhob sich stöhnend, weil sie immer stöhnte, wenn sie aufstehen musste, und schlurfte ins Bad, weil sie die ersten Meter des Tages immer schlurfend zurücklegte. Dabei blieb sie, obwohl sie sich ausgeschlafen und erstaunlich munter fühlte. Doch schon als sie wieder die Treppe hinabstieg, um das Frühstück vorzubereiten, bewegte sie sich so flink, wie sie es den Rest des Tages tun würde.

In Umbrien nahm die Familie nur einen starken Kaffee und Zwieback zu sich, aber auf Sylt hatte ein Frühstück anders auszusehen, das wusste sie. Erik liebte gebratenen Speck oder Rühreier, und die Kinder strichen sich ihre Schokocreme so dick aufs Brot, dass sich Mamma Carlotta der Magen umdrehte. Wie mochte Lucia dieses Prassen am frühen Morgen ertragen haben?

Erik kam in die Küche, als Carolins Zimmertür klappte, Felix' Wecker anschlug und in der ersten Etage der Kampf ums Badezimmer begann. Er schnupperte und lächelte zufrieden. »Es ist schön, in eine Küche zu kommen, in der man erwartet wird.«

Mamma Carlotta stockte der Atem. Etwas derart Emotionales hatte sie kaum jemals von Erik zu hören bekommen! Sie war drauf und dran, ihn in ihre Arme zu ziehen, aber zum Glück fiel ihr noch rechtzeitig ein, dass Erik ihr dann wohl nie wieder ein liebenswürdiges Wort gönnen würde. Als sie sah, wie er zurückwich, noch ehe sie die Arme ausgebreitet hatte, drehte sie sich um und beschäftigte sich mit dem Rührei.

»Die arme Donata! Ob sie schlafen konnte in der letzten Nacht?«

Erik räusperte sich umständlich und klapperte mit dem Besteck, ehe er antwortete: »Ich fand ihre Reaktion ein wenig übertrieben.«

Mamma Carlotta ließ das Rührei im Stich. »Übertrieben? Sie hat eine alte Freundin verloren!«

»Eine Freundin, die sie seit über dreißig Jahren nicht gesehen hat.«

»Trotzdem! Eine alte Freundin durch Mord zu verlieren, das ist wie …« Mamma Carlotta schnappte nach Luft. »Ich brauche mir nur vorzustellen, dass Marina, mit der ich zur Schule gegangen bin, auf diese Weise ums Leben käme! Ich würde …« Sie rang nach Worten, fand aber so schnell keine deutschen, die nur annähernd geeignet waren, ihre Empfindungen auszudrücken.

Doch Erik konnte sich anscheinend auch ohne anschauliche Schilderungen vorstellen, wie Mamma Carlottas Trauer um Marina aussehen würde. »Donata Zöllner ist keine Italienerin«, bemerkte er grinsend. »Vorher hat sie auf mich einen sehr beherrschten Eindruck gemacht.«

Mamma Carlotta ließ ihren Zorn über diese Anzüglichkeit an dem Rührei aus, das zischend und dampfend darum flehte, aus der Pfanne genommen zu werden. Aber es wurde gerührt und gerührt, bis es braun und trocken war und Erik darauf aufmerksam machte, dass er sein Rührei eigentlich hell und flockig liebte.

»Wenn man eine Freundin durch Mord verliert, ist es normal, dass man zusammenbricht. Signora Marinelli hat sogar ärztlichen Beistand gebraucht, als die Musiklehrerin ihres Sohnes beim Baden ertrank.«

Erik nickte ergeben und gab ihr recht. Aber Mamma Carlotta hatte das ungute Gefühl, dass er nur endlich sein Rührei haben wollte. Da klingelte es, Erik flüchtete zur Tür, und ein paar Minuten später stand Sören in der Küche.

»Buongiorno, Signora!«, begrüßte er Mamma Carlotta. Dann wandte er sich an seinen Chef. »Finden Sie nicht auch, dass Donata Zöllner gestern überzogen reagiert hat? Ein solches Theater wegen einer Frau, die sie seit fast vierzig Jahren nicht gesehen hat! Zu der sie nicht mal Kontakt gehabt hat! Man hätte meinen können, ein naher Angehöriger sei dahingerafft worden.«

Stille entstand. Sören sah Erik unsicher an, der wiederum beobachtete Mamma Carlotta, die mit funkelnden Augen neben dem Herd stand.

»Meine Schwiegermutter findet es normal«, erklärte Erik leise, »dass man einen Arzt braucht, wenn eine Frau stirbt, mit der man vor Jahrzehnten mal eine Ferienfreizeit verbracht hat.«

Mamma Carlotta ärgerte sich noch, als Erik und Sören sich zum Kommissariat nach Westerland aufgemacht hatten und die Kinder in der Schule waren. Schrecklich, diese gefühlsarmen Norddeutschen! Woher hatte Lucia eigentlich so genau gewusst, dass Erik in der Tiefe seiner Seele ein gefühlvoller Mensch war? Wie konnte sie so sicher sein, wenn er nie etwas sagte oder tat, was gefühlvolle Menschen zu sagen und zu tun pflegen? Mamma Carlotta klapperte mit dem Geschirr, als wollte sie es nicht spülen, sondern für Eriks Sünden büßen lassen. Beinahe hätte sie die Türklingel überhört.

Als sie dann sah, wer auf der Schwelle stand, war ihr Ärger schlagartig vergessen. »Signora Zöllner! Was für eine Freude!«

Sie zog Donata ins Haus, schob sie in die Küche und dirigierte sie zu einem Stuhl. Donata sah blass und mitgenommen aus, aber ihre Frisur war genauso perfekt wie am Vortag und ihre helle Sommerkleidung makellos. »Geht es Ihnen besser?«

Donata nickte, starrte auf ihre Hände und drehte ihr Armband ums linke Handgelenk. Es bestand aus einer Kette silberner Rechtecke, die durch farbige Stege miteinander verbunden waren. Ein Bettelarmband war es nicht, stellte Carlotta fest. Die silbernen Rechtecke waren alle gleich, die farbigen Stege auch. Insgeheim stellte sie fest, dass ihr das Bettelarmband, an dem kein Anhänger dem anderen glich, besser gefiel.

»Es tut mir leid, dass ich überreagiert habe«, sagte Donata leise.

Carlottas Augen funkelten. »Sie haben eine Freundin verloren. Und dann noch auf diese schreckliche Weise!«

»Ich frage mich, wer das getan haben könnte«, flüsterte Donata Zöllner. »Die ganze Nacht habe ich mich das gefragt.«

»Sie konnten nicht schlafen?« Mamma Carlotta setzte die Espressomaschine in Gang. »Und Sie haben keine Ahnung, wer Ihre alte Freundin getötet haben könnte?«

Donata sah Mamma Carlotta erschrocken an. »Wie kommen Sie darauf, dass ich das wissen könnte?« Ihre Stimme zitterte, Erik hätte vermutlich auch jetzt behauptet, Donatas Reaktion sei übertrieben.

Mamma Carlotta setzte ihr einen Espresso vor, der es in sich hatte. »Nein, nein, wie sollten Sie den Mörder kennen? Sie haben Ihre alte Freundin ja seit Ewigkeiten nicht gesehen. Es ist wirklich schrecklich, dass ausgerechnet jetzt, wo Sie ein Wiedersehen feiern wollten ...« Ihre Stimme versagte, der Anblick der armen Donata, die noch immer ihr Armband ums Handgelenk drehte, tat ihr weh. »Ein schönes Armband«, sagte sie schließlich, weil sie plötzlich das Gefühl hatte, dass ekstatisches Mitleid nicht mehr gefragt war.

Donata nickte, ohne den Blick von dem Armband zu nehmen. »Mein Sohn hat es mir geschenkt«, sagte sie leise. »Ich trage es ständig, so habe ich meinen Jungen immer bei mir.«

Mamma Carlotta schob Donata Zöllner die Tasse entgegen. Ein dreifacher Espresso musste heiß getrunken werden, sonst schmeckte er bitter.

Donata verstand die Geste und trank ihre Tasse leer. Dann endlich sah sie auf. Ihre Augen schwammen in Trauer, Verzweiflung und ... ja, und in Angst. Mamma Carlotta sah es ganz deutlich. Was aus diesen Augen leuchtete, war mehr als Niedergeschlagenheit und Trauer.

»Ich brauche Ihre Hilfe«, sagte Donata Zöllner plötzlich.

Mamma Carlotta sah prompt eine herrliche Zeit vor sich mit hundertmal »per favore« und tausendmal »grazie«. Um Hilfe gebeten zu werden, war beinahe noch schöner als Mitleid und Trost. »Ich helfe Ihnen gern. Wobei auch immer! Naturalmente!«

Donata starrte sekundenlang den Kühlschrank an, dann wandte sie sich wieder Mamma Carlotta zu. »Ich hatte einen besonderen Grund, Magdalena zu besuchen. Es ging nicht darum, eine alte Freundschaft wieder zu beleben, jedenfalls nicht ausschließlich. Magdalena wollte mir etwas geben, etwas sehr Wichtiges. Ich muss es haben. Unbedingt!«

Mamma Carlotta sah sie gespannt an. »Worum geht es?«

Aber Donatas Gesicht verschloss sich. »Um meinen Jungen.«

»Der 1999 umgekommen ist?«

Donata nickte. »Ja.«

Mamma Carlotta wartete, dann musste sie einsehen, dass Donata Zöllner nicht bereit war, ihr Einzelheiten zu erzählen. »Am besten, Sie wenden sich an meinen Schwiegersohn.«

»Nein!« Die Antwort kam so hart, so entschlossen, dass Mamma Carlotta zusammenzuckte. »Niemand darf wissen, was es ist. Niemand!«

»Aber es wird vermutlich gefunden. Die Spurensicherung stellt ja das ganze Haus auf den Kopf.«

»Wer es findet, kennt den Wert nicht. Nur ich weiß, was es bedeutet. Und natürlich Magdalena. Sonst niemand!«

Mamma Carlotta spürte, wie eine feine Gänsehaut von den Schultern abwärts rieselte. »Glauben Sie, dass Magdalena Feddersen deswegen ermordet wurde? Weil noch jemand wusste, wie wertvoll das … das Ding ist?«

Donata antwortete nicht, sondern drehte wieder das Armband ums Handgelenk. Schließlich, als das Schweigen zur Last wurde, weil es keine Stille, sondern ein Warten auf eine Antwort war, sagte sie: »Ich weiß, wo ich suchen muss. Aber ich habe Angst, so ganz allein. Wenn Sie mir helfen, schaffe ich es vielleicht. Es wäre schrecklich, wenn ich es nicht bekäme, wo ich doch so kurz vor dem Ziel war.«

Es! Was meinte sie? Was war dieses Es? Von welchem Ziel sprach sie?

Donata wich ihrem Blick aus und sagte: »Sie werden es früh genug erfahren. Später, wenn alles vorbei ist. Dann werde ich es Ihnen erzählen, versprochen. Aber vorerst …« Sie legte einen Zeigefinger auf ihre Lippen. »Zu niemandem ein Wort! Vor allem nicht zu Ihrem Schwiegersohn!«

Das Rumoren in seinem Körper machte ihm zu schaffen. Es war, als kreisten die Gedanken nicht in seinem Kopf, sondern fuhren zwischen Kehle und Zwerchfell auf und ab. Erik kannte das Gefühl. Er litt immer dann darunter, wenn er nicht weiterwusste, wenn eine falsche Gewissheit ihm den Blick auf alle richtigen Erkenntnisse versperrte, wenn er spürte, dass ein Indiz oder gar ein Beweis in greifbarer Nähe, aber dennoch nicht an den Tag zu bringen war.

Er stand auf und ging zum Fenster. Wie immer in der Hochsaison quälte sich eine lange Fahrzeugschlange von der Keitumer Landstraße in Richtung Strand. Dabei wusste doch jeder, dass die Parkmöglichkeiten dort schon gegen zehn erschöpft waren!

Wo sollte er ansetzen bei der Suche nach Magdalena Feddersens Mörder? Nirgendwo gab es ein Motiv, das ihn weiterbrachte! Mathis und Valerie, die beiden, die einen Vorteil von Magdalenas Tod hatten, kamen als Täter nicht infrage. Mathis' Alibi war wasserdicht, und Valeries …

»Das auch«, murmelte Erik. Er wusste, dass Sören noch Zweifel hatte, aber er selbst war sicher, dass Valerie die Wahrheit sagte. Ein Mord war ihr nicht zuzutrauen, und dass ihre Freundin Angela Reitz diesen Mord deckte, war undenkbar. Gute Freundinnen mochten viel füreinander tun – aber dass die eine ein schweres Verbrechen deckte, das die andere begangen hatte, hielt er für ausgeschlossen. Jedenfalls in diesem Fall. Schließlich kannte er beide Frauen, und mit beiden war Lucia befreundet gewesen.

Erik ließ sich auf seinen Schreibtischstuhl fallen. Vetterich hatte in Magdalena Feddersens Haus kein Testament gefunden, auch keinen Hinweis, dass bei einem Anwalt oder beim Amtsgericht ein Testament hinterlegt worden sein könnte. Und Sörens Ermittlungen hatten ebenfalls nichts ergeben. Wahrscheinlich würde die gesetzliche Erbfolge eintreten. Mathis Feddersen würde also demnächst vermögend sein, Valerie als seine Frau ebenfalls, aber beide kamen als Täter nicht in Betracht.

Donata Zöllner? Vielleicht sollte er bei ihr ansetzen. Doch wenn sie nach Sylt gekommen sein sollte, um ihre alte Freundin umzubringen, dann wäre sie sicherlich nicht im Hotel ihres Neffen abgestiegen und hätte Bekanntschaft mit der Schwiegermutter des örtlichen Kriminalhauptkommissars geschlossen.

Als das Rumoren in seinem Bauch sich verstärkte, fand er eine Erklärung, die ihm mehr behagte als die Fragen, auf die er keine Antworten fand. Er hatte Hunger! Und zu Hause gab es jemanden, der Antipasti, Primi, Secondi und Dolci vorbereitete. Er erhob sich, dehnte seinen Rücken und ging ins Revierzimmer, wo Sören versuchte, bei Magdalena Feddersens früherem Arbeitgeber etwas in Erfahrung zu bringen.

»Nichts«, sagte er deprimiert, als er den Hörer aufgelegt hatte. »Anscheinend war Magdalena Feddersen eine Frau ohne Besonderheiten. Jedenfalls bis zu dem Tag, an dem sie reich wurde. Sie war eine zuverlässige Hotelkauffrau, bescheiden, gewissenhaft. Jeder hat ihr den Erfolg am Aktienmarkt gegönnt.«

Erik lehnte sich nachdenklich an Sörens Schreibtisch. »Irgendwelche Männerbekanntschaften?«

Sören schüttelt den Kopf. »Nichts! Sie lebte allein und zurückgezogen, das haben auch alle Nachbarn ausgesagt. Nicht nur Frau Berhenne.«

Erik stieß sich von Sörens Schreibtisch ab. »Kommen Sie! Meine Schwiegermutter hat sicherlich für Sie mitgekocht.«

Sörens Apfelgesicht strahlte, als wäre es stundenlang von der Sonne beschienen worden.

»Das ist ja großartig!« Er wurde wieder ernst. »Das Leben der Toten war derart übersichtlich, dass wir den kompletten Lebenslauf bis morgen früh recherchiert haben dürften.« Sören stand auf und nickte Enno Mierendorf zu, der an seinem Schreibtisch über Protokollen brütete. »Du hältst die Stellung?«

Mierendorf nickte. »Ich mache erst Mittag, wenn Rudi zurück ist. Der holt gerade einen Autodieb ab, der den Kollegen auf der Kjeirstraße in die Arme gefahren ist. Direkt vor der Post, wo die Schutzpolizei seit Tagen verstärkt Streife fährt. Wegen der Einbruchserie da drüben.«

Erik lächelte. »Hat sich das in Ganovenkreisen noch nicht rumgesprochen?«

Mierendorf schüttelte den Kopf. »Das muss ein Anfänger gewesen sein. Klaut ein Auto in Niebüll und fährt dann auf Sylt damit spazieren!«

Erik ließ die Klinke los, die er gerade heruntergedrückt hatte. »In Niebüll? Sprechen Sie von dem Wagen, der Valerie Feddersen gestohlen wurde?«

Mierendorf nickte. »Der Typ wusste anscheinend nicht, dass das Auto einer Sylterin gehört. Sonst hätte er den Wagen vielleicht auf dem Festland gelassen. Ganz schön dämlich!«

In diesem Augenblick wurde die Tür aufgestoßen, und Polizeiobermeister Rudi Engdahl schob einen Mann von Mitte vierzig ins Revierzimmer, klein und von schmächtigem Körperbau, mit einem schmalen Gesicht, aus dem die Nase spitz hervorstach. Unter seinesgleichen wurde Kurt Fehring »Frettchen« genannt. Seit seine Druckerei in Tinnum Pleite gegangen war, hielt er sich mit Gelegenheitsjobs über Wasser und wohl auch mit dem heimlichen Drucken von gefälschten Etiketten. Das allerdings hatte ihm bisher niemand nachweisen können. Für Ladendiebstahl dagegen, für Urkundenfälschung und Trickbetrug hatte er schon mehrere Gefängnisaufenthalte hinter sich. Er trug einen altmodischen Anzug und ein weißes Hemd, das bessere Tage gesehen hatte. Billige silberne Manschettenknöpfe blitzten hervor, wenn Fehring gestikulierte. Er legte augenscheinlich Wert darauf, gut angezogen zu sein, obwohl er es sich ebenso augenscheinlich schon lange nicht mehr leisten konnte.

»Haben Sie die Branche gewechselt?«, fragte Erik. »Kfz-Diebstahl gehörte doch bisher nicht zu Ihrer Angebotspalette!«

Fehring grinste schief. »Man muss flexibel sein.«

Erik folgte Rudi Engdahl und Fehring ins Nebenzimmer, wo die Vernehmungen durchgeführt wurden. Dabei ignorierte er Sörens ungeduldigen Blick.

»Was war das für eine dumme Idee, Fehring?«, fragte Erik. »Warum muss es nun auch noch Kfz-Diebstahl sein?«

»Ich habe kein Auto.« Kurt Fehring ließ sich nieder, als wäre er zum Kaffeeklatsch eingeladen worden. »Und der

Busverkehr auf der Insel ist mir zu unzuverlässig. Vor allem in der Hauptsaison.« Er bedachte Erik mit einem verschlagenen Lächeln. »Ich konnte ja nicht ahnen, dass Sie mich sofort erwischen.«

»Vielleicht hätten Sie nicht das Auto einer Sylterin stehlen sollen. In solchen Fällen sind die Sylter Polizisten besonders aufmerksam.«

Fehring riss erstaunt die Augen auf. »Ich habe die Karre in Niebüll geknackt! Nicht auf Sylt!«

Erik grinste. »Das wissen wir.«

Er hörte Sören mit der Türklinke klappern und registrierte Rudi Engdahls ungeduldigen Blick. Sie hatten ja recht, alle beide. Erstens fielen Kfz-Diebstähle nicht in seine Zuständigkeit, zweitens hatte er Sören ein italienisches Essen versprochen. Dass er sich dennoch nicht von diesem Fall lösen konnte, lag daran, dass das Auto, das Kurt Fehring gestohlen hatte, Valerie gehörte.

Zu Rudi Engdahl sagte er: »Ich will mich natürlich nicht in Ihre Vernehmung einmischen.« Und über die Schulter rief er zurück. »Bin gleich so weit! Nur ein paar Fragen!« Dann wandte er sich wieder an Fehring: »Wann haben Sie den Wagen gestohlen?«

Die Antwort kam wie aus der Pistole geschossen. »In der Nacht von Dienstag auf Mittwoch.«

»Wo genau?«

»Meinen Sie, ich gucke erst aufs Straßenschild? Irgendwo außerhalb. In einer Reihenhaussiedlung.«

Erik nickte Rudi Engdahl zu. »Das passt.«

Engdahl bedachte ihn mit einem gereizten Blick. »Wir wissen, wo der Wagen gestohlen wurde. Wir haben ja Frau Feddersens Aussage.«

»Sorry.« Erik ging zur Tür. »Ich werde jedenfalls der Besitzerin Bescheid geben. Heute Nachmittag will ich sowieso ins Hotel Feddersen.«

»In Ordnung!« Damit stand Rudi Engdahl auf und schloss die Tür vor Eriks Nase.

Aber wenn Sören gedacht hatte, dass der Weg nun direkt zu den Antipasti im Hause Wolf führte, hatte er sich getäuscht. Erik wandte sich an Polizeimeister Mierendorf. »Haben Sie mir alles zusammengepackt, was ich für die Fingerabdrücke brauche?«

Mierendorf nickte und wies auf ein Paket, das auf dem Tresen lag. »Da ist alles drin. Obwohl ich ja nicht verstehe, warum diese Leute nicht zu uns ins Kommissariat kommen können.«

Darauf antwortete Erik nicht. Auch nicht, als er Sörens hochgezogene Augenbrauen sah. »Worauf warten Sie noch?«, fragte er. »Oder ist Ihnen plötzlich der Appetit vergangen?«

Sören schüttelte wortlos den Kopf und öffnete seinem Chef die Tür. Mit einem Blick auf das Paket, das Erik in Händen hielt, brummte er: »Sind Sie froh, dass Valerie Feddersens Alibi jetzt überzeugend ist?«

Prosciutto e fichi prangte auf dem Tisch, dunkelrot der Schinken, hell und saftig die Feigen. Eine Minestrone dampfte auf dem Herd, während im Backofen die mit Käse gefüllten Polentataschen bräunten und die Marsala-Pfirsiche sich auf den Löffelbiskuits räkelten. Der Raum war voller Wohlgerüche, voller Lachen und Behaglichkeit.

Die Haustür krachte ins Schloss, und in der Küche erschien Michael Ballack, der nur zufällig so aussah wie Felix Wolf. »Wir haben Elfmeter geübt! Ich habe jeden im Tor platziert. Mathis hat keinen gehalten! Er hat gesagt, wenn es Sonntag einen Elfmeter gibt, darf ich ihn schießen!«

Mit flinken Blicken verschaffte er sich einen Überblick

über das kulinarische Angebot. »Ich habe einen Bärenhunger. Mathis hat uns wieder mächtig rangenommen.«

Mamma Carlotta verhinderte nur knapp, dass er sich so, wie er war, auf einen Stuhl warf. »Erst Hände waschen!«

Felix grinste anerkennend. Im Spiel ums Händewaschen ging mal wieder ein Punkt an seine Großmutter. Schade, dass er nicht mit den vielen Punkten prahlen konnte, die er auf seiner Seite hatte. In diesem Spiel war er eindeutig Gewinner.

»Tut mir leid«, sagte Sören, als Mamma Carlotta ihm mehrere Feigen auf den Schinken häufte, »dass ich an Valerie Feddersens Alibi gezweifelt habe.«

Erik nickte großmütig. »Sie haben ja recht. Ganz sicher können wir erst jetzt sein. Die Feddersens werden sich freuen, wenn sie hören, dass das Auto wieder aufgetaucht ist. Die meisten gestohlenen Autos verschwinden ja auf Nimmerwiedersehen.«

»Dass Frau Feddersen zur Tatzeit in Niebüll war, daran besteht jedenfalls kein Zweifel mehr«, meinte Sören.

»Und ebenso sicher ist«, ergänzte Erik, »dass Mathis zur Tatzeit im Hotel war.«

Sören stöhnte. »Wir brauchen ein Motiv! Außer Geldgier fällt mir keins ein.«

»Vielleicht war Magdalena Feddersen eine Spionin«, schlug Felix vor, »und ist enttarnt worden.«

»So ein Blödsinn!« Carolin sah ihn strafend an. »Aber sie hat vielleicht eine andere Art von Doppelleben geführt. Gero Fürst hat in einem seiner Romane eine Frau beschrieben, die nach außen ein ganz unauffälliges Leben führte. Aber in Wirklichkeit war sie eine Nutte.«

Mamma Carlotta verschluckte sich vor Empörung. »Du willst behaupten, Donata Zöllner war mit einer … einer unanständigen Person befreundet?«

»Für so was war die doch viel zu alt!«, rief Felix.

»Oder ihr Charakter hat sich verändert.« Carolin ließ sich nicht von ihrer Fährte fortlocken. »In Gero Fürsts Debütroman gab es einen Mann, der nach einem Lottogewinn ein todunglücklicher Mensch wurde. Er konnte nicht mehr lieben, weil er niemandem mehr vertraute.«

»Gero Fürst!« Erik sah seine Tochter kopfschüttelnd an. »In deinem Alter habe ich für Rockmusiker geschwärmt und nicht für Romanschreiber.«

»Du bist ja auch kein Schriftsteller geworden, sondern Bulle«, schnappte Carolin zurück.

Mamma Carlotta versuchte, den drohenden Streit zu unterbinden, indem sie den beiden Kontrahenten von ihren Bemühungen erzählte, bei Feinkost Meyer Feigen zu erwerben, die zwar angeliefert worden waren, aber noch nicht den Weg in die Obst- und Gemüseabteilung gefunden hatten. »Der Filialleiter persönlich hat sie mir aus dem Lager geholt.«

Aber ihr Ablenkungsmanöver misslang. Carolin schwieg nur so lange, bis ihre Großmutter mit ihrer Geschichte fertig war, dann erzählte sie, dass sie Gero Fürst vor ein paar Tagen in Westerland gesehen hatte. »Und die Nonna hat versprochen, mit mir zu seinem Haus zu fahren«, erzählte sie ihrem Vater.

Erik sah seine Tochter entgeistert an. »Was wollt ihr denn da?«

»Ihn bitten, seine Bücher zu signieren. Ich habe alle Gero-Fürst-Romane.«

Mamma Carlotta sprang auf, um sich um das Wohlergehen der Polentataschen zu kümmern, aber dem strafenden Blick ihres Schwiegersohns entging sie trotzdem nicht. »Ihr könnt dem Schriftsteller doch nicht auf die Pelle rücken!« Vorwurfsvoll sah Erik seine Schwiegermutter an. »Wie kannst du das Kind in diesen Ideen auch noch unterstützen?«

Mamma Carlotta wand sich. Wie sollte sie Erik das erklären? Wenn er nichts von ihrer Nacht in Kemmertöns' Garten erfahren sollte, dann musste sie ihr Versprechen einlösen.

Sie versuchte Carolin ein zuversichtliches Lächeln zu schenken. »Schriftsteller sind auch nur Menschen! Wenn Gero Fürst stundenlang allein an seinem Schreibtisch gesessen hat, wird er sicherlich froh über ein bisschen Abwechslung sein. So ein Schriftsteller muss doch den Kontakt zu seinen Lesern halten. Wie kann er über Menschen schreiben, wenn er nicht mit Menschen spricht?«

Sie brauchte Erik nicht anzusehen, um zu wissen, dass sein Gesicht wieder diesen Ausdruck trug, der es der italienischen Verwandtschaft so schwer machte, ihn als einen der ihren zu akzeptieren.

Seufzend trug sie die Minestrone auf. Anscheinend blieb ihr nichts anderes übrig, als in den nächsten Tagen mit Carolin zum Haus von Gero Fürst zu fahren. Aber vielleicht ließ sich die Angelegenheit eine Weile aufschieben, bis Carolin den Plan vergessen hatte oder im Inselblatt zu lesen war, dass Gero Fürst soeben zu einer Lesereise aufgebrochen war?

»Am besten, wir fahren gleich heute Nachmittag hin«, sagte Carolin.

Carlotta seufzte noch einmal. Nun blieb nur noch zu hoffen, dass Gero Fürst nicht zu Hause war oder ihnen einfach nicht öffnete. Vielleicht war es aber auch ganz gut, sich am Nachmittag Ablenkung zu verschaffen? Dann würde sie nicht an das denken müssen, was ihr in der Nacht bevorstand.

Sie warf Erik einen Blick zu. Ob er ihrem Gesicht ablesen konnte, dass sie etwas vorhatte, was er niemals billigen würde? Nein, er vertiefte sich gerade in ein Gespräch mit Sören, in dem es um ein Mordmotiv ging, das nichts mit Geldgier zu tun hatte. Von Rache sprachen sie und von Neid. Aber nach Anhaltspunkten für diese Motive suchten sie vergeblich.

Mamma Carlotta wünschte sich, Erik möge am Abend die Haustür verschließen, den Schlüssel abziehen und in seine Schlafanzugjacke stecken. Dann würde sie Donata Zöllner am nächsten Tag sagen können, dass es ihr unmöglich gewesen sei, das Haus zu verlassen. Sie hätte ihr gern geholfen, naturalmente, aber es war ihr einfach nicht möglich gewesen.

Carlotta Capella hatte noch nie so oft geseufzt wie während dieser Mahlzeit. Sie wusste ja, dass Erik niemals den Schlüssel abzog. Nein, es gab wohl kein Entrinnen vor dem Plan, den Donata Zöllner geschmiedet hatte. So, wie sie am Nachmittag das Versprechen einlösen musste, das sie Carolin aus purer Not gegeben hatte, so musste sie sich an die Zusage halten, zu der sie überredet worden war. Warum nur hatte sie sich darauf eingelassen?

Als er dem Hotel Feddersen den Rücken kehrte, beschloss Erik, einen Besuch an Lucias Grab zu machen. Der Dorfteich, die Kirche und der Friedhof waren nicht weit. Er stellte den Wagen in der Nähe ab, stieg aus und blieb eine Weile stehen. Der Blick über den Dorfteich tat ihm gut. Häufig ließ er sich zunächst vom Frieden über dem kleinen See einlullen, ehe er zu Lucias Grab ging. Noch immer brauchte er Kraft für diesen Weg, noch immer fand er keinen Trost vor dem Stein, der Lucias Namen trug.

Leichter fiel ihm das Gedenken dort, wo sie gelebt hatte, wo sie immer noch gegenwärtig war. Wenn er vor ihrem Grab stand, konnte er nicht an die Liebe denken, die sie ihm geschenkt hatte, nicht an ihr Lachen, ihre Fröhlichkeit, dann konnte er nur an den letzten Blick auf ihr Gesicht denken, ehe der Bestatter den Sargdeckel schloss.

Trotzdem ging er häufig zu ihrem Grab, im Sommer allerdings seltener als im Winter. Wenn die Sonne schien, wenn sich ein wolkenbetupfter Himmel über Sylt stülpte, wenn die Heckenrosenwälle in Blüte standen, wenn die Luft salzig war und der Regen bitter, dann quälte ihn noch immer das Aufbegehren. Erst wenn die Tage grau wurden, konnte er den Gedanken an den alkoholisierten Lkw-Fahrer aus Flensburg aushalten, den er einmal weinend an Lucias Grab angetroffen hatte.

Er zupfte ein paar welke Blätter von den Geranien, die er im Mai gepflanzt hatte. Ach, Lucia, Valerie hat sich sehr merkwürdig verhalten. Unfreundlich war sie, regelrecht abweisend. Du kanntest sie besser als ich. Hättest du dir einen Reim drauf machen können?

Zunächst hatte sie ihn liebenswürdig empfangen. Einen weißen, schwingenden Rock trug sie und ein blaues Top mit Spaghettiträgern. Aber als sie hörte, dass er gekommen war, um Fingerabdrücke zu nehmen, war es mit ihrer Freundlichkeit vorbei gewesen.

»Du behandelst uns wie Verdächtige!«

Erik erklärte ihr geduldig, dass er die Fingerabdrücke nicht brauchte, um sie und ihren Mann zu überführen, sondern um die Fingerabdrücke des Täters erkennen zu können, falls er welche hinterlassen hatte. »Von allen Personen, die Magdalena Feddersen regelmäßig besucht haben, nehmen wir Fingerabdrücke. Wie sollen wir sonst die Abdrücke des Täters erkennen? Alle Abdrücke, die nicht identifiziert sind, vergleichen wir mit den Abdrücken in unserer Kartei. Vielleicht bekommen wir dadurch den entscheidenden Hinweis.«

Mathis stand auf Eriks Seite. »Es ist doch nett, Valerie, dass er uns den Weg zum Polizeirevier erspart.«

Aber Valerie war noch immer kein Lächeln abzuringen. Nur mürrisch war sie seinen Anweisungen gefolgt und hatte ihm zehnmal gezeigt, bei jedem einzelnen Finger, wie wenig es ihr gefiel, dass er ihn über das Farbkissen rollte. Nicht einmal die Nachricht, dass ihr Auto gefunden worden war, konnte sie aufheitern.

War sie immer schon so komisch, Lucia? Warum konnte sie sich nicht freuen?

»Mein Wagen ist gefunden worden? Aber … du hast gesagt, dass die meisten gestohlenen Autos nicht wieder auftauchen!«

Erik hatte lächelnd genickt. »Die meisten! Aber wie man sieht, nicht alle.«

Als er ihr erschrockenes Gesicht sah, nahm er sich vor, Rudi Engdahl zu fragen, ob der Wagen aufgebrochen worden war. Vielleicht hatte Valerie vergessen, ihn abzuschließen, und war nun in Sorge, dass die Versicherung nicht zahlte? Wenn das so war, dann konnte er vielleicht dafür sorgen, dass dieser Umstand im Protokoll nicht erwähnt wurde.

Lucia, ich werde aus Valerie nicht schlau. Als sie hörte, dass der Autodieb gefasst worden und geständig war, wurde sie ganz blass. Warum? Ich habe sogar gesehen, dass ihre Hände zitterten. Und sie wollte ganz genau wissen, was der Dieb ausgesagt hat.

»Wo hat er mein Auto gestohlen?«

Erik hatte sie erstaunt angesehen. »Wieso fragst du das? Du weißt es doch.«

Selbstverständlich hatte die Aussage des Diebes sich mit sämtlichen Angaben Valeries gedeckt. Er hatte den Wagen in Niebüll in einer Reihenhaussiedlung am Stadtrand gestohlen. Genauere Angaben konnte er zwar nicht machen, aber das war ohne Bedeutung. Diese Angaben hatte Valerie gemacht, und Kurt Fehring hatte zu allem genickt.

Erik wandte sich von Lucias Grab ab und ging den Weg zurück. Er hatte gespürt, dass Oles Erscheinen Valerie gerade recht gekommen war. Der Junge hatte sich wortlos ins Zimmer gedrückt und sich auf Mathis' Schoß geschoben, aber Valerie hatte ihn heruntergezerrt, noch bevor Mathis' Arme sich um Oles Körper schließen konnten. Angeblich musste sein Zimmer aufgeräumt werden, und das duldete keinen Aufschub. Valerie vergaß sogar, sich von Erik zu verabschieden, ehe sie die Tür hinter sich schloss.

Ach, Lucia, wenn ich doch mit dir über Valerie reden könnte! Oder würde ich es nicht wollen, wenn du noch bei mir wärst? Schon möglich. Vielleicht wäre mir dann gleichgültig, was sie sagt und tut.

Der Weg nach Braderup war schnurgerade. Zunächst trat Mamma Carlotta genauso kräftig in die Pedale wie Carolin, aber als die ersten Häuser am Straßenrand auftauchten, ließ sie das Rad ausrollen. So lange, bis es zu schwanken begann und Carolin rief: »Weiter, Nonna!«

Sie schien nicht zu merken, dass ihre Großmutter Angst vor ihrer eigenen Courage hatte. Mamma Carlotta gehörte in ihrem Dorf zwar zu denen, die dem Tierarzt zur Hand gingen, wenn er mit einer panischen Kuh nicht zurechtkam, und als Einzige dem Bürgermeister half, wenn er mal wieder von seiner eifersüchtigen Frau mit dem Küchenmesser bedroht wurde, aber was jetzt auf sie wartete, war anders. Fremd und ganz und gar unvertraut. Mamma Carlotta hatte noch nie einen Literaten vor sich gehabt. Was mochte das für ein Mensch sein, der sich Geschichten ausdachte und damit berühmt wurde? Was machte er anders als sie, die sich leidenschaftlich gern Geschichten ausdachte, aber niemals berühmt werden würde? Lag es an den Haupt- und Nebenhandlungen? Am Sprachrhythmus? An der substantivischen oder verbalen Erzählweise, von der sogar Fietje etwas wusste? Mamma Carlotta, die eigentlich ein normal entwickeltes und manchmal sogar übersteigertes Selbstbewusstsein hatte, war total eingeschüchtert.

Als sie hinter Carolin in den Bröns Wai einbog, war sie voller Angst, von dem Bestsellerautor mit Schimpf und Schande davongejagt zu werden. Carolin dagegen, die es bisher nicht einmal gewagt hatte, sich dem Haus zu nähern, sondern es nur aus der Ferne heimlich beobachtet hatte, war in Begleitung von Mamma Carlotta voller Zuversicht.

Das Haus des Schriftstellers verbarg sich hinter einer niedrigen Kiefernreihe. Es war klein und geduckt, die Fassade so dunkel wie die Kiefern, die sie versteckten. Auch das Tor, das in den Garten führte, war dunkel und unauffällig, die Klinke abgegriffen, rau von der Witterung, die sie aufgerieben hatte.

»Bist du sicher, dass hier Gero Fürst wohnt?«, fragte Mamma Carlotta, die ein imposantes Gebäude auf einem gepflegten Grundstück erwartet hatte.

Carolin nickte. »Ich bin ihm mal in Wenningstedt begegnet und ihm dann hierher gefolgt.« Als sie Mamma Carlottas enttäuschten Blick sah, fügte sie hinzu: »So was nennt man Understatement. Weil jeder damit rechnet, dass er in einer protzigen Villa wohnt, bleibt er hier unbehelligt.«

Das leuchtete Mamma Carlotta ein. »Sehr raffiniert.« Gern hätte sie sich noch eine Weile in dieses Thema vertieft, um die Abfuhr, mit der sie fest rechnete, noch ein wenig hinauszuschieben. Aber Carolin drängte sie: »Lass uns endlich anklopfen. Du hast es versprochen.«

Mamma Carlotta nickte tapfer und drückte die Klinke der Gartenpforte hinunter. Sie rüttelte und stemmte ihr Körpergewicht gegen das Tor – nichts. Es war verschlossen.

Sie gab sich große Mühe, Carolin ihre Erleichterung nicht spüren zu lassen. »Gero Fürst scheint sehr scheu zu sein. Wer schließt denn eine Gartenpforte ab, über die man ohne Weiteres klettern kann!«

Carolins Gesicht nahm einen kläglichen Ausdruck an. »Das tut nur einer, der niemanden an der Haustür stehen haben will. Ich glaube, Papa hat recht. Wir dürfen ihn nicht stören.«

Beinahe hätte Carlotta laut gejubelt. Aber da sie ihre Enkelin nicht verletzen wollte, zog sie ihre Stirn in kummervolle Falten und tat so, als dächte sie scharf darüber nach, einen anderen Weg in das Haus des Schriftstellers zu finden.

Das war der Moment, in dem sich das Fenster neben der Eingangstür öffnete und ein Mann herausschaute, mittelgroß, sehr schlank mit einem hageren Gesicht und dichtem, dunklem Haar, das er im Nacken lang trug. Er hatte ein dunkelgraues Hemd an, das er weder geschlossen noch in den Hosenbund gesteckt hatte. In seine Brusthaare hatte sich ein Kettchen gegraben, sein Körper war stark gebräunt. Den Arm trug Gero Fürst in einer Schlinge.

Er blinzelte gegen die Sonne. »Bist du das Mädchen, das sich beworben hat? Wegen der Schreibarbeiten?«

Carolin war unfähig zu reagieren, ihre Nonna aber begriff in Sekundenschnelle, dass es eine Chance gab, Carolins Wunsch zu erfüllen, ohne zur Bittstellerin zu werden. »Ja, das ist sie!«, rief sie zurück. »Ich bin ihre Großmutter. Man kann das Kind ja nicht allein zu einem fremden Mann ...« Sie brach ab, denn Gero Fürst hatte das Fenster bereits wieder geschlossen.

»Bist du verrückt?«, zischte Carolin. »Du hast gelogen!«

»Das ist deine Chance«, zischte Mamma Carlotta zurück, ohne ihr Lächeln zu verlieren. »Schreiben kannst du doch.«

»Aber ich habe mich nicht bei ihm beworben.«

»Das muss er ja nicht erfahren.«

Die Haustür öffnete sich, und Gero Fürst erschien auf der Schwelle. Carolin schrumpfte auf die Größe eines verschüchterten Kindergartenkindes zusammen, als er auf die Gartenpforte zukam. Während er mühsam mit einer Hand den Riegel zurückschob und die Pforte öffnete, betrachtete Mamma Carlotta ihn erstaunt. So sah ein Bestsellerautor aus? Wie jeder andere? Sie hatte fest damit gerechnet, dass er sich von den Männern, die sie kannte, unterscheiden musste. Aber Gero Fürst strahlte nichts Besonderes aus, sein Anblick war nicht bemerkenswerter als der des Bäckers, des Fleischers oder des Lehrers.

»Kommen Sie rein«, sagte er freundlich und ging voran ins Haus. Sie folgten ihm den schmalen Flur entlang und betraten schließlich den Wohnraum, der so vollgestellt war, dass er noch kleiner wirkte, als er ohnehin schon war. Eine Wand war mit Bücherregalen bedeckt, vor der anderen stand ein geblümtes Sofa, davor ein winziger runder Tisch, vor dem großen Fenster ein gewaltiger Schreibtisch, bedeckt mit Büchern und Papieren, darauf ein Computer.

»Du kannst also mit Word für Windows umgehen und bist sicher in der Rechtschreibung, Corinna?«

»Carolin«, korrigierte Mamma Carlotta.

Gero Fürst runzelte die Stirn. »Ach, wirklich?« Er überlegte kurz, dann schüttelte er den Kopf. »Da habe ich deinen Namen wohl falsch in Erinnerung. Also gut... Carolin. Du weißt, ich brauche jemanden, der für mich das Schreiben übernimmt.« Er wies auf seinen linken

Arm. »Eine Verletzung, die ich mir im Garten zugezogen habe. Vierzehn Tage muss ich den Arm ruhig halten.« Er schüttelte den Kopf, als Mamma Carlotta ihr Bedauern ausdrücken wollte. Anscheinend war er ein Mann, der nicht gern viel Worte machte. »Wir haben es ja schon am Telefon besprochen«, sagte er zu Carolin. »Ich gebe dir meine Diktate auf Kassette, und du tippst sie zu Hause in den PC.« Er ging zum Schreibtisch und griff nach einer Diskette. »Hier habe ich dir die Maske für eine Normseite gespeichert. Die benutzt du als Grundlage. Alles klar?«

Carolin, der gar nichts klar war, nickte trotzdem.

»Meine Enkelin ist sehr flink auf der Tastatur«, erklärte Mamma Carlotta. »Sie schreibt sogar im 10-Finger-System.«

»Das hat sie mir bereits am Telefon erklärt«, sagte Gero Fürst. »Jetzt brauche ich nur noch deine Unterschrift.« Er griff nach einem Blatt Papier und schob es Carolin hin.

»Was ist das?«, fragte Mamma Carlotta, weil nicht zu erwarten war, dass Carolin in Gegenwart des Schriftstellers den Mund aufmachen würde.

Gero Fürst sah sie erstaunt an. »Das habe ich am Telefon bereits mit Ihrer Enkeltochter besprochen. Sie muss sich verpflichten, nicht über das zu sprechen, was sie schreibt, und niemandem zu zeigen, was sie in meinem Auftrag in den PC getippt hat. Sollte sich vor dem Erscheinen des Buches die Pointe herumsprechen ...«

»Carolina würde nie ein Geheimnis verraten«, unterbrach Mamma Carlotta. »Niemals!« Sie schickte Carolin mit dem Wink ihres rechten Zeigefingers zum Schreibtisch, auf dem die Vereinbarung lag, die Gero Fürst vorbereitet hatte. »Du kannst das ruhig unterschreiben, Carolina. Wir wissen doch alle, wie verschwiegen du bist.«

Noch immer sprach Carolin kein Wort, aber sie griff

gehorsam zu dem Stift, den Gero Fürst ihr hinhielt, und setzte ihren Namen unter die Vereinbarung.

Mamma Carlotta wurde nun immer sicherer. Dass sich der Besuch bei dem berühmten Schriftsteller wider Erwarten so angenehm entwickelte, versetzte sie in Hochstimmung. Prompt fiel ihr ein, dass es auch in der Familie Capella vor zwei Generationen jemanden gegeben hatte, den die Nachfahren einen Schriftsteller nannten. Immerhin hatte er hübsche Verse über sein Heimatdorf gedichtet, die noch heute von Signora Benedetta in Geschirrtücher gestickt und in ihrem Wäschegeschäft verkauft wurden. Um ein Haar hätte Mamma Carlotta sich verstiegen, diesen Vorfahren einen Kollegen von Gero Fürst zu nennen. »Ich glaube allerdings nicht«, schloss sie stattdessen, »dass Signora Benedetta ein gutes Geschäft damit macht.«

Carolin schien nun aufzutauen. Lächelnd hielt sie Gero Fürst die unterschriebene Vereinbarung hin und brachte es auch endlich fertig, einen kompletten sinnvollen Satz zu artikulieren. »Würden Sie mir meine Bücher signieren?« Sie schnürte ihren Rucksack auf und stapelte eine beachtliche Menge auf den Schreibtisch. Alle Romane, die Gero Fürst geschrieben hatte!

Ein anerkennendes Lächeln ging über das Gesicht des Schriftstellers. »Donnerwetter! Wenn du dich so gut auskennst in meinem Werk, bist du natürlich besonders geeignet, mein neues Buch, ›Mutter des Raben‹, in den PC zu tippen.« Schwungvoll setzte er in jedes Buch eine Signatur. »Hast du eigentlich Ferien?«

Carolin himmelte Gero Fürst an. »Ab nächste Woche. Dann habe ich viel Zeit.«

»Gut so. Am besten, du kommst jeden Morgen her, dann gebe ich dir eine neue Kassette und schau mir durch, was du getippt hast.«

Carolin nickte. Sie hätte zu allem genickt, was Gero Fürst ihr vorgeschlagen hätte. »Ich habe kürzlich gelesen«, sagte sie mit wichtiger Miene, »dass es in Ihrem neuen Buch auch Elemente eines Kriminalromans geben wird. Stimmt das?«

Gero Fürst wehrte lächelnd ab. »Das habe ich auch gelesen, aber das ist natürlich Blödsinn. Ich bin kein Krimiautor, sondern Romancier. Diese Idee ist anscheinend entstanden, weil in ›Mutter des Raben‹ eine alleinstehende Frau ermordet wird und ein wichtiger Teil der Handlung die Frage ist, wer den Mord begangen hat.«

»Wie interessant!« Mamma Carlotta war entzückt, ihren Teil zur Unterhaltung beitragen zu können. »In Wenningstedt ist auch gerade eine alleinstehende Frau ermordet worden. Was für ein Zufall! Haben Sie davon gehört?«

Gero Fürst schüttelte den Kopf, ohne sie anzusehen. »Nein, davon habe ich nichts gehört. Wenn ich schreibe, kümmere ich mich um nichts anderes als um meinen Romanstoff.«

Mamma Carlotta heuchelte Verständnis, obwohl sie sich nicht vorstellen konnte, dass sich jemand über Wochen und Monate mit nichts anderem als einer einzigen Geschichte befasste. Schriftsteller waren also doch keine Menschen wie alle anderen, selbst wenn sie so aussahen. Wie konnte ihm der grausige Mord entgangen sein, der in seiner Nähe geschehen war? Und wie konnte ein Literat über das Leben schreiben, wenn das wahre Leben unbemerkt an ihm vorüberging?

Mamma Carlotta zog es vor, die Toilette aufzusuchen, statt Gero Fürst zu erklären, dass gerade ein Schriftsteller nicht nur um das eigene Ich kreisen, sondern sich auch mit dem Leben anderer befassen sollte.

Das Badezimmer war genauso chaotisch, wie sie es

sich vorgestellt hatte, und die Küche, deren Tür weit offen stand, sah auch nicht besser aus. Hier fehlte eine weibliche Hand, die für Ordnung sorgte. Mamma Carlotta blieb in der Tür stehen und betrachtete das Durcheinander auf dem Küchentisch, der mit aufgeschlagenen Zeitungen bedeckt war. Das Bild der Ermordeten von Wenningstedt nahm in jeder eine halbe Seite ein, sodass Mamma Carlotta es auf die Entfernung von zwei, drei Metern erkennen konnte.

Sie lauschte und hörte die Stimme des Autors, der Carolin etwas vom Verband deutscher Schriftsteller erzählte. Dann schlich sie sich lautlos an den Küchentisch heran. Das Inselblatt lag dort, außerdem zwei überregionale Zeitungen sowie ein Flensburger und ein Husumer Tageblatt. Und in jeder dieser Zeitungen war die Seite aufgeschlagen, auf der von dem schrecklichen Mord in Wenningstedt berichtet wurde. Warum behauptete Gero Fürst, nichts davon zu wissen? Und warum interessierte er sich so sehr dafür, dass er gleich mehrere Zeitungen besorgt hatte, die darüber berichteten?

Mamma Carlotta stand bewegungslos da und starrte auf die Zeitungsblätter. Es kam erst wieder Bewegung in sie, als sie Gero Fürst sagen hörte: »Wo bleibt deine Großmutter?«

Fünf Sekunden später stand sie im Wohnzimmer, wo Carolin gerade die signierten Bücher in ihrem Rucksack verstaute. Fünf Sekunden reichten Mamma Carlotta für eine gute Idee. Und sie gehörte nicht zu den Menschen, die erst darüber nachdachten, ob es richtig war, sie in die Tat umzusetzen. Mit wenigen Worten führte sie Gero Fürst vor Augen, was er zurzeit am meisten entbehrte: eine Frau, die sich um seinen Haushalt kümmerte. »Wie wollen Sie mit Ihrer verletzten Hand aufräumen und kochen?«

Zum Glück hatte er darauf keine befriedigende Antwort, sodass Mamma Carlotta vorschlagen konnte: »Wenn Sie wollen, komme ich demnächst gelegentlich zu Ihnen und sehe nach dem Rechten. Ich kann Ihnen auch selbst eingelegte Antipasti bringen. Die werden Ihnen schmecken!«

Erik sah aus wie ein Schüler, der zum Nachsitzen verdonnert und als besondere Disziplinarmaßnahme sogar zum Schulleiter geschickt worden war. Und wie ein kleiner Schüler fühlte er sich auch. Wütend und hilflos, schuldbewusst und deswegen noch wütender. Die Staatsanwältin hatte ihm die Hölle heiß gemacht, weil er noch keine Ergebnisse im Mordfall Feddersen vorweisen konnte, und die Pressevertreter hatten sogar hämisch gegrinst, als sie hörten, dass er bis jetzt noch keine heiße Spur verfolgte.

In den nächsten Tagen würde in allen Blättern zu lesen sein, dass er ein unfähiger Polizist war. Das allein war schon schlimm genug. Aber das Allerschlimmste war, dass er sich genauso fühlte wie ein unfähiger Polizist! Es war nicht auszuhalten!

Als Sören ins Zimmer kam, rechnete er mit dem Schlimmsten, weil er sich nichts Besseres vorstellen konnte. »Die Überprüfung der Fingerabdrücke hat nichts ergeben.«

»War ja klar.« Eriks Stimme klang müde. Immer wieder strich er seinen Schnurrbart glatt, der an diesem Tag schon eine Menge auszuhalten hatte. Er überlegte sogar, ob er sich über seine eigenen Anweisungen hinwegsetzen und sich im Dienst eine Pfeife stopfen sollte.

Sören sah auf seine Notizen. »Die Spuren waren ziemlich übersichtlich, Magdalena Feddersen lebte zurückgezogen. Die Abdrücke, die wir nicht zuordnen konnten, haben im Abgleich mit unserer Datenbank nichts ergeben.«

100

»Und die wirtschaftlichen Verhältnisse der Toten? Gibt es da irgendwas Unregelmäßiges, was Verdächtiges?«

Prompt schüttelte Sören den Kopf. »Nichts! Da ist ebenfalls alles sehr übersichtlich. Und der Neffe hat recht, für wohltätige Zwecke hatte die Feddersen nicht viel übrig. Obwohl sie es sich durchaus hätte leisten können. Es gibt nur einen Verein, der einmal im Jahr hundert Euro von ihr bekam. Kinder + kinder.«

Erik runzelte die Stirn. »Nie gehört!«

»Das ist ein Verein, der junge Mütter unterstützt. Mütter, die selber noch Kinder sind. Kinder + kinder hat in einigen Großstädten Häuser eingerichtet, wo sehr junge Mütter die Zeit vor der Geburt verbringen und dann entbinden können. Große Kinder eben, die von ihren Familien nichts erwarten können.«

Erik erhob sich und ging unruhig auf und ab. »Und? Kann einer vom Verein Kinder + kinder Magdalena Feddersen ermordet haben?«

»Natürlich nicht.« Sören brauchte sich nicht um Geduld zu bemühen. Stoische Ruhe entsprach seinem Temperament. »Wir müssen das Motiv woanders suchen. Mit Geld hat es anscheinend nichts zu tun. Wie wär's mit Liebe, Rache und Eifersucht?«

»Wunderbar! Vor allem, wenn Sie mir einen Geliebten und dessen eifersüchtige und mordlustige Ehefrau präsentieren.«

Nun sah es tatsächlich so aus, als machte Sören die Übellaunigkeit seines Chefs ein wenig nervös. »Wir müssen eben danach suchen.«

»Tun Sie sich keinen Zwang an!« Erik sah seinen Assistenten so böse an, als wäre der schuld daran, dass Magdalena Feddersen ein Leben geführt hatte, in dem es weder Liebe noch Eifersucht oder gar Rache gegeben hatte. »Aber suchen Sie nicht zu lange! Sonst hat uns die Staatsanwältin eine Sonderkommission vor die Nase gesetzt mit irgendwelchen jungen Klugscheißern und höchstwahrscheinlich so einem oberschlauen Profiler. Der kann uns dann sagen, ob der Mörder rote Haare, Neurodermitis und eine schwere Kindheit hinter sich hat.«

Sören ging zur Tür, um sich klammheimlich davonzumachen.

»Und finden Sie was, ehe die Presse uns zu Idioten gemacht hat!«

Die Tür wurde ins Schloss gedrückt, Erik hätte nur noch das zerkratzte Türblatt oder die Wände anbrüllen können.

Carlotta war alarmiert, als sie nach dem Besuch bei Gero Fürst aus dem Haus trat und sah, wie Valerie ihr Fahrrad an den Gartenzaun stellte. »Valerie! Wollen Sie den Schriftsteller besuchen?«, erkundigte sie sich scheinbar beiläufig.

Valerie reagierte genauso, wie es Menschen tun, die etwas zu verbergen haben. Sie brachte keine vernünftige Erklärung vor, sondern versuchte, Mamma Carlotta weiszumachen, dass sie rein zufällig in dieser Gegend war und ihr ganz spontan der Gedanke gekommen war, dem Schriftsteller einen Besuch abzustatten. »In den ersten Jahren seiner Sylt-Aufenthalte hat er ja immer bei uns gewohnt. Dann wurde er derart erfolgreich, dass er sich dieses Haus leisten konnte.« Sie lachte schrill. »Er hat ja zwei linke Hände, er kommt allein nicht klar.«

»Zurzeit hat er sogar nur eine Hand«, sagte Mamma Carlotta und schämte sich kein bisschen für die Häme, die sie empfand.

Valerie war derart nervös, dass sie die Boshaftigkeit nicht einmal bemerkte. »Eben!«, rief sie erleichtert, als wäre mit Mamma Carlottas Worten bestätigt, dass ihr

Auftauchen vor Gero Fürsts Haus völlig unbedenklich sei. »Man muss ihm einfach helfen.«

»Wie schön, dass Sie ein so gutes Herz haben.«

Und wieder bemerkte Valerie nichts von Carlottas Garstigkeit, sondern lachte ihr erleichtert hinterher. Ob sie wirklich nicht wusste, wie vertraut es wirkte, als sie über das Gartentor langte und den innen liegenden Riegel zur Seite schob?

Carolin, die Valeries Anwesenheit arglos zur Kenntnis genommen hatte, schwang sich aufs Fahrrad und radelte los. Mamma Carlotta dagegen hielt sich noch ein wenig mit ihrem Schloss auf, ließ es auf- und zuschnappen und tat so, als hätte sie Schwierigkeiten, es zu öffnen.

Während sie scheinheilig herumhantierte, beobachtete sie, wie Gero Fürst die Tür öffnete – und sie wieder zuschlagen wollte, als er erkannte, wer davor stand.

Aber Valerie versuchte, sich ins Haus zu drängen. »Ich muss mit dir reden.«

»Es gibt nichts mehr zu reden«, gab Gero Fürst zurück.

»Aber Gero! Das kannst du doch nicht machen!«

Der winzige Augenblick, in dem Valeries Kraft nachließ, in dem sie sich aufs Bitten verlegen wollte, reichte aus. Gero Fürst warf die Tür ins Schloss, ehe Valerie es verhindern konnte. Sie blieb auf seinem Fußabtreter stehen, hob die Hände, als wollte sie an der Tür trommeln, beließ es dann aber dabei, sie zu Fäusten zu ballen. Und Mamma Carlotta stieg aufs Fahrrad und radelte Carolin hinterher, um nicht Zeuge von Valeries Verzweiflung zu werden.

Auf dem Heimweg kam ihnen Carolins Klassenkameradin entgegen, und Carolin erfasste in Sekundenschnelle, warum Corinna, die genauso wie sie für Gero Fürst schwärmte, den Bröns Wai entlangradelte: Sie war das Mädchen, das sich bei ihm als Schreibkraft beworben hatte.

Carolin stieg in die Bremsen und rief Corinna zu: »Der Job ist vergeben, du brauchst gar nicht mehr hinzufahren!« Corinna tat so, als wüsste sie nicht, wovon Carolin redete, aber schließlich musste sie einräumen, dass sie auf dem Weg zu Gero Fürst war.

»Du bist ja so was von mies«, schleuderte Carolin ihr entgegen. »Mir nichts davon zu erzählen, dass Gero Fürst eine Schreibkraft sucht! Du bist echt die längste Zeit meine Freundin gewesen!«

»Und du?«, rief Corinna hinter ihr her. »Hast du mir vielleicht was davon erzählt, dass du die Anzeige im Inselblatt gelesen hast?«

Darauf gab Carolin vorsichtshalber keine Antwort. »Die falsche Schlange hat mir nichts von der Anzeige erzählt«, beschwerte sie sich bei Mamma Carlotta. »Dabei tippt sie viel langsamer als ich und höchstens mit vier Fingern. Außerdem kennt sie von Word für Windows gerade mal die Grundbegriffe!«

Man sah ihr an, dass sie es gern getan hätte, aber tatsächlich schaffte sie es, sich nicht umzusehen, um festzustellen, ob Corinna ihren Weg fortsetzte. Mamma Carlottas Stolz war weniger sensibel. Sie sah sich sogar mehrmals um, und so konnte sie Carolin schon bald berichten, dass Corinna kehrtmachte und zurückradelte. Nun hoffte Carolin nur noch, dass ihre Klassenkameradin sich wehrlos mit der Niederlage abfand, damit ihre Empörung mit ihrem schlechten Gewissen zurechtkam.

Erik war den ganzen Abend schweigsam, noch schweigsamer als sonst. Kein beifälliges Wort war über seine Lippen gekommen, als Mamma Carlotta die Vorspeise servierte, und sogar bei seinem geliebten Auberginenauflauf, der Parmigiana di melanzane, hatte er nur stumm auf seinen Teller geschaut.

Zum Glück verdrehte Sören bei jedem Bissen genießerisch die Augen und lobte die Köchin über den grünen Klee, sodass Mamma Carlotta zufrieden war, als sie schließlich Ossobuco auftrug. Aber nach dem Tiramisu schien selbst Sören die Einsilbigkeit seines Chefs zu viel zu werden, und er verabschiedete sich mit dem Versprechen, am nächsten Morgen zum Frühstück zu erscheinen.

Eigentlich hätte Mamma Carlotta es schön gefunden, mit Erik über Valerie zu sprechen, aber bei seiner Bärbeißigkeit verging ihr schnell jede Lust am Erzählen, Vermuten und Munkeln. Dabei hätte sie Erik gern verraten, was sie argwöhnte. Aber er war schon bei guter Stimmung nicht für Gerüchte zu haben, bei seiner derzeitigen Verfassung würde er gar nichts von ihren Vermutungen hören wollen, am Ende womöglich durchschauen, dass sie ihm Valerie ausreden wollte. Aber musste er nicht erfahren, dass sie offenbar mehr an einem berühmten Schriftsteller als an einem Kriminalhauptkommissar interessiert war? Doch was sollte sie antworten, wenn er nach Beweisen fragte? Von ihrer Intuition reden? Von ihrem Gespür, das sie noch nie getrogen hatte, wenn sie zwei Menschen sah, die eine verbotene Liebe verband?

Irgendwann ging Erik schlafen, ohne zu erfahren, dass Valerie ihrem Mann längst untreu geworden war. Mamma Carlotta jedenfalls hatte keinen Zweifel daran, dass Valeries Beziehung zu Gero Fürst nichts mit alter Bekanntschaft und auch nichts mit Freundschaft zu tun hatte. Wenn sie sich von Gero Fürst demütigen ließ, dann liebte sie ihn. Und Mamma Carlotta würde dafür sorgen müssen, dass Erik über kurz oder lang ebenfalls zu dieser Erkenntnis kam.

Sie löschte das Licht, trat ans Fenster und sah hinaus. Der Mond stand klar über der Insel, Sterne blitzten durch die transparenten Wolkenfahnen, der Himmel war nicht so finster, dass er seine Farbe verloren hatte. Nachtblau stand er über dem Garten.

Kurz bevor die Dämmerung eingesetzt hatte, waren tief hängende Wolken über Sylt hinweggezogen. Felix hatte ihnen lange nachgeblickt und war dann ungewöhnlich schweigsam gewesen. Mamma Carlotta wusste, was ihn immer dann bewegte, wenn die Wolken zum Greifen nah waren. Der Himmel war ein Stück näher gekommen, die Erinnerung an Lucia dichter herangerückt. Zwar war der Nachmittag wolkenlos gewesen, und auch jetzt kreuzten nur gelegentlich schmale Wolkenstreifen den Mond, aber Mamma Carlotta spürte immer noch Lucias Nähe. Sie hatte sich der Sorgen ihrer Mutter angenommen, sie würde auch darauf achten, dass Erik sich seiner Gefühle für Valerie erst voll und ganz bewusst würde, wenn er gleichzeitig erkennen musste, dass er ohne Hoffnung bleiben würde. Und das nicht nur, weil sie verheiratet war. Wie gut, dass über ihn gewacht wurde! Lucia würde ihren Teil dazu beitragen und Mamma Carlotta den ihrigen. Gero Fürst hatte zwar nur höflich genickt, als sie ihm Hilfe im Haushalt und Antipasti angeboten hatte, aber sie war entschlossen, ihm ihre Hilfe notfalls aufzunötigen. Es konnte nicht falsch sein, ein Auge auf ihn und damit auch auf Valerie Feddersen zu haben.

Mamma Carlotta wandte sich getröstet vom Fenster ab. Lucia würde auch dafür sorgen, dass ihre Mutter die folgende Nacht überstand, ohne Schaden zu nehmen. Sie tastete sich über den Flur und stieg, ohne die Beleuchtung einzuschalten, die Treppe hoch. Besser, sie gewöhnte sich schon mal an die Dunkelheit.

Ein sanftes Klicken war zu vernehmen, als Mamma Carlotta einige Stunden später die Tür vorsichtig ins Schloss zog, ihre Schritte dagegen blieben unhörbar. Sie hatte die Turnschuhe angezogen, die ihr ihre Schwägerin mal im Versandhandel bestellt hatte, und war nun froh über die weichen Gummisohlen, die jedes Geräusch verschluckten.

Zum Glück hatte Erik nicht bemerkt, welche Vorbereitungen sie getroffen hatte. Die knarrende Tür des Schuppens, in dem Lucias Fahrrad stand, hatte sie heimlich wieder geöffnet, nachdem Erik seinen abendlichen Gang durch Haus und Garten beendet hatte. Nahezu geräuschlos konnte sie nun das Fahrrad aus dem Schuppen holen und auf die Straße schieben. Sie sprang erst auf, als sie die Westerlandstraße erreicht hatte. Hier schreckten die quietschenden Pedale und das klappernde Schutzblech niemanden auf.

In wenigen Minuten war sie an Magdalena Feddersens Haus angekommen. Es war kurz nach zwei. Der Risgap lag friedlich da, auch die Nachtschwärmer waren mittlerweile schlafen gegangen. Hier wohnten nicht die Feriengäste, die die Nacht zum Tage machten, sondern Familien, die am nächsten Morgen früh aufstanden und mit ihren Kindern zum Strand zogen.

Carlotta lehnte ihr Fahrrad an die Hauswand und schlich in den Garten. Sie sah sich mehrmals um, sicherte nach allen Seiten, aber niemand ließ sich blicken. Gut, dass Donata ihr geraten hatte, dunkle Kleidung zu tragen. Mamma Carlotta war sicher, dass sie vor der Kulisse der dichten Büsche nicht zu sehen war.

Auch Donata war nicht zu erkennen gewesen, denn als sie einen Schritt auf den Rasen machte, fuhr Mamma Carlotta der Schreck in die Glieder. »Sie sind es«, stöhnte sie erleichtert. »Gott sei Dank.«

Donata winkte sie heran. »Ich dachte schon, Sie kommen nicht mehr.«

»Ich habe Ihnen doch gesagt«, flüsterte Mamma Carlotta, »dass ich warten muss, bis im Haus alles ruhig ist. Carolin hat noch bis weit nach Mitternacht gelesen. Und Erik hat Einschlafstörungen, weil er mit dem Mordfall nicht weiterkommt.«

»Schon gut.« Sie konnte sehen, dass Donata lächelte. »Es war gar nicht schlecht, eine halbe Stunde hier im Garten zu sitzen und die Umgebung zu beobachten. Im Nachbarhaus ist erst vor einer Viertelstunde das letzte Licht ausgegangen. Wir werden ungestört sein, wenn wir es clever angehen.«

»Wir?«, fragte Mamma Carlotta gedehnt.

»Keine Sorge! Es bleibt dabei, dass Sie nur Schmiere stehen. Bleiben Sie hier, und geben Sie mir Bescheid, wenn jemand kommt oder wenn Sie irgendwas Auffälliges beobachten.«

»Und was soll ich dann tun?«

Donata drückte Mamma Carlotta eine Taschenlampe in die Hand. »Sie lassen einmal das Licht aufblitzen. Setzen Sie sich an den Gartenzaun neben dem Rhododendronbusch. Dort werden Sie nicht gesehen, wenn jemand vorbeikommen sollte, aber ich werde ein Aufblitzen der Taschenlampe auf jeden Fall bemerken, während ich den Schreibtisch durchsuche.«

»Und wenn Sie dort nicht das finden, was Sie haben wollen?«

»Ich weiß, dass es dort ist.«

»Und dann …« Mamma Carlotta zögerte. »Dann verraten Sie mir, worum es geht?«

Sie spürte, dass Donata ihren Arm berührte. »Danach sehe ich klarer, dann werde ich Ihnen alles erzählen.« Ihre Hand griff fester zu. »Ich bin Ihnen sehr dankbar. Ohne Sie hätte ich nicht den Mut gehabt. Aber wenn Sie hier draußen aufpassen …« Sie sprach den Satz nicht zu Ende, sondern fügte zuversichtlich an: »Es wird schon gut gehen.«

Mamma Carlotta nickte, dann zog sie sich mit der Taschenlampe an den Gartenzaun zurück. Sie wollte die Sache so schnell wie möglich hinter sich bringen. Wenn Donata gefunden hatte, was sie suchte, würde sie auf dem schnellsten Weg nach Hause fahren, sich ins Bett legen und am Morgen das Frühstück zubereiten, als wäre nichts gewesen.

Ein paar Stunden später würde sie dann im Café Lindow erfahren, was Donata in Magdalena Feddersens Haus gestohlen hatte. Nein, stehlen würde sie nichts, das hatte sie immer wieder versichert. Sie würde nur etwas nehmen, was ihr zustehe, etwas, was nur für sie einen Wert habe, was niemand vermissen würde, was Magdalena Feddersen ihr längst gegeben hätte, wenn sie sie noch lebend angetroffen hätte. Mamma Carlotta konnte also ganz beruhigt sein, es geschah nichts Unrechtes.

Das flüsterte sie sich immer wieder zu, aber ganz beruhigt war sie trotzdem nicht. Wenn sie an Erik dachte, wurde sie sogar ausgesprochen unruhig, und wenn sie sich ausmalte, dass er erfahren könnte, was sie hier tat, dann wurde ihr schlecht vor Angst. Warum hatte sie sich nur darauf eingelassen? Aus purem Mitleid natürlich, antwortete ihr Gewissen unverzüglich. Ihr Bauch allerdings mischte sich prompt ein und behauptete, es sei auch eine gehörige Portion Abenteuerlust und Neugier dabei gewesen. An dieser Stelle kam ihr freundlicherweise wieder ihr Kopf zur Hilfe, der zu bedenken gab, dass Unkenntnis zwar nicht vor Strafe schütze, aber als Ausflucht dennoch gut zu gebrauchen sei.

Mamma Carlotta starrte zum Wohnzimmerfenster, das Donata schon vorher aufgebrochen hatte, als der Augenblick günstig gewesen war. Mamma Carlotta dankte ihrem

Schöpfer, der ihr erspart hatte, auch dabei zuzusehen. Im Fenster war ein schwaches Licht zu erkennen, das Licht von Donatas Taschenlampe, das in die Schreibtischfächer leuchtete.

Die Zeit dehnte sich. Und wer in jeder Minute bis sechzig zählte, um die Zeit mit einer Aufgabe zu füllen, der machte sie nur noch länger. Und es wurde nicht besser, als sich eine Frage in ihr erhob, die schon eine Weile in irgendeiner Ecke gekauert hatte. Wenn Donata ihr morgen erzählen wollte, warum sie heimlich in Magdalena Feddersens Haus einstieg – warum hatte sie es dann nicht schon heute tun können?

Mehr als drei Minuten konnten noch nicht vergangen sein, als das Warten unerträglich wurde. Und höchstens fünf Minuten waren verstrichen, als sie durch ein Geräusch aufgeschreckt wurde. Ein Rascheln, ein Knistern, eine Schuhsohle, die Grasbüschel niedertrat. Oder war es ein Tier, das sich anschlich, weil es Carlottas Witterung aufgenommen hatte? Da! Wieder schwirrte etwas über die Sommerblüher, strich an den Büschen vorbei. Eine winzige Verzögerung, dann das Schlagen einer Ranke, die sich verhakt hatte und zurückschnellte.

Mamma Carlotta saß stocksteif da, richtete sich auf, ohne sich zu erheben, wurde blind vor lauter Lauschen, sah nichts, hörte nur. Schritte? Waren es Hände, die das Buschwerk zerteilten? Oder doch nur eine Maus, die sich ihren Weg bahnte?

Sie kam nicht dazu, auch nur eine dieser Fragen zu beantworten. Denn plötzlich legte sich eine Hand auf ihre Schulter. Eine warme, breite, kräftige Männerhand.

Erik saß mit hängendem Kopf auf der Bettkante. Seine Glieder waren bleischwer, die Müdigkeit sickerte nur ganz allmählich aus seinem Körper. Was erwartete ihn? Ein weiterer Tag ohne Ermittlungsergebnisse? Noch ein Rüffel der Staatsanwältin? Und was würde das Inselblatt verkünden?

Stöhnend erhob er sich. Er würde Vetterich mit seinen Leuten heute noch einmal in Magdalena Feddersens Haus schicken. Irgendetwas mussten sie übersehen haben!

Während er über den Flur ins Badezimmer tappte, hörte er das Zirpen des Weckers aus Carolins Zimmer. Er musste sich beeilen. Seine Tochter legte neuerdings großen Wert auf eine ausgiebige und ungestörte Morgentoilette. Als der Hahn in Felix' Zimmer krähte und der Wecker, der diesen Schrei produzierte, zu Boden polterte, fiel Erik auf, dass es kurz vorher noch still im Haus gewesen war, mucksmäuschenstill. Er wartete, bis Felix' Unmutsäußerungen verklungen waren, dann lauschte er. Nichts regte sich.

War Mamma Carlotta etwa noch nicht auf den Beinen? Oder war sie bereits zum Bäcker unterwegs, um frische Brötchen zu kaufen? Er schnupperte. Nein, kein Kaffeeduft drang aus der Küche. Aber seine Schwiegermutter würde niemals einen Fuß aus dem Haus setzen, ohne sich mit einem starken Espresso darauf vorzubereiten. Er lauschte an der Tür des Gästezimmers, aber dahinter war alles ruhig. Missmutig verzog er sich ins Bad. Dieser Tag konnte nichts Gutes bringen, wenn er nicht mit einem ordentlichen Frühstück begann! Aber so, wie es aussah, verschlief Mamma Carlotta ausgerechnet heute. Dabei hätte ihm ihre Fürsorglichkeit gutgetan, ihre Fragen, auf die sie keine Antworten erwartete, ihre Freude, ihn zu verwöhnen. Normalerweise ging ihm das zwar auf die Nerven, aber an diesem Morgen hätte er sich gern darüber geärgert, dass sie die Küche bei der Zubereitung des Frühstücks in ein Schlachtfeld verwandelte und die Marmelade mit einem butterverschmierten Messer aus dem Glas holte.

Eine Viertelstunde später betrat er die Küche, trottete zur Espressomaschine und setzte sie in Gang. Während er lautstark den Tisch deckte, lauschte er immer wieder die Treppe hinauf. Mamma Carlotta musste doch hören, dass sie hier gebraucht wurde! Sonst war sie immer als Erste auf den Beinen.

Er knallte die Kanne in die Spüle, als er sich den Espresso eingeschenkt hatte, klapperte laut mit dem Geschirr, ließ die Melone polternd zu Boden fallen – und lauschte wieder. Nichts! Anscheinend hatte seine Schwiegermutter mal wieder die halbe Nacht vor dem Fernseher verbracht und holte nun den Schlaf nach, den sie bei »Sissy« oder »Vom Winde verweht« verloren hatte.

Zehn Minuten später sah auch Sören sich enttäuscht in der Küche um. »Ihre Schwiegermutter schläft noch?«

»Sieht so aus«, brummte Erik, schenkte seinem Assistenten einen Espresso ein und schob ihm eine Scheibe Brot hin. In diesem Moment klingelte das Telefon. Mit der Espressotasse in der Hand ging Erik in die Diele, um das Gespräch anzunehmen.

»Mathis! Ist was passiert?«

»Ich bin mir nicht sicher«, kam es zögernd zurück. »Aber mir ist gerade aufgefallen, dass Donata Zöllner in der letzten Nacht nicht ins Hotel zurückgekommen ist.«

»Sie wird woanders übernachtet haben.«

»Aber wo?«

»Was weiß ich!« Erik wurde ungeduldig. Was ging ihn Donata Zöllner an? »Sie war gestern Abend aus, hat einen Absacker in der Sansibar genommen und dort einen Mann kennengelernt.«

»Das glaubst du doch selber nicht.«

»Stimmt!« Erik glaubte es tatsächlich nicht. »Hast du einen Verdacht?«

Mathis Feddersen zögerte. »Ich fürchte, ihr könnte etwas zugestoßen sein.«

»Wann hast du sie zum letzten Mal gesehen?«

Das schien Mathis sich bereits gut überlegt zu haben. »Gestern Abend gegen zehn«, kam es wie aus der Pistole geschossen zurück. »Sie kehrte von einem Spaziergang zurück und ging auf ihr Zimmer.«

»Woher weißt du, dass sie nicht mehr dort ist? Vielleicht schläft sie noch. Es ist nicht einmal acht.«

»Sie bekam vor einer halben Stunde einen Anruf von ihrem Mann. Ich wollte durchstellen, aber sie nahm nicht ab.«

»Sie hat eben einen festen Schlaf.«

»Ihr Mann hat darauf bestanden, dass ich nach ihr sehe«, erklärte Mathis. »Mir war das nicht angenehm, aber er war in großer Sorge. Angeblich hat seine Frau Herzprobleme. Er hatte Angst um sie. Also bin ich in ihr Zimmer gegangen. Es war leer. Das Bett unberührt.«

»Und ihr Mann?«

»Der hat darauf bestanden, dass ich sofort die Polizei verständige.«

Erik überlegte nur kurz. »Wir können nicht viel machen, Mathis. Donata Zöllner ist eine erwachsene Frau, sie kann übernachten, wo sie will. Eine Vermisstenanzeige können wir erst später aufnehmen.«

»Aber wenn ihr etwas passiert ist?«

»Es gibt keinen Anhaltspunkt dafür. Den heutigen Tag müssen wir auf jeden Fall noch abwarten. Aber ich verspreche dir: Wir werden die Augen offen halten.«

Mamma Carlotta stieg stöhnend die Treppe hinab. Was für ein schrecklicher Tag! Erst gegen vier Uhr morgens war sie ins Bett gekommen, kein Wunder, dass sie nicht rechtzeitig aufgewacht war! Erik und die Kinder hatten vermutlich ohne ein richtiges Frühstück aufbrechen müssen. Und an Sörens Enttäuschung mochte sie gar nicht denken. Stöhnend betrat sie die Küche, blieb stehen, sah sich um und stöhnte noch einmal. Ja, das Stöhnen tat gut. Sie betrachtete, was auf dem Küchentisch von einem eiligen Frühstück übrig geblieben war. An den Resten war abzulesen, was Erik, Sören und die Kinder in den Magen bekommen hatten. Brot vom Vortag und dazu Marmelade und Schokocreme. Nichts Stärkendes, nichts Gesundes! Und kein einziges liebevolles Wort hatten sie mit auf den Weg nehmen dürfen. Dabei war sie doch hier, um sie für eine kurze Zeit genießen zu lassen, was Lucia ihnen Morgen für Morgen gegeben hatte. Aber sie hatte die Nacht mit Abenteuerspielen verbracht und darüber das Aufstehen vergessen!

Ob sie gleich Donata anrief und ihr erklärte, was geschehen war? Nein, vorher brauchte sie einen Espresso. Der Tag fing erst nach einem Espresso richtig an. Erst recht nach einer solchen Nacht.

Die Angst hatte sie wehrlos gemacht. Sie war einfach neben dem Rhododendronbusch hocken geblieben, ohne zu versuchen, die Hand abzuschütteln, die sich auf ihre Schulter gelegt hatte. Eigentlich hatte sie aufspringen, weglaufen und um Hilfe schreien wollen – aber es war ihr nicht möglich gewesen. Sie war sitzen geblieben, starr vor Angst und Schreck. Und dann hatte sich jemand zu ihr herabgebeugt, eine Alkoholfahne hatte ihr den Atem verschlagen, und der Körper des Mannes war näher gekommen, immer näher …

»Was machen Sie denn hier, Signora?«

Fietje, der Spanner! Mamma Carlotta erinnerte sich mit einem Schlag an all das, was ihr über Fietje Tiensch erzählt worden war. Dass er nachts herumstreunte, dass er sich gern in fremde Gärten schlich, dass er am Leben teilnahm, indem er das Leben anderer beobachtete, und dass er schon jede Menge Ärger deswegen bekommen hatte.

»Was machen Sie hier?«, wiederholte er, und seine Stimme klang ehrlich besorgt.

Mamma Carlotta rappelte sich auf. Alles hatte sie mit Donata gründlich durchgesprochen, alle Eventualitäten hatten sie bedacht – aber dass jemand mitten in der Nacht fragen könnte, was sie hier machte, damit hatte sie nicht gerechnet.

»Das ist so …« Mamma Carlotta versuchte, Zeit zu gewinnen, indem sie gründlich ihre Kleidung abklopfte. Fietje lehnte sich an den Zaun, als richtete er sich auf eine lange Zeit des Zuhörens ein, und sah ihr zu. Auch er trug dunkle Kleidung und natürlich seine Strickmütze mit dem dicken Bommel, die er sommers wie winters auf dem Kopf hatte.

»Ich konnte nicht schlafen«, brachte sie schließlich heraus. »Und da dachte ich, es ist gut, wenn ich ein wenig mit dem Fahrrad herumfahre.«

»Ganz allein? Mitten in der Nacht?«

»In Umbrien mache ich das oft«, behauptete Mamma Carlotta und fühlte, dass sie allmählich ihre Sicherheit zurückgewann.

»Setzen Sie sich in Umbrien auch an einen Zaun und starren ein Haus an?«

Weg war sie wieder, ihre Sicherheit. »Mir wurde plötzlich schwindelig«, stotterte Mamma Carlotta. »Ich wollte ein wenig ausruhen, bevor ich weiterfahre.«

»Dann ist es wohl besser, ich bringe Sie nach Hause«, sagte Fietje und sah Mamma Carlotta so ernst an, als hätte er ihr jedes Wort geglaubt. »Wo steht Ihr Rad? Ich werde es schieben.«

»Vielleicht hat er mir wirklich geglaubt«, murmelte sie, während sie ihren Espresso schlürfte. »Mir scheint, ich war sehr überzeugend.«

Aber wenn sie daran dachte, dass sie in wenigen Minuten Donata Zöllner schildern musste, warum sie in der Nacht ihren Posten aufgegeben hatte, verlor sie ihre Zuversicht wieder. Nein, Fietje hatte ihr vermutlich kein Wort geglaubt. Er war ein Gentleman gewesen, diskret und rücksichtsvoll. Wenn Tove zu hören bekäme, dass Mamma Carlotta Fietje einen Gentleman nannte, würde er vermutlich vor Lachen die Fischfrikadellen anbrennen lassen, aber sie blieb dabei: Fietje, der Spanner, war einfühlsamer, als es den Anschein hatte, wenn er in Käptens Kajüte saß und sein Jever trank. Was mochte er vorher für ein Mensch gewesen sein, als er noch nicht darauf angewiesen war, sein Leben im Leben anderer zu finden?

Sie erhob sich. Der Espresso war getrunken, es gab keinen Grund mehr, den Anruf bei Donata Zöllner hinauszuzögern. Sie konnte nur hoffen, dass Donata Verständnis für ihre Entscheidung haben würde. Was hätte sie auch tun sollen? Etwa Fietje erklären, dass sie neben dem Rhododendronbusch Schmiere stand? Sie hätte sich doch verdächtig gemacht, wenn sie nicht bereit gewesen wäre, in Fietjes Begleitung nach Hause zurückzukehren! Donata würde ihr Verhalten verstehen, sie musste einfach.

Carlotta ging zum Telefon und wählte die Nummer des Hotels Feddersen. Sicherlich machte sie sich ganz umsonst Sorgen. Donata würde glücklich sein, dass sie nun endlich in Händen hielt, was ihre Freundin Magdalena ihr geben wollte. Und wenn sie sich um Mamma Carlotta Sorgen gemacht hatte, dann würden die nun zerstreut werden, und sie konnten gemeinsam über ihre Ängste lachen und sich am Erfolg der Unternehmung freuen.

Tove Griess sah erstaunt auf, als sie Käptens Kajüte betrat. »Um diese Zeit waren Sie ja noch nie hier.«

Mamma Carlotta schob sich auf einen Hocker und sah

Tove unglücklich an. »Glauben Sie, dass es Sünde ist, um diese Uhrzeit schon Rotwein zu trinken? Ich habe gelernt, dass man Alkohol erst trinken darf, wenn die Sonne untergegangen ist.«

»Rotwein ist niemals Sünde«, antwortete Tove mit Bestimmtheit. »Zu keiner Tageszeit.«

»Auch, wenn man einen klaren Kopf haben muss?«

»Manche haben nur dann einen klaren Kopf.«

Mamma Carlotta überlegte kurz, kam dann aber zu der Überzeugung, dass sie nicht zu diesen Zeitgenossen gehörte, und bestellte stattdessen einen Cappuccino. »Ist Fietje nicht da?«

Tove schüttelte den Kopf. »Er hat nur sein Frühstücks-Jever getrunken und ist dann zu seinem Strandwärterhäuschen. In der Hochsaison muss er pünktlich sein.« Sein Blick wurde misstrauisch. »Was wollen Sie von ihm?«

»Nichts!«, antwortete Mamma Carlotta schnell, und das war die reine Wahrheit. Tatsächlich wusste sie nicht, was sie zu Fietje gesagt hätte, wenn er in Käptens Kajüte anzutreffen gewesen wäre. Dennoch hätte sie gern mit ihm geredet, ganz unauffällig das Gespräch auf die letzte Nacht gebracht und ihn leise gefragt, ob er etwas beobachtet hatte. »Ich wollte ihm nur Guten Morgen sagen.«

»Davon wäre sein Morgen nicht besser geworden. Er sah ganz schön zerknittert aus. Ich glaube, der war in der letzen Nacht gar nicht im Bett. Hoffen wir mal, dass heute nichts passiert am Strand. Wenn doch – Fietje wird es nicht verhindern. Der hält in seinem Strandwärterhaus erst mal ein Schläfchen. Wetten?«

Tove stellte ihr den Cappuccino hin und streute noch etwas Kakao auf den Milchschaum. Über sein zerfurchtes Gesicht ging ein Lächeln, das in die Falten seiner Augenwinkel sprang und im nächsten Augenblick wieder verschwand. »Sieht das jetzt so aus wie in Ihrer Heimat?«

Auch Mamma Carlotta gelang ein kleines Lächeln. »Perfetto, Capitano!«

Nachdenklich löffelte sie den Schaum von ihrem Cappuccino, während Tove einen weiteren produzierte, den er einer vollschlanken Dame auf den Tresen stellte, die über ihr knappes Bikinihöschen nur ein hauchzartes Tuch geschlungen hatte. Mamma Carlotta brachte trotz ihrer schweren Gedanken ein missbilligendes Kopfschütteln zustande. Dann löffelte sie weiter und löffelte auch noch, als es auf dem Cappuccino längst keinen Schaum mehr gab. Wortlos nahm Tove ihr die Tasse weg und hielt sie ein zweites Mal unter den Milchschäumer seines Kaffeeautomaten. »Gut, dass Sie sonst immer später hier auftauchen, Signora. Ihr Unterhaltungswert klettert anscheinend mit dem Uhrzeiger.«

Mamma Carlotta war froh, dass sie darauf nichts erwidern musste, denn der nächste Kunde betrat den Imbiss. Ein Mann, der eine blank gewetzte schwarze Hose und ein graues Muskelshirt trug, ohne nennenswerte Muskeln herzuzeigen.

»Einmal Käptens Frühstück«, rief er.

Tove beugte sich über die Theke. »Moin, Frettchen! Dass du dich traust, auf Sylt frei rumzulaufen!«

»Warum nicht?« Kurt Fehring betrachtete das Spiegelei, das Bestandteil von Käptens Frühstück war und gerade in Pfanne brutzelte. »Pass auf, dass das Dotter heile bleibt, sonst lasse ich das Frühstück zurückgehen.«

Tove lachte ungläubig. »Du willst hier auf den Putz hauen? Pass op, Frettchen! Hast wohl nicht mitgekriegt, das man dir einen Orden verpasst hat?« Er griff nach der Pfanne und schwenkte das Spiegelei hin und her.

»Was meinst du?«, fragte Kurt Fehring. »Die goldene Aufreißernadel?«

»Dass ich nicht lache!« Tove klatschte Remoulade auf

eine Scheibe Schwarzbrot und warf eine Hand voll Krabben darüber. »Ich dachte eher an den Titel ›Dümmster Dieb von Sylt‹!«

»Ich weiß nicht, wovon du schnackst.«

»So, so, weißt du nicht.« Tove stellte einen Klaren aufs Frühstückstablett und wandte sich wieder dem Spiegelei zu. »In Niebüll ein Auto klauen und auf Sylt damit herumfahren! So dämlich kannst auch nur du sein!«

»Schnack nicht über Sachen, von denen du nichts verstehst.«

Tove lachte, während er das Spiegelei auf die Krabben bugsierte. »Stimmt! Experte in Sachen Dämlichkeit bin ich zum Glück nicht.«

»Spar dir deine Selbstherrlichkeit! Ist es vielleicht schlauer, in den Knast zu kommen, weil man einen anderen krankenhausreif geschlagen hat?«

»Halt's Maul!«, zischte Tove und warf Mamma Carlotta einen schnellen Blick zu.

»Ist doch wahr!«, tönte Fehring und schob den Teller zurück. »Ich hatte gesagt, ich will ein heiles Dotter.«

»Es war heile, als es aus der Pfanne kam.«

»Aber jetzt ist es nicht mehr heile.«

»Du hast am Teller gewackelt.«

»Hab ich nicht.«

Mamma Carlotta legte ein Zwei-Euro-Stück auf die Theke und rutschte von ihrem Hocker. »Einen schönen Tag noch.«

»Jetzt hast du mit deiner Stänkerei die Signora vergrault!«, rief Tove empört.

»Wenn hier einer die Gäste vergrault, dann Käpten Tove selbst«, gab Kurt Fehring zurück. »Du bist ja schon mit einem Spiegelei überfordert.«

»Und du zu dämlich, ein Auto zu klauen!«

Mamma Carlotta schwang sich aufs Fahrrad und war

froh, der Streiterei entronnen zu sein. Eilig radelte sie los und drosselte ihr Tempo erst auf der Seestraße. Wieder genoss sie es, aufs Meer zuzufahren – direkt in den Himmel hinein.

Sie war enttäuscht, als sie feststellte, dass das Strandwärterhäuschen leer war. Unschlüssig betrat sie den Holzsteg und überlegte, ob sie die Treppe zum Strand hinabsteigen sollte, um Fietje zu suchen. Aber würde sie ihn in dem Gewimmel da unten finden?

Ihre Augen tasteten den Strand ab. Keine Spur von Fietjes Bommelmütze! Resigniert wandte Mamma Carlotta sich ab. Es hatte keinen Sinn, auf Fietjes Hilfe zu hoffen. Sie musste allein entscheiden, was zu tun war. Zu Erik ins Kommissariat radeln und ihm alles gestehen? Dazu hätte Fietje ihr sicherlich nicht geraten. Abwarten und Tee trinken? Das wäre schon eher eine Empfehlung gewesen, die Fietjes Phlegma entsprach. Aber da eine Italienerin keinen Tee trank, kam auch das Abwarten nicht infrage.

Sie musste wohl doch ihren ganzen Mut zusammennehmen und zu Magdalena Feddersens Haus fahren, um dort nach Donata zu suchen. Vielleicht war sie gestürzt und ohnmächtig geworden? Oder sie hatte sich ein Bein gebrochen und konnte das Haus nicht verlassen? Möglich auch, dass sie eine Herzattacke erlitten hatte!

Mamma Carlotta erinnerte sich plötzlich, dass Donata während des Fluges ihr schwaches Herz erwähnt hatte. Womöglich hatte sie sich nicht getraut, Hilfe herbeizutelefonieren, weil sie damit bekennen musste, dass sie in ein Haus eingebrochen war, das die Polizei versiegelt hatte.

Mamma Carlotta wendete ihr Fahrrad und bog in die Seedüne ein. Natürlich, so musste es sein! Einen anderen Grund konnte es nicht geben, dass Donata nicht ins Hotel zurückgekehrt war! Warum war sie nicht eher darauf gekommen? Donata hatte darauf vertraut, dass Mamma

Carlotta auf sie wartete und etwas unternehmen würde, wenn Donata nicht wieder auftauchte.

»Dio mio!«, schluchzte Mamma Carlotta. Sie hatte Donata im Stich gelassen! Aber wie hatte sie auch auf den Gedanken kommen sollen, dass ihr etwas zustoßen könnte! Ihre Aufgabe war es nur gewesen zu verhindern, dass jemand auf den Einbruch aufmerksam wurde! Und das hatte sie gewissenhaft erledigt, indem sie mit Fietje zusammen den Tatort verließ. Oder war sie einfach nur feige gewesen?

Mamma Carlotta schlidderte um eine Kurve und versetzte einem älteren Ehepaar, das schwer beladen in Richtung Strand unterwegs war, einen gewaltigen Schreck. Dass dem Mann der Sonnenschirm unter dem Arm wegrutschte und die Frau ihren Hut verlor, bekam sie gar nicht mit. Sie bemerkte nicht einmal, dass der Sonnenhut von einer Windbö erfasst wurde, ihr folgte und sie sogar beinahe überholt hätte.

Nachdem Mamma Carlotta erfahren hatte, dass Donata nicht ins Hotel zurückgekehrt war, hatte sie zunächst nach Erklärungen gesucht, die keinen Grund zur Sorge boten. Aber viele hatte sie nicht gefunden. Genau genommen keine einzige, die einer gründlichen Überprüfung standhielt. Es gab nur eine Möglichkeit, der Angelegenheit auf den Grund zu gehen: sie musste nach Donata suchen. Dort, wo kein anderer sie vermutete, weil niemand ahnte, was sie in der letzten Nacht getan hatte. Nur Mamma Carlotta! Und vielleicht... ja, vielleicht auch Fietje.

Und nun musste sie also das Gleiche tun, was Donata in finsterer Nacht und mit der Unterstützung einer Freundin riskiert hatte. Mamma Carlotta aber musste es am helllichten Tage wagen. Doch darüber durfte sie sich nicht beklagen. Und dass Donata jemanden gehabt hatte, der

Schmiere gestanden und sie selbst den Einzigen, der dafür infrage kam, nicht angetroffen hatte … Diesen Gedanken brauchte sie gar nicht zu Ende zu denken. Sie wusste ja, dass die Sicherheit mit jemandem, der Schmiere stand, nicht größer wurde.

Den Chefredakteur des Inselblattes hatte Erik noch nie leiden können. Das lag vor allem daran, dass Menno Koopmann nur selten die Arbeit der Polizeistation Westerland würdigte, und wenn, dann nur mit einer winzigen Notiz, die kaum jemand zur Kenntnis nahm. Wenn sich dagegen die Gelegenheit ergab, irgendetwas an Eriks Arbeit zu beanstanden, dann hielt er dafür gerne das Titelblatt frei. Nachdem er sogar die Frechheit besessen hatte, Lucias Beerdigung auf den Titel zu setzen, gelang es Erik nicht einmal mehr, ihn aus taktischen Gründen freundlich zu behandeln.

Wenn Menno Koopmann ihn in seinem Büro aufsuchte, ging es mit seiner Laune steil bergab. Und da sie sich zurzeit ohnehin unterhalb des Nullpunktes befand, empfing er den Chefredakteur mit der Freundlichkeit einer verdrießlichen Dogge.

Menno Koopmann ließ sich davon nicht beeindrucken. »Immer noch keine heiße Spur, Herr Wolf?«

»Glauben Sie wirklich, dass ich sie Ihnen auf die Nase binden würde?«, knurrte Erik.

»Also gibt es keine«, stellte Koopmann fest. »Sie sind noch nicht weiter als gestern. Die Staatsanwältin ist bereits sehr ungehalten.«

»Verläuft der Dienstweg neuerdings über Ihren Schreibtisch?«

Menno Koopmann verlor sein Lächeln nicht. »Wenn ich richtig informiert bin, fällt Raubmord aus.«

»Wo, bitte, informieren Sie sich?«

»Berufsgeheimnis, Herr Wolf!« Koopmanns Lächeln vertiefte sich sogar noch. »Es handelt sich also um eine Beziehungstat. Geldgier, Liebe, Eifersucht, Rache?«

»Das erfahren Sie, wenn der Fall gelöst ist.«

»Aber Verdächtige wird es doch geben. Wissen Sie eigentlich, dass die Tote eine vermögende Frau war?«

»Geldgier fällt aus, so viel steht fest.«

»Die Staatsanwältin sagt …«

Erik unterbrach den Chefredakteur mit schneidender Stimme: »Wenn Sie mit der Staatsanwältin so innigen Kontakt pflegen, warum erkundigen Sie sich nicht bei ihr?« Koopmann öffnete den Mund, aber Erik ließ ihn nicht zu Wort kommen. »Ich darf Sie bitten, mich jetzt in Ruhe arbeiten zu lassen.«

Menno Koopmann erhob sich, immer noch lächelnd, noch immer obenauf. »An mir soll's nicht liegen, dass Sie nicht weiterkommen.« Er machte einen Schritt auf die Tür zu. »Dann kann ich also schreiben …«

»Schreiben Sie, was Sie wollen«, sagte Erik. »Sie tun's ja sowieso.«

Die Tür hatte sich kaum hinter Koopmann geschlossen, da öffnete sie sich schon wieder. Sören erschien. »Puh, der Koopmann hatte wieder dieses ekelhafte Grinsen im Gesicht. Das hat er immer, wenn er was in der Hand hat, um jemanden fertigzumachen.«

»Sind Sie gekommen, um mir das zu sagen?«, brummte Erik zurück. »Oder gibt es vielleicht auch irgendeine angenehme Neuigkeit?«

»Nicht wirklich.«

»Was ist mit der Spurensicherung? Haben die schon was von sich hören lassen?«

»Die sind gerade erst losgefahren. Und besonders motiviert sind sie nicht. Die haben doch schon alles durchsucht.«

»Sie sollen nach versteckten Tresoren gucken, nach Geheimfächern und so weiter.« Erik stand auf und ging zur Kaffeemaschine. »Da wir zurzeit auf der Stelle treten, könnte ich mich eigentlich um meine Schwiegermutter kümmern. Sie hat noch nicht viel von der Insel gesehen.«

Sören nickte nachdenklich. »Was macht sie denn so den ganzen Tag? Langweilt sie sich nicht?«

Erik dachte nach. »Vermutlich hat sie sich wieder mit ihrer Reisebekanntschaft getroffen. Vorausgesetzt, Donata Zöllner ist wieder aufgetaucht.«

Sören machte große Augen. »Sie ist verschwunden?«

Erik winkte ab. »Sie hat vermutlich ein kleines Geheimnis, von dem ihr Mann nichts weiß. Aber darum können wir uns nicht auch noch kümmern.« Nachdenklich schüttelte er den Kopf. »Dass diese Frau sich so gut mit meiner Schwiegermutter versteht! Eine Dame von Welt und Mamma Carlotta ...«

Sören unterbrach ihn: »... eine Frau voller Herzlichkeit! Und ihr Unterhaltungswert ist unbestritten.«

Erik verdrehte die Augen. »Ich werde nach ihrer Abreise Wochen brauchen, um mich von diesem Unterhaltungswert zu erholen.«

Während Erik sich einen Kaffee einschenkte, klingelte sein Telefon. Sören nahm den Hörer ab. Gebannt beobachtete Erik, wie sich Sörens Mund öffnete und nicht wieder schloss, wie seine Augen größer wurden und sein Lächeln gefror. Schließlich sagte er: »Wir kommen sofort!«

Am Risgap war viel los. Mehrere Frauen standen auf der Straße und unterhielten sich, ein paar Feriengäste, schon mit komplettem Strandzubehör beladen, hatten sich zu ihnen gesellt. Carlotta war gleichermaßen befremdet, erfreut und verärgert. Befremdet, weil sie sich längst damit abgefunden hatte, dass sich die Norddeutschen zum Reden und Lachen ins Haus zurückzogen, erfreut, dass sie sich zumindest dann, wenn ein Mord geschehen war, weniger von den Italienern unterschieden, als sie vermutet hatte, und verärgert, weil es dadurch schwierig wurde, ins Haus der Ermordeten zu gelangen. Denn natürlich drehten sich die Gespräche um das tragische Geschehen am Risgap. Magdalena Feddersens Haus befand sich im Visier der Nachbarinnen und Feriengäste. Wie sollte sie ungesehen in den Garten und von dort ins Haus kommen?

Den dunklen Wagen bemerkte sie erst, nachdem sie einmal den Risgap hinauf und herunter geradelt war. Anscheinend stand er nicht zufällig in der Nähe von Magdalena Feddersens Haus. Die Frauen starrten ihn an, während sie redeten, und eine von ihnen wies sogar mit dem Zeigefinger darauf. Was hatte es mit diesem Wagen auf sich?

Gerade hatte sie sich entschlossen, sich zu den tuschelnden Frauen zu gesellen, um herauszufinden, was sich im Risgap tat, da bog ein wohlbekanntes Auto um die Ecke, bremste scharf und kam direkt neben Mamma Carlotta zum Stehen.

»Was machst du hier?«, fragte Erik.

Mamma Carlotta fühlte, wie die Hitze in ihr hochstieg, wie sie puterrot wurde und sich Schweißperlen auf ihrer Stirn bildeten. »Ich … ich wollte mal schauen …«

Erik öffnete die Autotür, stieß an das Hinterrad ihres Fahrrades und hätte seine Schwiegermutter damit beinahe zu Fall gebracht. Das hatte für Mamma Carlotta den großen Vorteil, dass sie sich für einige Augenblicke um ihre Sicherheit zu kümmern hatte und etwa drei oder vier Sekunden Zeit für eine vernünftige Erklärung gewann.

Aber Erik war schneller. »Du bist neugierig!«

Mamma Carlotta nickte der Einfachheit halber. Als neugierig bezeichnet zu werden, war bei Weitem nicht so schlimm wie zugeben zu müssen, dass sie bei einem Einbruch Schmiere gestanden hatte.

Erik bedachte sie mit einem vernichtenden Blick, den sie heldenhaft ertrug, dann ging er ohne ein weiteres Wort auf die Haustür zu.

Mamma Carlotta warf das Fahrrad achtlos zu Boden. »Warum bist du hier?«

Damit fing sie sich einen weiteren vernichtenden Blick ein. Erik kehrte zurück, hob das Fahrrad auf und stellte es akkurat auf dem Bürgersteig ab. »Ich möchte, dass du sorgsam mit Lucias Fahrrad umgehst.« Dann ging er, ohne sie eines weiteren Wortes zu würdigen, auf die Haustür zu. Sie wurde, noch ehe er sie erreichte, von innen geöffnet.

»Gut, dass Sie da sind«, hörte Carlotta eine Stimme sagen.

Sie starrte Erik hinterher und überlegte fieberhaft, wie er reagieren würde, wenn sie ihm einfach folgte. Aber lange brauchte sie nicht nachzudenken, um einzusehen, dass sie sich damit seine Sympathie gründlich verscherzen würde.

Wie gut, dass es jemanden gab, der großzügig mit seiner Sympathie umging, und das, obwohl auch er ein kühler Friese war. »Könnte sein«, raunte Sören ihr zu, »dass heute Mittag auch Dr. Hillmot zum Essen zu Ihnen kommt. Der hat nach einer Leichenschau am Tatort immer besonders großen Appetit.«

Er lächelte Mamma Carlotta an, wartete anscheinend darauf, dass sie sich augenblicklich Gedanken über die Speisenfolge machen und darüber lamentieren würde, dass noch so viel einzukaufen sei. Aber er wurde schlagartig wieder ernst, als Mamma Carlotta langsam, ganz langsam vornüberkippte und in seine Arme fiel.

Dr. Hillmot sah Erik verblüfft an. »Sie kennen die Frau?«

Erik schluckte schwer. »Ganz sicher bin ich nicht.«

Das war nicht die Wahrheit. Er hatte sofort gewusst, wer da vor ihm lag. Die gepflegten Hände, die Frisur, die feine Goldkette an ihrem Hals. Trotzdem wartete er ab, bis der Fotograf die Lage der Toten festgehalten und Dr. Hillmot die Untersuchung der tödlichen Wunde am Hinterkopf beendet hatte. Dann wurde die Leiche umgedreht – und er sah tatsächlich in Donata Zöllners Gesicht.

»Wie soll ich das meiner Schwiegermutter beibringen?«

Dr. Hillmot wurde unruhig. »Die Signora kannte die Tote auch?«

Erik erklärte, wie die Bekanntschaft seiner Schwiegermutter zu Donata Zöllner zustande gekommen war. »Sie war nach Sylt gekommen, um Magdalena Feddersen zu besuchen. Aber ... sie kam zu spät.«

»Und nun ist sie selbst umgebracht worden«, ergänzte der Gerichtsmediziner und sah sich um. »Was wollte sie hier?«

Erik hob ratlos die Schultern und ließ sie wieder fallen. »Sieht so aus, als hätte sie etwas gesucht.« Er zeigte auf die geöffneten Schubladen des Schreibtisches.

»Wenn Sie die Spurensicherung heute nicht noch mal zum Tatort geschickt hätten, dann ...«

»... dann hätten wir Donata Zöllner noch eine ganze Weile gesucht«, ergänzte Erik.

Sören war zu den beiden getreten. »Das Haus war versiegelt. Und trotzdem waren mindestens zwei Menschen in der vergangenen Nacht hier. Das Opfer und sein Mörder. Warum?«

Erik antwortete mit einer Gegenfrage: »Wissen Sie, wie die beiden ins Haus gekommen sind?«

Sören nickte. »Das Wohnzimmerfenster wurde eingeschlagen. Ob vom Opfer oder vom Mörder – das lässt sich nicht sagen.«

Erik betrachtete nachdenklich die Tote, ihr wächsernes Gesicht, die blutverkrusteten Haare, den geöffneten Mund, in dem noch ein Schrei zu stecken schien …

»In diesem Haus muss es etwas Brisantes geben. Etwas sehr Wichtiges. So wichtig, dass Donata Zöllner hier eingestiegen ist.« Er blickte auf. »Ich bin sicher, dass das Einbrechen in fremde Häuser nicht zu ihren Gewohnheiten gehörte.«

Sören setzte den Gedankengang fort. »Wenn sie etwas haben wollte, was hier aufbewahrt wurde, dann liegt darin das Motiv für die Taten. Für beide!«

»Sie meinen, es war derselbe Täter am Werk?«

»Natürlich! Oder glauben Sie das nicht?«

Erik wandte sich an Dr. Hillmot. »Wie unterscheiden sich die beiden Morde voneinander?«

Dr. Hillmot zuckte die Achseln. Ehe er zu reden begann, wischte er sich den Schweiß von der Stirn und setzte sich schnaufend. »Der erste war kaltblütig geplant, doch hier könnte die Tat im Affekt geschehen sein.« Er wies zu einem umgestürzten Papierkorb und dem verrutschten Teppich. »Könnte sein, dass es eine Auseinandersetzung gegeben hat, in deren Verlauf dann das Opfer zu Tode kam.«

Erik sah sich um. »Was ist mit der Tatwaffe?«

Der Gerichtsmediziner schüttelte den Kopf. »Es gibt keine. Diesmal hat der Täter die Waffe mitgenommen.«

»Dann ist er offenbar bewaffnet hier eingedrungen, mit dem Vorsatz, Donata Zöllner umzubringen. Anschließend ist er mitsamt der Tatwaffe geflüchtet.«

»Das muss nicht sein«, meinte Sören. »Vielleicht hat er auch etwas gefunden, was als Tatwaffe dienen konnte, und es mitgenommen, weil er Fingerabdrücke darauf hinterlassen hatte.«

»Im ersten Fall hat er Handschuhe getragen. Das war ein eiskalt geplanter Mord«, meinte Erik. »Sollten wir in diesem Fall also von Totschlag ausgehen?«

Sören zuckte die Achseln. »Wir könnten Frau Berhenne nachsehen lassen, ob hier was fehlt, was als Waffe infrage käme.«

Erik sah Dr. Hillmot fragend an. »Was meinen Sie, Doc? Was könnte die Tatwaffe gewesen sein?«

»Vielleicht kann ich Genaueres sagen, wenn ich die Leiche in der Pathologie untersucht habe. Womöglich finden sich Spuren der Tatwaffe in der Wunde. Können wir die Tote jetzt abtransportieren?«

Erik nickte und wandte sich an Kommissar Vetterich: »Wir müssen den Schreibtisch durchsuchen. In aller Gründlichkeit. Es sieht so aus, als hätte die Tote dort etwas gesucht.« Erik tastete mit den Augen die Regalwand ab. »Das muss auch alles noch einmal untersucht werden. Wir müssen herausfinden, was Donata Zöllner hier wollte. Welche Verbindung gibt es überhaupt zwischen den beiden Toten? Wirklich nur diese Ferienfreizeit in der Nähe von Bremen? Vor fast vierzig Jahren?«

Vetterich sah ihn misslaunig an. »Wir haben hier doch schon alles umgekrempelt. Nach dem ersten Mord!«

»Jetzt ist aber ein zweiter Mord passiert«, entgegnete Erik mit scharfer Stimme. »Und die Spurensicherung hat mittlerweile ein anderes Ziel. Wir suchen etwas, was die Verbindung zwischen Magdalena Feddersen und Donata Zöllner beweist. Darin muss das Motiv für beide Morde liegen. Klar?«

»Alles klar!« Vetterich winkte seinen Leuten und ging ins Nebenzimmer.

Erik wandte sich an Sören. »Das Aufleben der alten Freundschaft nach fast vierzig Jahren – daran glaube ich nicht mehr. Es sieht so aus, als wäre Donata Zöllner aus einem anderen Grund nach Sylt gekommen.« Er dachte kurz nach und beschloss dann: »Ich fahre ins Hotel Feddersen und sehe mir ihr Zimmer an. Sie finden währenddessen alles heraus, was wir über die Tote wissen müssen. Gegen zwei treffen wir uns bei mir zu Hause.«

»Was ist mit den Angehörigen?«, fragte Sören.

»Mathis Feddersen hat heute Morgen mit dem Ehemann gesprochen. Er wird mir seine Telefonnummer sagen können. Ich werde ihn verständigen. Und dann muss ich meiner Schwiegermutter erklären, dass ihre neue Freundin ermordet wurde.« Er verzog das Gesicht. »Himmel, wird das ein Theater geben!«

Sören sah Erik nicht an, als er antwortete: »Sie müssen vorsichtig mit ihr umgehen. Sie hatte gerade einen kleinen Schwächeanfall.«

Erik lachte ungläubig. »Schwächeanfall? Meine Schwiegermutter? Die hat noch nie im Leben unter Schwäche gelitten. Was die alles schon mitgemacht hat, ohne eine Spur von Schwäche zu zeigen!«

»Eben!«, sagte Sören sehr ernst. »Irgendwann ist jede Kraft mal zu Ende. Sie müssen sich das vorstellen: Sie fährt mit dem Fahrrad spazieren, ist ein bisschen neugierig …«

»Ein bisschen? Sie ist die Neugier in Person!«

Aber Sören ließ sich nicht beirren. »… schaut sich das Haus an, in dem ein Mord geschehen ist, und muss dann – sozusagen aus erster Hand – erfahren, dass schon wieder jemand ermordet wurde. Na, wenn das kein Grund für einen Schwächeanfall ist! Die Signora ist viel sensibler, als Sie meinen.«

Mamma Carlotta radelte wie der Teufel, damit der Wind ihr den Schreck, das Entsetzen und die Trauer aus dem Kopf wehte. Als sie am Strand angekommen war, ging es ihr tatsächlich ein wenig besser. Sie warf einen Blick ins Strandwärterhäuschen, aber Fietje war wieder nicht an seinem Platz. Trotzdem war es gut, dass sie hergekommen war. Schon nach wenigen Augenblicken spürte sie etwas von der wohltuenden Ruhe, die ihr der Rhythmus des Meeres schenkte. Auf und ab, vor und zurück, das Wiegen und Stürzen, das ewige Aufbäumen, Brechen, Schäumen und Auslaufen. Diese Zuverlässigkeit tat gut.

Nachdem sie eine Weile zugeschaut hatte, war der Rhythmus auf sie übergegangen. Ja und Nein, Trauer und Schuld, Kommen und Gehen. Sie wusste nun, was ihr guttun würde. Zehn Minuten später saß sie in Käptens Kajüte und bestellte einen Rotwein aus Montepulciano.

Tove sah sie beunruhigt an. »Haben Sie nicht gesagt, dafür müsste erst die Sonne untergegangen sein?«

Mamma Carlotta nickte. »Aber es gibt Ausnahmen. Heute ist so eine Ausnahme. Ich habe eine Freundin verloren.«

Tove sah sie betroffen an. Er stellte sogar den großen Plastikeimer mit dem Kartoffelsalat zur Seite, den er gerade in Porzellanschüsseln füllen wollte, damit er das Attribut »hausgemacht« erhalten konnte. »Unfall oder Krankheit?«

»Mord«, schluchzte Mamma Carlotta.

Der Kunde, der in diesem Augenblick Käptens Kajüte betrat, um nach gebackenen Tintenfischringen zu fragen, zog sich erschrocken zurück, als Tove ihm entgegenbrüllte, hier sei wegen eines Todesfalls geschlossen. Und ein kleiner Junge, der ein Eis am Stiel haben wollte, bekam es in die Hand gedrückt, ohne bezahlen zu müssen. »Dafür habe ich jetzt keine Zeit.«

Dann legte Tove seine behaarten Unterarme auf die Theke. »Nun erzählen Sie mal.«

Fünf Minuten später wusste er, was Mamma Carlotta

preiszugeben bereit war. Das entsprach etwa dem, was Tove am nächsten Tag in der Zeitung lesen würde. Aber es reichte aus, um auch den nächsten Kunden zum Strand zurückzuschicken. »Labskaus ist erst in einer Stunde fertig!«

Dann fragte Tove: »Wie ist Ihre Freundin in dieses Haus gekommen?«

Mamma Carlotta zuckte unglücklich die Achseln, zog es aber vor, Tove die Antwort schuldig zu bleiben.

»Und was wollte sie da?«

Wieder zuckte Mamma Carlotta die Achseln, wieder blieb sie Tove die Antwort schuldig. Sollte sie ihm etwa gestehen, dass sie Schmiere gestanden hatte, als Donata in Magdalena Feddersens Haus eingebrochen war? Und das sogar, ohne genau zu wissen, was Donata von dort mitnehmen wollte? Und dass Fietje …

Da ging die Tür auf, und Fietje betrat Käptens Kajüte. Kurze Hosen und ein verblichenes T-Shirt schlotterten um seinen mageren Körper. Seine geliebte Wollmütze hielt er in der Hand und legte sie vor sich auf die Theke. »Moin.«

Mamma Carlotta warf ihm einen zaghaften Blick zu. Ob er schon von dem Mord gehört hatte, der in der vergangenen Nacht geschehen war?

Ein Blick von Fietje – und sie wusste, dass er sich bereits am Risgap herumgedrückt hatte. Als Tove sich um sein Jever kümmerte, griff er in seine Hosentasche und schob die geschlossene Faust über die Theke. Er wartete so lange, bis Tove den Rotwein aus Montepulciano wieder in den Vorrat stellte, dann öffnete er die Faust.

»Hier! Das haben Sie letzte Nacht verloren.« Er legte ein poliertes silbernes Rechteck vor sie hin und nickte zu ihrem Bettelarmband, das an ihrem Handgelenk klapperte.

Mamma Carlotta schloss die Hand um das silberne Rechteck, nickte Fietje freundlich zu und ließ ihn in dem

132

Glauben, es hätte sich aus ihrem Bettelarmband gelöst. Dass es nicht stimmte, darüber verlor sie kein Wort. Nun hatte sie eine schöne, wenn auch traurige Erinnerung an Donata Zöllner. In ihrem Dorf würde sie das Rechteck überall herumzeigen, von den schrecklichen Morden erzählen und erwähnen, dass das silberne Rechteck zu dem Armband gehörte, das das zweite Mordopfer vom tödlich verunglückten Sohn geschenkt bekommen hatte. Tagtäglich hatte die arme Frau es getragen. Immerzu! Natürlich auch in der Nacht, die ihre letzte gewesen war. In der Stunde ihres Todes …

Als Erik das Hotel Feddersen verließ, widerstand er der Versuchung, zu Lucias Grab zu gehen. Ein Blick auf die Uhr sagte ihm, dass es Zeit war, nach Hause zu fahren. Mamma Carlotta würde schon mit den Antipasti warten. Und er wollte nichts tun, was ihre Kräfte weiter strapazierte. Sörens mahnende Worte waren ihm noch im Gedächtnis.

Er schlenderte zu seinem Wagen und schloss gemächlich die Tür auf. Wie würde sie reagieren, wenn er ihr sagte, was er wusste? Hoffentlich war das Essen fertig, sonst musste man damit rechnen, dass es angebrannt oder versalzen auf den Tisch kam. Erst der Mord an ihrer Freundin – und nun das!

Auch Mathis und Valerie waren verblüfft gewesen. Auf Mathis' Gesicht hatte sich sogar so etwas wie Sorge ausgebreitet. Anscheinend war er mit der unerwarteten Entwicklung total überfordert. Erst als Valerie sich demonstrativ an seine Seite stellte, war er ruhiger geworden.

»Du bist nicht allein, Mathis«, hatte sie gesagt. »Wir sind eine Familie.«

Für die Regung, die Erik bei diesen Worten beschlichen hatte, war ihm kein passender Ausdruck eingefallen. Dabei durfte es ihn nicht überraschen. Schon Lucia hatte oft darüber gesprochen, dass Valerie der Begriff »Familie« so wichtig war wie sonst nichts auf der Welt.

Die Durchsuchung von Donata Zöllners Zimmer hatte nicht viel ergeben. Ein paar Kleidungsstücke, allesamt von erlesener Qualität, die üblichen Pflegeartikel, ein Parfüm von Nina Ricci, auf dem Nachttisch das Buch »Die Vermessung der Welt«, in der Schublade Kopfschmerztabletten, die Rückfahrkarte – und eine Zeitschrift aus dem Jahr 1999. Auf dem Titel stand in riesigen Lettern: *Inferno im Montblanc-Tunnel!* Außerdem ein Flyer von Kinder + kinder. Dieser gemeinnützige Verein war bis jetzt das einzig Verbindende zwischen den zwei ermordeten Frauen.

Auch das Telefongespräch mit Donatas Mann hatte nichts zutage gebracht, was die Ermittlungen vorantreiben konnte. Er schien nicht mehr zu wissen als alle anderen: Seine Frau war auf die Idee gekommen, eine alte Freundin auf Sylt zu besuchen, die sie jahrzehntelang nicht gesehen hatte. Warum, wusste er nicht. Wahrscheinlich hing es damit zusammen, dass er seine Frau zurzeit häufig allein lassen musste, weil er beruflich viel unterwegs war.

Als Erik das Gespräch beendet hatte, war ihm klar, dass seine Arbeit nun noch schwerer geworden war. Er konnte sich vorstellen, wie seine Schwiegermutter auf die Neuigkeit, die er ihr in wenigen Minuten überbringen musste, reagieren würde. Was die neuen Tatsachen für die Staatsanwältin bedeuteten, wagte er sich gar nicht auszumalen ...

Erik kam noch vor Sören im Süder Wung an. Die Kinder waren nicht zu Hause. Felix war zum Fußballplatz aufgebrochen, und Carolin hatte ihn nach Westerland begleitet, weil sie sich bei Jensen ein grasgrünes T-Shirt kaufen wollte.

»Gero Fürst hat angerufen und sie für heute Nachmittag bestellt«, berichtete Mamma Carlotta.

Erik verstand zwar nicht, was diese Tatsache mit dem Erwerb eines grasgrünen T-Shirts zu tun hatte, aber da Carolin sich bisher vornehmlich in Grau oder Beige gekleidet hatte, nahm er an, dass die Entscheidung für ein grasgrünes T-Shirt doch irgendwie mit dem Besuch bei Gero Fürst zusammenhing.

»Und du?«, fragte er vorsichtig und sah seiner Schwiegermutter zu, wie sie lieblos ein paar Tomaten zerschnitt, geradezu verächtlich die Salatblätter zerrupfte und Öl und Essig zusammenrührte, als ginge es nicht um ein Dressing, sondern um Tapetenkleister. Dass sich ihre tiefe Betroffenheit so unmittelbar und derart nachteilig auf ihre Kochkunst auswirken könnte, hatte Erik nicht erwartet. Bisher hatte er geglaubt, dass seine Schwiegermutter jedes tiefe Gefühl in der Küche verarbeitete, und zwar immer zum Wohl der Familie. Aber anscheinend hatte er sich geirrt.

»Es ist entsetzlich«, flüsterte Mamma Carlotta.

Sie flüsterte tatsächlich! Erik fing an, sich Sorgen zu machen.

»Wer kann das getan haben? Und warum?«

»Ich weiß nicht«, antwortete Erik wahrheitsgemäß, »was sie in Magdalena Feddersens Haus zu suchen hatte.«

Mamma Carlotta hackte auf einer wehrlosen Zwiebel herum und antwortete nicht.

»Ein versiegelter Tatort! Und zwei Leute brechen dort ein!« Ratlos schüttelte Erik den Kopf. »Vielleicht suchten sie beide dasselbe und sind sich in die Quere gekommen.« Nun blickte er seine Schwiegermutter fragend an. »Was weißt du von Donata Zöllner? Hat sie dir irgendwas erzählt, was für uns wichtig sein könnte?«

Mamma Carlotta schüttelte den Kopf, ohne ihn anzusehen. Und ihre Antwort hatte nichts mit seiner Frage zu tun: »Ich habe mich einfach zu schwach gefühlt, um einzukaufen.«

Erik erinnerte sich an das, was Sören über die Kraft seiner Schwiegermutter gesagt hatte, und beeilte sich zu versichern, dass die Reste, die noch im Hause seien, völlig ausreichen würden. »Wir sind bescheiden, das weißt du doch.«

Ob Mamma Carlotta das wirklich wusste, war nicht ersichtlich, jedenfalls schien ihr sonst so wacher Ehrgeiz mit Donata Zöllner gestorben zu sein. Erik hoffte inständig auf eine Wiedergeburt noch vor ihrer Rückkehr nach Umbrien.

»Insalata mista als Vorspeise?«, fragte er freundlich.

Mamma Carlotta nickte. »Danach Spaghetti carbonara, denn zum Glück habe ich im Kühlschrank Schinken gefunden. Aber als secondo piatto? Ich weiß nicht, was ich da servieren soll.«

»Wir überschlagen den Hauptgang. Wenn du vielleicht noch eine Kleinigkeit zum Nachtisch machen könntest?«

Mamma Carlotta seufzte. »Ich habe Gelato in der Tiefkühltruhe gesehen. Und Kiwis sind auch noch da.«

»Das reicht«, frohlockte Erik und hoffte, dass er damit alles getan hatte, um einem weiteren Schwächeanfall seiner Schwiegermutter zuvorzukommen. Und vor allem hoffte er, dass er ihr genügend Kraft gegeben hatte, um die Neuigkeit zu bewältigen, die auf den Tisch kommen würde, sobald Sören erschien. Der hatte sicher schon herausbekommen, was es mit Donata Zöllner auf sich hatte.

Er beobachtete, wie Mamma Carlotta den Schinken würfelte, ohne auf die akkuraten kleinen Quadrate zu achten, auf die sie sonst Wert legte, und die Knoblauchzehen in Stücke hackte, die sie bisher stets zu hauchzarten Blättern verarbeitet hatte. Und dann konnte er es nicht mehr mit ansehen. Spontan entschloss er sich, Mamma Carlotta von ihrer Trauer abzulenken, ehe die Sahne, die sie aus dem Kühlschrank holte, mit dem geraffelten Käse zu einer lieblosen Pampe verrührt wurde. Sören würde Verständnis dafür haben, dass er ihm bei der Verbreitung der Neuigkeit zuvorkam. Schließlich ging es ja darum, Mamma Carlotta wieder den Spaß am Kochen zu geben!

Er fragte noch einmal: »Was weißt du von Donata Zöllner? Hat sie dir zum Beispiel ... etwas von ihrem Mann erzählt?«

»Nur, dass er wenig Zeit hat.«

»Sagt dir der Name Severin Dogas etwas?«

Mamma Carlotta dachte nach. Der Name kam ihr bekannt vor, aber sie konnte sich beim besten Willen nicht erinnern, woher. »Keine Ahnung«, meinte sie schließlich. »Wer soll das sein?«

»Ein Schauspieler. In Deutschland kennt ihn jeder. Er hat viele Filme gedreht, Fernseh- und auch Kinofilme.«

»Jetzt fällt's mir ein. Ich habe in der Zeitung von ihm gelesen. Er muss sehr berühmt sein.«

»Das stimmt. Im bürgerlichen Leben heißt er Andreas Zöllner. Und er ist Donata Zöllners Mann. Oder vielmehr ... ihr Witwer.«

Mamma Carlotta warf das Messer in die Spüle, fuhr herum und blitzte ihn an. Leben versprühten ihre Augen, Fragen, Gefühle! Genau wie Lucias Augen. »Willst du damit sagen ... Sie war mit einem Prominenten verheiratet? Mit einem Star?«

Erik nickte. »Das hat sie dir wohl nicht verraten?«

»No!« Vorbei die Trauer! Mamma Carlotta war von einem Augenblick zum anderen die personifizierte Entrüstung. »Nichts hat sie mir davon gesagt. Niente!«

Erik hätte gern gesehen, wenn sie trotz ihrer Erbitterung die Vorbereitung der Mahlzeit fortgesetzt hätte, aber sie reagierte nicht auf seine diesbezüglichen Hinweise, sondern ließ die Arbeit im Stich und sich selbst auf einen Stuhl fallen. Derart erschüttert sah sie aus, dass Erik schon hoffte, sie sei vor lauter Bestürzung verstummt. Einem normal veranlagten Friesen verschlug es eben die Sprache, wenn er bewegt war, aber er hätte es sich denken können: Bei einer Italienerin war das anders ...

Die Enttäuschung fiel mit einem Schlag in Form vieler Wörter von ihr ab, ihre Gesten wurden immer theatralischer, während sie sich empörte, ihre Stimme wurde lauter, ihre Sprache von Wort zu Wort italienischer. Erik betrachtete mit einer Mischung aus Abwehr, Staunen und Faszination ihr gerötetes Gesicht, ihre vibrierenden Locken, ihre funkelnden Augen, die tanzenden Grübchen – und hörte sich geduldig an, was sie von einer Frau hielt, die ihre Freundschaft angenommen, ihr aber einen so wichtigen Teil ihres Lebens vorenthalten hatte. Dabei fiel ihm auf, dass sie sich die Wimpern getuscht hatte.

»Ich habe sie oft nach ihrem Mann gefragt«, schloss sie, »und immer hat sie mir ausweichend geantwortet. Nur von ihrem Sohn hat sie mir erzählt, von dem schrecklichen Unglück im Montblanc-Tunnel und von seiner unglücklichen Ehe.«

Erik atmete erleichtert auf, als sie sich erhob, um sich wieder der Zwiebel und dem Schinken zu widmen.

»Also war sie doch keine Freundin. Und ich hatte gedacht ...« Sie brach ab, als versagte ihr die Stimme.

Erik wurde unruhig. Sie würde doch keinen weiteren Schwächeanfall erleiden? Eigentlich hatte er die Nachricht, dass Donata Zöllner die Frau eines populären Schauspielers gewesen war, für eine Sensation gehalten, die Verblüffung und Bewunderung hervorrufen würde. Mit dieser pompösen Betroffenheit hatte er nicht gerechnet.

Mathis Feddersen hatte ihm die Handy-Nummer gegeben, die der Ehemann Donata Zöllners am Morgen im Hotel hinterlassen hatte. Er wollte umgehend verständigt werden, sobald seine Frau aufgetaucht war.

Ahnungslos hatte Erik die Nummer gewählt und den Ehemann vorsichtig gefragt, ob er sofort nach Sylt kommen könne. »Ihrer Frau ist etwas zugestoßen. Wo sind Sie zurzeit?«

Andreas Zöllner befand sich in Köln und war eigentlich unabkömmlich. Erst auf Eriks befremdetes Schweigen antwortete er: »Ich sollte Ihnen wohl sagen, dass mein Künstlername Severin Dogas ist. Ich stecke mitten in Dreharbeiten.«

Erik brauchte eine Weile, um diese Neuigkeit zu verdauen. Genau genommen sogar ziemlich lange, sodass Severin Dogas ungeduldig fragte: »Sind Sie noch dran?«

Auf eine Bestätigung wartete er nicht, sondern verlangte im nächsten Atemzug, dass der Name des Krankenhauses geheim gehalten wurde, in das seine Frau gebracht worden war, damit die Paparazzi nicht vor dem Eingang auf ihn lauerten, wenn er seine Frau besuchen wollte. »Am nächsten drehfreien Tag besorge ich mir ein Privatflugzeug und komme nach Sylt.« Erst danach fragte er nach Donatas Gesundheitszustand, erkundigte sich, ob sie einen Herzinfarkt oder einen Verkehrsunfall erlitten habe und ob der Chefarzt persönlich sich um sie kümmere.

Das war der Augenblick, in dem die Abneigung in Erik hochschoss wie eine Flamme, in die Öl gegossen worden war. Sie loderte hell, als er antwortete: »Weder noch. Ihre Frau ist ermordet worden.« Die Paparazzi würden, wenn überhaupt, vor der Pathologie auf den Star lauern.

Als sein Assistent eintrat, bedauerte Erik, dass er die Sensation vorweggenommen hatte. »Wissen Sie, mit wem

Donata Zöllner verheiratet war?«, begann Sören, sah mit lachenden Augen erst in Eriks, dann in Mamma Carlottas Gesicht – und begriff, dass sie es bereits wussten.

Enttäuscht setzte er sich an den Tisch. »Dass Sie nach diesem Schock überhaupt kochen können, Signora!«

»Ich koche nicht«, entgegnete Mamma Carlotta und warf die Spaghetti ins kochende Wasser. »Das ist Resteverwertung. Mit la cucina italiana hat das nicht viel zu tun.«

»Macht ja nichts«, gab Sören zurück und lächelte Mamma Carlotta so lange an, bis sie endlich sein Lächeln erwiderte. »Sie haben eine Menge durchgemacht. Ich finde es großartig, dass Sie sich trotzdem an den Herd stellen. Und Resteverwertung kann sehr lecker sein. Wenn ich an das Labskaus meiner Oma denke ...«

»Ganz so schlimm wird's hoffentlich nicht werden«, unterbrach ihn Mamma Carlotta, die während ihres ersten Aufenthaltes auf Sylt einmal in Käptens Kajüte Labskaus probiert hatte. Niemals hätte sie Lucia ihren Segen für die Ehe mit einem Norddeutschen gegeben, wenn ihr damals schon dieser grüne Brei vorgesetzt worden wäre.

Erik wandte sich an Sören. »Was haben Sie über Donata Zöllner herausgefunden?«

Sören griff in die Tasche seines Hemdes und holte ein Blatt heraus, das dicht beschrieben war. »Sie wurde als Donata Obermann in Karlsruhe geboren. Ihr Vater war Arzt, sie begann nach dem Abitur ein Medizinstudium, um später die Praxis ihres Vaters zu übernehmen. Daraus wurde aber nichts, weil ein junger Schauspieler, der damals am Karlsruher Stadttheater den Hamlet spielte, mit einer schweren Erkältung in die Praxis ihres Vaters kam.«

»Severin Dogas?«

»Damals hieß er noch Andreas Zöllner. Sie heiratete ihn und gab das Medizinstudium auf, als es mit seiner

Karriere steil bergauf ging. Die beiden bekamen einen Sohn, und Donata war von da an nur noch für die Familie da.«

»War die Ehe glücklich?«, fragte Erik, der sich nicht vorstellen konnte, dass eine Frau wie Donata mit einem Star, wie er ihn am Telefon kennengelernt hatte, glücklich gewesen sein sollte.

»Immerhin haben die beiden schon ihre Silberhochzeit gefeiert«, meinte Sören. »Das kommt in Künstlerehen eher selten vor. Dogas' Manager, mit dem ich telefoniert habe, hat behauptet, sie seien durch eine lange Zeit des Glücks und die schwere Zeit des Unglücks unzertrennlich geworden.«

»Der Tod des Sohnes«, warf Mamma Carlotta ein und goss Öl in die Pfanne, um den Schinken zu rösten.

Erik stellte erleichtert fest, dass sich ihre Körperhaltung entscheidend verändert hatte. Ihr Rücken war nicht mehr gebeugt, sie stand wieder aufrecht da. Die Trauer war anscheinend von der bitteren Erkenntnis abgelöst worden, dass Donata nicht die Freundin gewesen war, die sie zu werden versprochen hatte. Sie war keine Freundin gewesen, sondern eine Frau, die Carlotta kein Vertrauen entgegengebracht hatte! Diese schwere Kränkung musste erst mal verkraftet werden. Dennoch war Erik froh, dass der Kummer über Donatas schreckliches Ende dadurch für Mamma Carlotta erträglicher geworden war.

Sören kramte einen zweiten Zettel aus seiner Tasche. »Das muss ein Riesenskandal gewesen sein.« Er sah Erik fragend an. »Können Sie sich erinnern? Ich war damals noch zu jung.«

Carlotta ließ die Pfanne im Stich. »Was für ein Skandal?«

»Der Tod von Manuel Zöllner.«

»Das war kein Skandal, sondern eine Tragödie.«

»Beides«, erklärte Erik diplomatisch. »Dogas' Sohn war in die Schlagzeilen geraten. Wegen Immobilienbetrugs, wenn ich mich recht erinnere. Die Sache flog auf, kurz bevor dieser schreckliche Unfall im Montblanc-Tunnel geschah.«

»Ganz richtig!«, rief Sören. »Er sollte verhaftet werden und entzog sich durch Flucht. Besser wäre es für ihn gewesen, in den Knast zu gehen. Dann würde er heute noch leben.«

»Das kann nicht sein!«, rief Mamma Carlotta. »In Urlaub wollte er fahren! Er hatte Streit mit seiner Frau und wollte Abstand gewinnen. Deswegen ist er mit seinem Freund nach Italien gefahren.«

»Das hat dir Donata Zöllner erzählt«, ergänzte Erik.

Mamma Carlotta sah ihn verwirrt an. »Du meinst ...«

Erik betrachtete ihr Gesicht so lange, bis sich dort die Erkenntnis spiegelte, dass Donata Zöllner gelogen hatte. Dann nickte er. »Sie hat dir nicht die Wahrheit gesagt.«

Sören widmete sich wieder seinen Notizen. »Manuel Zöllner hatte sich die Popularität seines Vaters zunutze gemacht. Anderen gut verdienenden Prominenten hat er teure Immobilien als Geldanlagen angeboten, die gar nicht existierten oder einen viel geringeren Wert hatten. Sie vertrauten ihm, weil er Severin Dogas' Sohn war, und glaubten, dass sie ihr Geld gut angelegt hätten. Als herauskam, dass Manuel Zöllner einen Teil des Geldes in die eigene Tasche gesteckt hatte, wollte er sich absetzen ... und kam auf seiner Flucht im Montblanc-Tunnel ums Leben.«

Da klingelte es. Mamma Carlotta wuchtete sich schwer hoch, als es an der Tür klingelte. Es war, als müsste sie mit ihrem Körpergewicht auch ihre ganze Enttäuschung in die Höhe stemmen. Allerdings stellte Erik fest, dass sie damit immer noch schneller war als er selbst. Sie war schon an der Tür, als er seinen Stuhl gerade nach hinten geschoben hatte.

Kollege Vetterich betrat zögernd die Küche, trat nicht weiter als anderthalb Schritte in die Privatsphäre des Hauptkommissars ein und weigerte sich strikt, Platz zu nehmen und etwas zu essen. »Ich wollte Ihnen nur schnell dieses hier geben«, sagte er und hielt Erik ein Foto hin. »Das ist bis jetzt das Einzige, was auf einen Zusammenhang zwischen den beiden Toten hinweist. Ich habe es im Schreibtisch gefunden, wohlverwahrt in einer fest verschlossenen Dokumentenmappe. Ich habe den Schlüssel nicht gefunden und deshalb die Mappe aufgebrochen. Gestern schon«, fügte er hastig an. »Aber vor dem zweiten Mord hat dieses Bild keine Bedeutung gehabt.«

Erik betrachtete das Foto nachdenklich. Es zeigte zwei Männer, einen jüngeren und einen älteren. Die Ähnlichkeit war unverkennbar, augenscheinlich handelte es sich um Vater und Sohn. »Das ist Severin Dogas«, sagte er und zeigte auf den älteren Mann. Dann fuhr sein Zeigefinger über den oberen Rand des Bildes. »Und das ist die Skyline von Manhattan.«

Sören blickte über seine Schulter. »Stimmt! Das Foto wurde in New York gemacht. Auf Elis Island.«

Erik nickte zustimmend. »Von Lucia und mir gibt es ein ähnliches Foto. Jeder, der New York besucht, fährt nach Ellis Island zur Freiheitsstatue.« Er blickte auf und runzelte die Stirn. »Aber warum hat Magdalena dieses Bild wohl so gut verwahrt? Es ist doch ein ganz normales Foto.«

Da diese Frage ohne Antwort blieb, meldete sich Vetterich noch einmal zu Wort: »Übrigens ist der Brieföffner von Magdalena Feddersens Schreibtisch verschwunden. Gestern war er noch da, ich bin ganz sicher.«

Erik schob seinen Stuhl zurück, als brauchte er für

seine Überraschung mehr Platz. »Sie meinen, das könnte die Tatwaffe sein?«

Vetterich schüttelte den Kopf und sah Erik vorwurfsvoll an. »Die Frau ist erschlagen und nicht erstochen worden.«

»Vielleicht hat Donata Zöllner sich mit dem Brieföffner bewaffnet, um sich zu wehren«, sagte Sören.

»Und warum ist er verschwunden?«, fragte Erik.

»Weil Donata Zöllner ihren Angreifer damit verletzt hat …«, vermutete Sören.

»… und sein Blut daran klebte«, ergänzte Erik und wurde nachdenklich. »Kennen wir jemanden mit einer frischen Verletzung?«

»Vielleicht hat der Täter sie aber auch nur abgewehrt, ihr den Brieföffner aus den Fingern gewunden …«

»… und ihn mitgenommen, weil er keine Fingerabdrücke hinterlassen wollte.« Erik seufzte. »Ob es Sinn hat, diesen Brieföffner zu suchen?«

Vetterich zuckte die Achseln und stellte dann fest, dass die Frage nicht an ihn gerichtet war. »Bis morgen«, murmelte er und war zufrieden, als niemand ihm antwortete und er gehen konnte, ohne weiter beachtet zu werden.

Sören schüttelte Eriks Frage ab und wandte sich wieder dem Foto zu. »War es vielleicht dieses Bild, was Donata Zöllner gesucht hat?«

Erik schüttelte den Kopf. »Kann ich mir nicht vorstellen. Warum?«

»Gegenfrage: Warum hat Magdalena Feddersen dieses Foto nicht aufbewahrt wie andere Fotos? In einem Album, einer Schublade oder einem Schuhkarton?«

»Vielleicht, weil es einen jungen Mann zeigt, der nicht mehr lebt. Das hat dem Foto eine besondere Bedeutung gegeben.«

Sören sah nicht überzeugt aus. »Und was ist mit der Aussage der Nachbarin? Frau Berhenne hat erzählt, dass aus Magdalena Feddersens Haus gelegentlich Dinge verschwunden sind. Kleinigkeiten ohne Wert. Aber dieses Foto hatte einen Wert. Womöglich wird es schon seit langem gesucht und ist bisher nie gefunden worden!«

Erik schüttelte den Kopf. »Frau Berhenne hat selbst nicht geglaubt, dass da was dran ist. Nein, nein. Vetterich muss weitersuchen.« Er drehte sich um und stellte fest, dass Kommissar Vetterich nicht mehr anwesend war. »Dann eben morgen.«

Sein Handy klingelte in der Diele, wo er es beim Reinkommen abgelegt hatte. »Die Tatwaffe war aus Holz«, pustete Dr. Hillmot in den Telefonhörer und stöhnte laut, ehe er fortfuhr: »Farbspuren habe ich ebenfalls in der Wunde entdeckt. Schauen Sie mal nach, ob sich so was am Tatort findet. Oder ob so etwas fehlt. Bemaltes Holz!«

Erik hatte keine Ahnung, dass Gero Fürst nicht nur nach Carolin, sondern auch nach deren Großmutter gerufen hatte. Die ordnende Hand, die sie ihm angeboten hatte, kam ihm anscheinend gerade recht. Mit so vielen schönen Worten hatte Mamma Carlotta am Telefon ihre hausfraulichen Fähigkeiten beschrieben, dass er am Ende misstrauisch nach ihrem Stundenlohn gefragt hatte. Dann aber war er sehr zufrieden gewesen. Denn Carlotta hatte entrüstet jede Bezahlung zurückgewiesen und darum gebeten, den Lohn für ihre Arbeit Carolins Konto gutzuschreiben. Sie wollte nicht bezahlt, sondern gebraucht werden. Von einem Mann, der so wunderbar die Sonne beschreiben konnte, dass man ihre Wärme auf der Haut spürte, der aber unfähig war, ein T-Shirt zu bügeln. Der sich in Haupt- und Nebenhandlungen auskannte, aber vor einem Risotto kapitulierte.

Später in ihrem Dorf würde sie die Einzige sein, die einen Gedankenaustausch mit einem Mann gepflegt hatte, dessen Gedanken tausendfach vervielfältigt und gedruckt wurden. Signorina Flora, die sich schon etwas darauf einbildete, eine Autorin von Heftromanen persönlich zu kennen, würde grün werden vor Neid.

Erik allerdings würde rot vor Ärger werden, so viel war sicher. Die Schwiegermutter des Hauptkommissars als Haushaltshilfe? Unmöglich! Dass sie es auch für ihn tat, würde er nicht einsehen wollen, und wie sollte sie ihm erklären, dass sie ein Auge auf Valerie und ihre Beziehung zu Gero Fürst haben wollte?

Dass sie den Schriftsteller bei einer Lüge ertappt hatte, wollte sie ihm ebenfalls nicht gestehen. Erik würde sich nicht über den Hinweis freuen, dass Gero Fürst ein außergewöhnliches Interesse an der ermordeten Magdalena Feddersen gehabt, diesen Umstand aber geleugnet hatte. Nein, er würde sich nur darüber ärgern, dass sie in einer fremden Küche herumgeschnüffelt hatte.

Als sie in den Bröns Wai einbog, flirrte die Hitze. Auf den Wiesen bewegte sich kein Halm, nur manchmal gab es in den Bäumen ein Flüstern, wenn der Wind ein- und ausatmete.

Die Ruhe, die über dem Anwesen lag, war trügerisch. Als Mamma Carlotta näher kam, hörte sie aufgeregte Stimmen hinter der Hecke. Im nächsten Augenblick sah sie nicht nur Carolins Fahrrad neben dem Gartentor lehnen, sondern auch noch ein zweites und wusste, wer mit Gero Fürst stritt.

Kurz entschlossen sprang sie vom Rad, damit das Quietschen der Pedale die Streitenden nicht aufschreckte. Langsam schob sie ihr Fahrrad an der Hecke entlang, die zum Glück so dicht war, dass niemand sie sah.

»Warum lässt du mich nicht in Ruhe?«, hörte sie die Stimme von Gero Fürst. »Ich habe dir doch gesagt, dass es aus ist.«

»Kannst du denn nicht verstehen, warum ich es getan habe?«

Gero Fürst lachte verächtlich, aber es hörte sich beinahe wie ein Schluchzen an. »Weil du egoistisch, verantwortungslos und grausam bist!« Mamma Carlotta hörte, dass er zitternd Luft holte. »Ich will mit dir nichts mehr zu tun haben. So was wie du gehört bestraft, verhaftet, eingesperrt.«

Verhaftet? Eingesperrt? Mamma Carlotta blieb stehen und spähte durch die Hecke. Sie konnte sehen, wie Gero Fürst mit großen Schritten auf den Seiteneingang des Hauses zuging. Dann aber blieb er stehen, überlegte es sich anders und kehrte zu Valerie zurück, die verzweifelt auf einer Bank hockte. Man sah, welche Mühe es ihn kostete, ruhig mit ihr zu reden.

»Von mir erfährt keiner ein Wort, mehr kannst du von mir nicht erwarten. Ich werde in Zukunft nur noch selten allein sein. Du hast das junge Mädchen gesehen, das für mich schreibt. Ihre Großmutter wird gleich kommen, um mir im Haushalt zu helfen. Es ist dir doch so wichtig, dass dein Mann nichts von uns erfährt. Also fahr nach Hause, damit dich hier niemand sieht. Und tu mir einen letzten Gefallen – komm nicht wieder!« Er griff nach ihrem Arm und führte sie zum Gartentor.

Valerie machte sich von ihm frei. »Alles wegen dieser Nacht, in der mein Auto gestohlen wurde?«

Gero sah sie lange an, dann entgegnete er: »Ich will nichts mehr davon hören. Was ich weiß, reicht mir. Mit allem anderen musst du alleine klarkommen.«

Er öffnete das Gartentor und schob sie hinaus. Als Valerie einen letzten Versuch machte, sich von ihm zu befreien, griff er so fest zu, dass sie leise aufschrie. Sein Gesicht war eine einzige Qual, als er sie von sich stieß. Sie strauchelte, fiel gegen ihr Fahrrad und ging mitsamt ihm zu Boden.

Die Demütigung war derart gewaltig, dass Mamma Carlotta sich umdrehte und davonmachte. Sie wollte kein Mitleid mit Valerie haben, brachte aber angesichts dieser Herabwürdigung kein anderes Gefühl für sie auf. Hastig stieg sie aufs Fahrrad und fuhr bis zu der Stelle zurück, wo der Brönswai in den Terpwai mündete. Dort stieg sie ab, wendete das Fahrrad und fuhr langsam zurück. Mehr konnte sie nicht für Valerie tun. Oder hatte sie schon zu viel getan?

Gero Fürst hatte Valerie grausam genannt. Von Verhaftung hatte er gesprochen und dass man sie einsperren sollte. Was wusste er von ihr? Dass sie eine Mörderin war?

Valerie kam ihr nun entgegengeradelt, den Oberkörper über das Lenkrad gebeugt, den Blick auf das Vorderrad geheftet. Sie hob ihn nicht, obwohl sie bemerken musste, dass ihr jemand entgegenkam. Anscheinend glaubte sie, dass niemand sie erkannte, den sie nicht sah.

Erik blieb ein paar Augenblicke im Auto sitzen und betrachtete das Hotel Feddersen. Ob Severin Dogas wusste, worauf er sich einließ? Hatte er eine Vorstellung davon gehabt, wie ein einfaches Hotel aussah, als er behauptete, ein solches wäre für ihn genau richtig? Valerie tat ihm leid, wenn er daran dachte, wie der verwöhnte Star mit ihr umgehen würde, wenn er erkannte, dass ein einfaches Hotel doch nicht das Richtige für ihn war. Und die Staatsanwältin? Die war mit Sicherheit auch etwas Besseres gewöhnt.

Er seufzte, wie er immer seufzte, wenn von Frau Dr. Speck die Rede war. Nie konnte er es ihr recht machen, seit diesem Tag vor zwei Jahren, als das Gerichtsgebäude in Husum neu gestrichen werden musste und das Aufbauen des Gerüstes so viel Lärm machte, dass die Staatsanwältin Eriks Klopfen nicht gehört hatte. Bis dahin hatte niemand gewusst, dass sie halterlose Strümpfe trug und die Angewohnheit hatte, sich an den Oberschenkeln zu kratzen, wenn sie nachdachte. Seit diesem Tag wusste Erik davon. Die Staatsanwältin hatte der Tür den Rücken zugedreht, der Arbeit der Gerüstbauer zugesehen, ihren Rock hochgeschoben und sich gekratzt. Dass Erik im Raum stand, bemerkte sie erst, als er sich verlegen räusperte.

Seitdem war sie fest davon überzeugt, dass nicht nur er, sondern das ganze Polizeirevier Westerland wusste, wie es unter ihrem Rock aussah, weil sie sich nicht vorstellen konnte, dass Erik darüber Stillschweigen bewahrt hatte. Er konnte machen, was er wollte, die Staatsanwältin war nie mit der Arbeit des Westerländer Polizeireviers zufrieden.

An diesem Tag jedoch hatte es zum ersten Mal seit Langem freundliche Worte zwischen Frau Dr. Speck und Erik gegeben. Jedenfalls in dem Moment, als Erik am Telefon mit seinem neuesten Ermittlungsergebnis herausrückte. »Das zweite Opfer wird uns Probleme machen. Ich fürchte, es wird ab morgen einen schrecklichen Presserummel auf der Insel geben. Donata Zöllner war nämlich die Frau von Severin Dogas.«

Auf der anderen Seite blieb es still, sodass Erik vorsichtig fragte: »Kennen Sie den Schauspieler?«

Ein Ächzen war die Antwort, dann ein kurzer, schriller Pfiff. Nie zuvor hatte Erik die Staatsanwältin pfeifen hören. »Dogas! Das ist nicht wahr!«

»Ich habe bereits mit ihm telefoniert.«

»Waaas?«

Nun begriff Erik, dass er keine Staatsanwältin, sondern einen Fan am Ohr hatte, der sich gebärdete wie er selbst bei »The Who« vor gut zwanzig Jahren. Sogar Carolin war in ihrer Verehrung für Gero Fürst wesentlich gemäßigter.

Erik wartete geduldig, bis aus dem kreischenden Teeny auf der anderen Seite der Leitung wieder eine Staatsanwältin geworden war, und nickte zufrieden, als Frau Dr. Speck beschloss, die Betreuung von Severin Dogas höchstpersönlich zu übernehmen. »Die Presse darf ihn nicht in die Finger kriegen, das ist das Wichtigste. Und die Befragung eines solchen Mannes muss jemand leiten, der Fingerspitzengefühl hat.«

Dass er selbst dafür nicht infrage kam, war Erik sofort klar. Und er war sehr glücklich darüber. »Dann brauchen wir auch keinen Pressesprecher?« Die Staatsanwältin konnte ja nicht sehen, dass er lächelte.

»Mit der Presse werde ich am besten fertig. Ich muss mich auf der Stelle unauffällig nach einem geeigneten Hotel für Dogas umsehen.«

Als sie hörte, dass dafür bereits gesorgt war, reagierte sie ungehalten. Aber als Erik versicherte, dass der Star den dringenden Wunsch gehabt hatte, in dem Hotel zu logieren, in dem seine Frau ihre letzten Tage verbracht hatte, war sie zufrieden. »Buchen Sie mir dort auch ein Zimmer. Ich werde auf Sylt bleiben, bis der Fall geklärt ist.«

»Ich muss heute sowieso noch ins Hotel Feddersen«, erklärte Erik, »um die Hotelleitung zu instruieren. Dogas' Management hat sehr konkrete Forderungen an die Sicherheit des Stars. Ich werde dort Bescheid geben, was getan werden muss, damit Herr Dogas ungestört bleibt.«

»Ja, tun Sie das! Kriegen Sie das hin, Herr Wolf?«

Erik war entschlossen, sich seine Geduld nicht nehmen zu lassen. »Ich bin sicher, dass ich das hinkriege. Und bei der Gelegenheit werde ich dann gleich ein Zimmer für Sie buchen.«

»Hoffentlich ist noch eins frei. Es ist Hauptsaison!«

Erik dachte daran, dass das Hotel Feddersen niemals ausgebucht war, und entgegnete: »Es wird schwer sein, aber ich werde das schon schaffen.«

Er stieg aus dem Wagen und ging auf den Hoteleingang zu. Wieder stolperte er über die erhöhte Bodenplatte und nahm sich vor, Mathis darauf hinzuweisen. Wenn dem Star hier ein Haar gekrümmt wurde, konnte er sich auf gewaltige Schadenersatzforderungen einstellen. Womöglich wäre dann die Hälfte seines Erbes gleich wieder verloren.

Valerie stand an der Rezeption. Als sie ihn sah, ging ein Lächeln über ihr Gesicht, strahlend kam sie auf ihn zu. Erik blieb stehen, um dieses Lächeln, dieses Auf-ihn-Zukommen so lange wie möglich zu genießen. Es gelang ihm sogar, ihr in die Augen zu sehen, bis Valerie zu der Sitzgruppe wies und ihn bat, Platz zu nehmen.

Erik schüttelte den Kopf. »Ich muss unter vier Augen mit dir reden. Ungestört.«

Ihr Gesicht veränderte sich von einem Augenblick zum anderen. Fürchtete sie sich vor ihm? Warum wurde sie mit einem Mal so ernst? Und warum betrachtete sie ihn wie jemanden, vor dem man auf der Hut sein musste?

»Noch besser unter sechs Augen«, fügte er an. »Ist Mathis da?«

Sie schüttelte den Kopf, dann ging sie vor ihm her in das kleine Büro, das hinter der Rezeption lag. Während Erik sich auf das schäbige schwarze Ledersofa setzte, telefonierte Valerie nach Kaffee und nach jemandem, der sie an der Rezeption vertreten konnte. Dann setzte sie sich ihm gegenüber und versuchte zu lächeln.

»Danke für mein Auto. Rudi Engdahl hat es mir gestern gebracht. Ich hatte wirklich nicht damit gerechnet, dass mein alter Wagen wieder auftauchte.«

»Ich auch nicht.«

Valerie beugte sich vor. »War da eigentlich ein professioneller Autoknacker am Werk?«

Erik winkte ab. »Ein kleiner Ganove! Ein Profi hätte sich nicht so dumm angestellt.«

»Hast du ihn verhaftet?«

Erik lächelte. »Nein, er bleibt erst mal auf freiem Fuß. Er hat einen festen Wohnsitz, und es besteht keine Fluchtgefahr.«

Valerie schlang die Arme um ihren Oberkörper, als fröre sie. »Dann könnte ich dem Kerl ja jederzeit begegnen.«

»Kurt Fehring ist nicht gefährlich«, meinte Erik tröstend. »Ein Typ, dem nie etwas gelungen ist. Seine Druckerei lief eine Weile ganz gut, aber dann hat er sich auf schmutzige Geschäfte eingelassen – und das war der Anfang vom Ende.« Er sah Valerie erwartungsvoll an, aber sie reagierte weder positiv noch negativ auf seine Informationen. Erik merkte, wie gerne er in ihrem Gesicht etwas Anerkennung gesehen hätte. Aber ihr Gesicht blieb ausdruckslos.

»Was gibt es Wichtiges?«, fragte sie übergangslos.

Erik holte tief Luft, änderte seine Körperhaltung, hatte das Bedürfnis, noch einmal von vorne anzufangen mit diesem Gespräch. Aber was sich zwischen sie gedrängt hatte, war nicht beiseitezuschieben. Dabei wusste er nicht einmal, was es war. Jedenfalls war er sicher, dass Valerie nicht noch einmal strahlend auf ihn zukommen würde.

Mit dem Namen Severin Dogas hoffte er, ihr Lächeln zurückzubekommen, aber sie schien zu den wenigen Frauen zu gehören, die nicht für den Schauspieler schwärmten. Sie wunderte sich nur, dass er im Hotel Feddersen wohnen wollte.

»Während er bei euch wohnt, muss die Rezeption ständig besetzt sein. Nur Hotelgäste dürfen ins Haus gelassen werden, keine Fremden. Dogas braucht ein Zimmer am Ende des Ganges, aber in der Nähe einer Treppe. Es dürfen keine Telefongespräche zu ihm durchgestellt werden, er telefoniert ausschließlich mit seinem Handy. Und auf keinen Fall irgendwelchen Pressevertretern Auskünfte erteilen!«

Valerie war, während er sprach, immer nervöser geworden. Erik hatte das Gefühl, dass sie gar nicht richtig zuhörte. »Am besten, du redest mit Mathis darüber«, sagte sie. »Er muss jeden Augenblick zurückkommen.«

In diesem Augenblick zirpte es in Valeries Rocktasche. Sie sah an Erik vorbei, während sie murmelte: »Eine SMS.«

»Vielleicht von Mathis?«, fragte Erik freundlich.

Valerie nickte und zog ihr Handy hervor. »Wahrscheinlich.«

Erik stellte fest, dass ihre Nägel kurz geschnitten waren und ohne Lack auskamen. Sie hatte Hände, die es gewöhnt waren zuzupacken. Er konnte nicht sagen warum, aber es gefiel ihm.

Valerie erhob sich. »Tut mir leid, ich muss weg. Ich sage an der Rezeption Bescheid. Fatlum soll Mathis anrufen und dir sagen, ob es Sinn hat zu warten.«

Sie ließ die Tür geöffnet, als erwarte sie, dass Erik ihr folgen würde. Als er sie nach dem Albaner rufen hörte, fragte er sich, wer der Absender der SMS gewesen sein mochte.

In diesem Moment klingelte sein Handy. Sören war am anderen Ende. »Wir kennen nun die Tatwaffe. Ein hölzerner Engel, den Magdalena Feddersen vor einem Jahr aus Rom mitgebracht hat. Aus bemaltem Holz.«

»Woher wissen Sie das?«

»Ich habe Frau Berhenne durchs Haus geführt. Sie hat

festgestellt, dass der Engel fehlt. Sie sagt, er stand immer im Wohnzimmer zwischen den Blumentöpfen.«

»Also neben der Tür«, überlegte Erik. »Der Täter hat sich durch die Tür geschlichen, hat Donata gesehen, nach dem Erstbesten gegriffen, was als Waffe dienen konnte ...«

»Ein geplanter Mord war es offenbar wirklich nicht.«

»Wohl kaum. Wahrscheinlich war der Täter in Panik. Er hat mehrmals zugeschlagen, sagt Dr. Hillmot. Immer wieder! Bis er sicher sein konnte, dass Donata Zöllner tot war.«

Carlotta sah in den Himmel, während sie die Braderuper Straße entlangradelte. War Lucia damit einverstanden, dass ihre Mutter über sie sprechen würde, um sich in Valerie Feddersens Vertrauen zu schleichen? Valerie würde bestimmt keinen Verdacht schöpfen, wenn Lucias leidgeprüfte Mutter, die noch immer nicht über den Tod ihres geliebten Kindes hinweggekommen war, mit jemandem reden wollte, der ihre Tochter gut gekannt hatte. Valerie würde es verstehen, wenn Gero Fürst sie auch grausam und egoistisch genannt hatte. Sie musste es einfach verstehen!

Sie trat kräftig in die Pedale und erfreute sich an dem Wind, der ihr die Locken aus dem Gesicht pustete. Er hatte in der kurzen Zeit, die sie im Haus des Schriftstellers verbracht hatte, den drückenden Sommertag aufgefrischt. Aus der Hitze des Tages war Abendkühle geworden. In Umbrien würde man vom beginnenden Herbst reden, aber Mamma Carlotta hatte längst gelernt, dass der Wind sich auf Sylt anders gebärdete als in Italien, dass er mehr Kraft hatte und von der Sonne unabhängig war, die in Umbrien alles beherrschte. Sie machte sich auch nicht mehr klein, um sich vor dem Wind zu schützen, sondern saß aufrecht auf dem Sattel, hielt ihm ihr Gesicht entgegen und ließ ihn mit ihren Haaren und ihrer Bluse machen, was er wollte.

Auch von der verschlossenen Miene des Schriftstellers hatte sie sich nicht beeinträchtigen lassen. Der Streit mit Valerie hatte sämtliche Freundlichkeit aus seinem Gesicht gewischt und es hart und grimmig gemacht. Mamma Carlotta entzog sich umgehend seiner Nähe und ging in die Küche, die sich in einem miserablen Zustand befand. Mit großem Elan machte sie sich ans Werk.

Ehe sie Spaghetti aglio e olio zubereitete, die sie Gero Fürst versprochen hatte, musste erst mal für Ordnung gesorgt werden! Was für ein Durcheinander! Die Arbeitsplatte, die Fensterbank, das Regal, der Kühlschrank, die Waschmaschine – überall stand schmutziges Geschirr herum, dazwischen lagen Obst und frisches Gemüse, darunter stapelten sich Bücher und Zeitungen. Nicht irgendwelche Zeitungen! Weder die aktuellen noch die vom Vortag. Es waren alles Zeitungen, die über Magdalena Feddersens Tod berichtet hatten. Alle anderen waren ausgemustert worden und lagen in der Kiste mit dem Altpapier.

Warum bewahrte Gero Fürst die Berichte über Magdalena Feddersen auf? Und warum behauptete er, nichts von dem Mord zu wissen? Dafür gab es nur eine Erklärung: Er wusste, was Valerie getan hatte. Verraten wollte er sie nicht, aber schützen konnte er sie auch nicht mehr.

Mit spitzen Fingern, als klebte Blut an ihnen, legte sie die Zeitungen auf ein Regalbrett. Direkt daneben fand sie ein paar Pralinen! Dunkelbraun, glänzend, verlockend! Auch in Umbrien wusste man inzwischen, dass die Brüsseler Pralinen zu den besten gehörten. Ob es auffiel, wenn der Bestand um eine Praline dezimiert wurde? Mamma Carlotta dachte nach, dann beantwortete sie diese Frage mit einem klaren »No!«. Wer zählte schon seine Pralinen? Mit ruhigem Gewissen schob sie sich eine in den Mund. Nur eine einzige!

Das Nina-Ricci-Parfüm und den Terracotta-Puder ließ sie unangetastet. Streng und unfreundlich betrachtete sie beides. Natürlich hatte Valerie es zurückgelassen. Warum musterte Gero Fürst diese Hinterlassenschaften nicht aus? Weil er eine Erinnerung an Valerie behalten wollte?

Als Gero Fürst einen Blick in die Küche warf, um sich zu überzeugen, dass das Rumoren und Rumpeln zu keinem Werteverlust seiner Einrichtung geführt hatte, fragte Mamma Carlotta: »Haben Sie gehört, dass es einen weiteren Mord gegeben hat? In demselben Haus, in dem der Mord passiert ist, von dem Sie nichts mitgekriegt haben.«

Gero Fürst schüttelte wie erwartet den Kopf, und Carlotta ergänzte: »Es wurde heute in allen Radionachrichten erwähnt.«

»Ich höre nie Radio.« Gero Fürst ging ins Wohnzimmer zurück, um wieder ein Auge auf Carolins Arbeit zu haben.

Kein Wort hatte sie ihm geglaubt! Ob er am nächsten Tag wieder alle Zeitungen kaufen würde, die über den Mord an Donata Zöllner berichteten?

Carlotta stellte gerade das Fahrrad in einem der Fahrradständer ab, als sie jemanden aus dem Hotel treten sah. Valerie! Sie blieb in der Tür des Seiteneingangs stehen, blickte auf ihr Handy und sah sich dann suchend um.

Gerade wollte Carlotta auf sich aufmerksam machen, da lief Valerie schon weiter. Nicht auf die Straße, sondern in den Garten hinein. Mit wenigen Schritten war sie hinter einem Strandkorb verschwunden, den Mathis für seine Gäste auf den schmalen Grünstreifen gestellt hatte, der das Haus umgab.

Ohne zu überlegen, was sie sich damit einhandeln

konnte, folgte Carlotta ihr. Sie hatte nicht den geringsten Zweifel, dass Valerie etwas tat, was niemand sehen sollte. Etwas Verbotenes! Ihre schnellen Bewegungen, der Blick, den sie in den Nachbargarten warf, ihre Miene, die beiläufiger nicht sein konnte – Gründe genug, ihr zu folgen!

Carlotta machte es genau wie Valerie, lief mit schnellen Bewegungen über den Rasen und warf einen beiläufigen Blick in den Nachbargarten. Sie war davon überzeugt, es genauso unauffällig anzustellen wie Valerie.

Dann hörte sie Stimmen – und stockte. Verstehen konnte sie nicht, was gesprochen wurde, trotzdem wusste sie, dass sie nun vorsichtig sein musste. Valerie und die andere Person waren in der Nähe, vielleicht vier oder fünf Meter hinter dem Strandkorb, mehr gab der schmale Garten des Hotels nicht her.

Vorsichtig schob sie ihren Kopf um den Strandkorb herum – da sah sie die beiden. Valerie stand vor einer Frau, die Mamma Carlotta bekannt vorkam, und redete auf sie ein. Ihre Stimme war leise, aber ihre Bewegungen waren hitzig, unbeherrscht und gleichzeitig beschwörend. Sie beugte sich vor, versuchte den Blick der anderen zu zwingen, die jedoch zu Boden blickte und nur stumm nickte. Immer wieder.

Mamma Carlotta zog sich zurück. Woher kannte sie diese junge Frau mit den dunklen glatten Haaren? Von einem Foto? Ja, nun fiel es ihr ein! Lucia hatte ein Foto geschickt, als sie beabsichtigt hatte, mit ihren beiden Freundinnen nach Umbrien zu Besuch zu kommen. Es hatte Lucia, Valerie Feddersen und Angela Reitz gezeigt, und Mamma Carlotta hatte das Bild bei sich zu Hause in Umbrien jahrelang auf ihrer Kommode stehen gehabt.

Sie warf noch einen kurzen Blick auf die beiden Frauen. Sicher war sie nicht, aber sie würde bei Gelegenheit in Lucias Fotoalben nachsehen. Bis dahin ging sie einfach davon aus, dass ihre Vermutung richtig war. Es musste sich um Angela Reitz handeln. Valerie redete mit der Freundin, die in Niebüll wohnte. Warum drängten sich die beiden in den hintersten Winkel des Gartens? Warum saßen sie nicht an der Hotelbar oder in Valeries Küche und tranken gemütlich Kaffee? Es sah wirklich ganz so aus, als wäre dies ein konspiratives Treffen, von dem niemand etwas wissen sollte.

Sie überlegte gerade, mit welcher Begründung sie sich zu den beiden gesellen könnte, als sie eine vertraute Stimme hörte: »Mamma Carlotta!«

Erschrocken fuhr sie herum. Erik! Er stand in der Eingangstür des Hotels und sah sie kopfschüttelnd an. »Was machst du denn hier?«

Eilig lief sie zu ihm, aber langsam genug, um sich eine Ausrede einfallen zu lassen, die Erik überzeugen würde. »Und was machst du hier?«, fragte sie mit einem Lächeln, das Erik zeigen sollte, wie rein ihr Gewissen war.

»Ich wollte Mathis Feddersen sprechen, aber er ist leider nicht zu Hause.«

»Und ich wollte ein wenig mit Valerie plaudern«, gab Mamma Carlotta zurück. »Sie hat Lucia doch so gut gekannt. Es wäre schön gewesen, mal mit jemandem über sie zu reden. Aber Valerie hat Besuch bekommen, ich will lieber nicht stören.«

Erik drehte sich um und ging mit gesenktem Kopf zu seinem Wagen. Sie sah ihm schuldbewusst nach. Anscheinend glaubte er nun, dass sie ihm Vorwürfe machen wollte. Er wusste ja, wie gerne sie mit ihm über Lucia sprechen würde. Gerade mit ihm! Viel lieber mit ihm als mit einer ihrer Freundinnen. Aber er schloss die Erinnerung an seine Frau in sich ein, als ginge sie nur ihn etwas an.

Sie hatte es ihm nicht vorwerfen wollen, nein. Aber

wenn er von nun an gelegentlich bereit sein würde, alte Fotos mit ihr anzusehen, war das ein erfreulicher Nebeneffekt. Doch viel wichtiger war etwas anderes: Erik hatte nicht bemerkt, dass sie Valerie belauscht hatte.

»Grazie a dio!«

Carolin strich ihr graues T-Shirt glatt, das sie unmittelbar nach ihrer Rückkehr von Gero Fürst gegen das grasgrüne ausgetauscht hatte. Sie öffnete die Spülmaschine und stellte das Geschirr hinein, das Mamma Carlotta in ihrer emotionalen Aufwallung nur mit viel Geklapper hin und her geschoben hatte.

»Dass dieser Star, den alle kennen, in wenigen Augenblicken Erik die Hand geben wird!« Mamma Carlotta stellte den Teller mit den Oliven in die Brotdose und die übrig gebliebenen Panini in den Kühlschrank. »Und ich habe seine Frau gekannt. Sehr gut sogar!«

Sie bemerkte nicht, dass Carolin die Panini aus dem Kühlschrank holte und gegen die Oliven austauschte.

»Dass wir mittlerweile gut bekannt sind mit Leuten, die in allen Zeitungen stehen, das ist…« Wieder einmal fehlten ihr die deutschen Worte.

»Turbogeil!«, schrie Felix.

»Wir sind doch gar nicht mit Severin Dogas bekannt«, konstatierte Carolin, nahm die Tischdecke vom Tisch und faltete sie sorgfältig zusammen.

»Aber gewissermaßen!«, behauptete Mamma Carlotta. »Wir sollten uns unbedingt ein Video mit einem Film besorgen, in dem er die Hauptrolle spielt.«

»Wir haben eins!«, rief Felix und rannte ins Wohnzimmer, um danach zu suchen.

Mamma Carlotta ließ sich am Tisch nieder, stützte die Ellbogen auf, legte das Kinn in ihre Handflächen und seufzte auf. »Dass der Star im Hotel Feddersen wohnen will! Sicherlich möchte er dort seiner verstorbenen Frau noch einmal ganz nahe sein!« Sie seufzte so tief auf, als wäre das Leben ein einziger Groschenroman.

Carolin setzte sich zu ihr. »Du hast doch gehört, was Papa gesagt hat. Dogas will vor allem bei den Feddersens wohnen, weil niemand ihn dort vermutet. Die Reporter werden vor den großen Hotels auf ihn lauern. Im Hotel Feddersen hat er seine Ruhe.«

Mamma Carlotta machte eine wegwerfende Handbewegung. »Männer sind immer so ... so ...«

»Pragmatisch?«

»Wenn das bedeutet, dass sie sich nicht von Gefühlen, sondern von ihrem Kopf leiten lassen, dann hast du recht.« Sie griff nach Carolins Hand und wechselte das Thema. »Soll dein Vater dir ein Autogramm von Severin Dogas mitbringen?« Da Carolin nicht antwortete, hüpfte sie gleich zur nächsten Frage weiter. »Was machen wir, wenn die Presse hier auftaucht und von uns wissen will, wo der Star abgestiegen ist?« Immer noch schwieg Carolin, also wechselte Mamma Carlotta ein weiteres Mal das Thema. »Ob ich ihm das Buch, das Donata mir geliehen hat, zurückgeben muss? Oder das silberne Rechteck, das ...« Erschrocken brach sie ab und warf Carolin einen unsicheren Blick zu, konnte aber dann erleichtert feststellen, dass ihre Enkelin ihr gar nicht zuhörte. Das fehlte noch, dass sie ihr erklären musste, wie sie an das silberne Rechteck gekommen war!

Doch aus der Erleichterung wurde schnell Sorge. Wie blass das Kind war! Hatte sie am Morgen in ihrem grasgrünen T-Shirt noch frisch wie ein sonniger Frühlingstag ausgesehen, so wirkte sie jetzt wie ein nebliger Novemberabend. Bedrückt ihre Miene, grau und schlicht das Shirt, schmucklos die Frisur, der Teint, die Lippen, die Augenlider – alles farblos und unauffällig. In Italien hatte ein

160

Mädchen mit sechzehn längst die Grundlagen des dekorativen Make-ups erlernt. Aber Carolin wollte davon nichts hören.

Vorsichtig zupfte Mamma Carlotta ihr das Haar aus dem Gummiband und war schlagartig beunruhigt, als Carolin sich nicht dagegen wehrte. »Ist was? Geht es dir nicht gut, Carolina?«

Aber ihre Enkelin blickte auf ihre Hände und antwortete nicht. Erst als Mamma Carlotta ein zweites und drittes Mal nachfragte, nickte sie zögernd. »Eigentlich darf ich es dir nicht sagen.«

Mamma Carlotta war fassungslos. »Aber ich bin doch deine Großmutter! Du kannst mir alles sagen. Tutto!«

»Es ist wegen der Vereinbarung, die ich unterschrieben habe«, flüsterte sie und sah ihre Nonna ängstlich an. Erst als ihr mehrmals versichert worden war, dass sich jemand, der seiner Großmutter ein Geheimnis anvertraute, trotzdem verschwiegen nennen durfte, ergänzte sie kaum hörbar: »Ich habe was ganz Merkwürdiges entdeckt.«

»Sag's mir! Was ist es?« Auch Mamma Carlotta flüsterte, weil die Brisanz es zu erfordern schien.

»Als ich mit der Arbeit bei Gero Fürst fertig war, bin ich noch geblieben«, begann Carolin stockend zu erzählen. »Ich habe in seinem Roman gelesen. Die Kapitel, die er in den letzten zwei, drei Tagen geschrieben hat.«

»Hat er dir das verboten?«

Carolin schüttelte hilflos den Kopf. Und wieder flüsterte sie, als hätte sie Angst vor der lauten Wahrheit. »Ich wollte nur seinen Stil studieren, den Sprachrhythmus, von dem du mir erzählt hast. Mehr nicht! Ehrlich!«

»Was ist daran so schlimm?«

»Gero Fürst hat etwas Schreckliches beschrieben«, flüsterte Carolin und hatte plötzlich Tränen in den Augen.

Mamma Carlotta fühlte trotz der Hitze eine Gänsehaut über ihre Arme rieseln. »Etwas Unanständiges? Oder etwas Grausames?«

»Einen Mord«, gab Carolin kaum hörbar zurück. »Das Opfer ist eine alleinstehende Frau, die in ihrem Bett erschlagen wird. Kein Raubmord! In ihrem Haus ist alles an seinem Platz. Die Mörderin hat sich ans Bett der ahnungslosen Frau geschlichen und brutal zugeschlagen. Voller Hass!«

»Dio mio! Hat Gero Fürst das etwa in allen Einzelheiten beschrieben?« Mamma Carlotta schüttelte sich. »Meine arme Carolina!«

Doch Carolin wehrte ab. »Das ist nicht das Problem. Aber – die Frau wohnt in einem Urlaubsort. Sie ist vor Jahren auf dem Aktienmarkt reich geworden und hat es seitdem nicht mehr nötig zu arbeiten.«

»Du willst sagen – Gero Fürst hat ...« Mama Carlottas Stimme versagte, sie griff nach einem Geschirrtuch, mit dem sie sich den Schweiß von der Stirn wischte. Dann erst konnte sie den Satz vollenden: »Gero Fürst hat den Mord an Magdalena Feddersen beschrieben?«

Carolin nickte und starrte ihre Großmutter aus riesigen Augen an.

»Und der Mord an Donata Zöllner? Hast du von dem auch etwas gefunden?«

Carolin schüttelte den Kopf. »Bis jetzt nicht.«

Die Stille sickerte durch die Küche, von der Westerlandstraße drang das gleichmäßige Rauschen des Verkehrslärms herüber, in Kemmertöns' Garten lachte ein Feriengast. Das Schweigen war so dicht, dass nicht einmal Felix' Schimpfen, das aus dem Wohnzimmer drang, einen Keil hineintreiben konnte. Und die Frage, die Mamma Carlotta schließlich stellte, war kaum hörbar. »Wer hat die Frau in dem Roman umgebracht?«

Nun endlich löste sich die Stille auf. Carolin sagte mit

klarer Stimme: »Ich habe Gero Fürst gefragt, doch er wollte es nicht verraten. Das ginge mich nichts an, hat er gesagt. Aber ich habe im Exposé nachgesehen. Die Frau wurde von ihrem leiblichen Kind umgebracht, von ihrer Tochter, die als Baby zur Adoption freigegeben wurde. Sie hat ihre Mutter gehasst, sie konnte ihr nicht verzeihen, dass sie sie weggegeben hat.«

Es war längst dunkel, als sie das Flughafengelände in Westerland verließen und Richtung Wenningstedt fuhren. Das Handy klingelte, Sören nahm das Gespräch an.

»Es ist Frau Feddersen, Chef. Sie sagt, ein Reporterteam ist im Hotel eingetroffen. Sie haben Mathis Feddersen in der Mangel und wollen von ihm etwas über Donata Zöllner erfahren.«

»Pack!«, kam es vom Rücksitz. »Widerliches Pack!«

»Wie ist das so schnell durchgesickert?«, fragte Erik erschrocken. »Woher können die von dem Mord wissen?«

Sören zuckte nur die Achseln. Sie wussten beide, dass die Wege, über die sich solche Neuigkeiten verbreiteten, kaum nachvollziehbar waren.

»Warten die Reporter auf Herrn Dogas?«, fragte Erik.

Sören vergewisserte sich bei Valerie, dann schüttelte er den Kopf. »Davon ist nicht die Rede. Aber trotzdem können wir zurzeit nicht dort aufkreuzen.«

»Was für ein widerliches Pack!«

Erik blickte in den Rückspiegel. Severin Dogas saß aufrecht da, kontrollierte immer wieder, ob die riesige Sonnenbrille fest auf seiner Nase saß und die Kappe mit dem großen Schirm sein Gesicht beschattete. »Wenn Sie im Hotel Feddersen erkannt werden, Herr Dogas, haben Sie dort in den nächsten Tagen keine Ruhe. Was schlagen Sie vor?«

»Ich habe seit heute früh nichts gegessen«, knurrte Dogas.

»Wir könnten zu Gosch fahren«, schlug Sören vor und zuckte zusammen, ehe ein vorwurfsvoller Blick ihn treffen konnte. »Nee, das geht wohl nicht.«

»Es sei denn, Sie wollen eine Befragung in Jahrmarktsatmosphäre«, antwortete Erik leise und bog in die Hauptstraße ein. »Am Ende würden auch wir beide Autogramme geben müssen.«

»Das Hotel soll dafür sorgen, dass ich ungesehen in mein Zimmer komme«, sagte Dogas. »Das kann doch wohl nicht so schwer sein. Dann soll man mir aus dem Restaurant was aufs Zimmer bringen.«

»Das Hotel Feddersen hat kein Restaurant«, entgegnete Erik und strich sich seinen Schnauzer glatt.

»Und Ihr Auto hat keine Klimaanlage«, gab Dogas ärgerlich zurück und wedelte sich Luft zu. »Es ist immer noch schrecklich warm.«

Über Sörens Gesicht ging plötzlich ein Lächeln. »Wir hatten ja kaum Zeit zum Essen«, rief er. »Es war noch jede Menge Pasta im Topf. Ihre Schwiegermutter wird sich sicherlich freuen, wenn wir kommen, um die Reste aufzuessen.« Er drehte sich zu Severin Dogas herum. »Die Schwiegermutter von Hauptkommissar Wolf ist Italienerin und kocht ausgezeichnet.«

Zum ersten Mal, seit Erik den Star begrüßt hatte, blickte er freundlich drein. »Also gut, fahren wir zu Ihnen!«

Erik warf seinem Assistenten einen finsteren Blick zu. War Sören von allen guten Geistern verlassen? Wie konnte er es wagen, diesen selbstherrlichen Filmhelden in sein Haus einzuladen? Wie konnte er behaupten, seine Schwiegermutter würde sich freuen? Wobei er natürlich recht hatte: Sie würde sich freuen. Und wie! Mit einem Schwall von Liebenswürdigkeit würde sie sich auf Dogas stürzen, ihm aus der Jacke helfen, als wäre er ein Kind, ihn zu seinem Stuhl führen, als wäre er blind, und ihm ihr

Essen aufdrängen, als wäre er ein Rekonvaleszent. Sie würde fragen, ohne auf Antworten zu warten, würde antworten, ohne gefragt zu sein, würde lachen, während alle anderen ernst blieben und sich theatralisch ans Herz griffen. Schließlich würde sie die Grappaflasche holen und eine Geschichte aus ihrem Dorf erzählen, die niemanden interessierte. Zum Schluss würde dann Severin Dogas entweder betrunken oder am Ende seiner Kräfte sein und darum bitten, die polizeiliche Befragung auf den nächsten Tag zu verlegen. Das musste auf jeden Fall verhindert werden!

Doch als Erik in den Süder Wung einbog, verflog sein Ärger auf Sören und machte einem klammheimlichen Vergnügen Platz. Dass Severin Dogas' Arroganz sich in der nächsten Stunde ein paar Beulen einhandeln würde, erfüllte ihn mit stiller Schadenfreude. Diesem blasierten Kerl geschah seine Schwiegermutter ganz recht.

Severin Dogas stieg erst aus, als auf dem Süder Wung kein Mensch zu sehen war. Dabei gab es sowieso nur wenige Straßenlaternen hier. Erik hatte mittlerweile die Haustür aufgeschlossen, und Sören sicherte nach allen Seiten, damit der Star unerkannt ins Haus gelangen konnte. Es war ja nicht auszuschließen, dass die Presse auch vor dem Hause Wolf herumlungerte, um über den gewaltsamen Tod von Dogas' Frau etwas herauszubekommen.

Aber der Filmstar betrat das Haus, ohne gesehen zu werden, stellte sich in seiner unnachahmlichen aufrechten Haltung, mit der er seine Umgebung überragen wollte, in die Diele und sah sich um wie jemand, der auf keinen Fall bedrängt werden will, aber enttäuscht ist, wenn niemand den Versuch macht.

Eine halbe Stunde später hatte Felix so oft sein »Turbogeil!« hervorgestoßen, bis der Star ihm huldvoll die Hand gereicht und ihn damit zum Verstummen gebracht hatte, und Carolin war ihres Staunens Herr geworden, das sie zunächst an den Türpfosten genagelt und noch blasser gemacht hatte, als sie ohnehin schon war. Auch Mamma Carlotta hatte ihren Schock überwunden, der ihr zu Eriks Bedauern selten die Sprache verschlug, sondern vielmehr unzählige italienische Wörter und ein gutes Dutzend deutscher Ausrufe hervorbrachte.

Nun saß Severin Dogas am Küchentisch und sah interessiert zu den Töpfen auf dem Herd. Erik war es leider nicht gelungen, ihn ins Wohnzimmer zu lotsen, um ihn aus Mamma Carlottas Herrschaftsbereich zu entfernen. Wieder mal war er nicht schnell genug gewesen und hatte sein Anliegen noch nicht vorgebracht, als seine Schwiegermutter das ihrige bereits in die Tat umsetzte.

»Sie haben heute noch nichts gegessen? Terribile! Ich werde sofort …«

Erik bekam nicht mit, was sie Severin Dogas in Aussicht stellte. Er hielt die Kinder zurück, bevor sie sich in ihre Zimmer zurückziehen, zu ihren Handys greifen und ihren Freundeskreis über den Besuch informieren konnten. »Kein Wort zu irgendwem! Verstanden?«, zischte er ihnen zu.

Die beiden nickten beeindruckt, machten zum letzten Mal einen langen Hals, stießen sich gegenseitig an und verschwanden. Erik hoffte inständig, dass sich in den nächsten beiden Stunden weder Felix' Fußballverein noch Carolins kichernde Freundinnen die Türklinke in die Hand geben würden.

Er ging in die Küche und beobachtete staunend, wie der Star Stück für Stück von seinem Thron herabstieg. Als Mamma Carlotta ihm mit Frischkäse gefüllte Peperoni vorsetzte, war er bereits ein ziemlich normaler Mann geworden, der nicht mehr an sein Image, sondern nur noch an seinen leeren Magen dachte. Erik beobachtete ihn unauffällig, während er aß und sich von Mamma Carlotta erklären ließ, wie der Frischkäse in die Peperoni gekommen war. Und er lächelte sogar, als er hörte, dass sie seine verstorbene Frau ihre Freundin nannte. In allen Einzelheiten bekam er geschildert, wie sich die Bekanntschaft vollzogen hatte und wie kostbar die Erinnerung an die Fahrt von Hamburg nach Sylt für Mamma Carlotta war.

Erik sah Severin Dogas prüfend an. Warum wunderte er sich nicht darüber, dass seine elegante, weltgewandte Frau, die vermutlich mit allen möglichen Prominenten Kontakt pflegte, sich zu einer italienischen Mamma hingezogen gefühlt hatte, die erst seit drei Monaten einen Lippenstift benutzte? Aber wenn er sich wunderte, dann ließ er es sich jedenfalls nicht anmerken. Und nicht einmal eine Spur von Ungeduld war zu erkennen, als Mamma Carlotta sich lang und breit über das gemeinsame Schicksal ausließ, das ihm seinen Sohn und ihr die Tochter genommen hatte. Im Gegenteil! Er vereinte sich mit Mamma Carlotta im kollektiven Leid und schien vergessen zu haben, dass er hier war, um von den Beamten, die im Tod seiner Frau ermittelten, befragt zu werden.

Erik fand sich damit ab und freute sich, dass er Severin Dogas auf diese Weise unauffällig beobachten konnte. Der Schauspieler war ein gut aussehender Mann von Ende fünfzig, mit dunklen Haaren, einem schmalen Gesicht und hellen Augen, die ständig in Bewegung waren. Unstet, sagte sich Erik, der an seiner Antipathie festhalten wollte. Erst recht, da er miterleben musste, wie Mamma Carlotta den Star anschwärmte und Sörens rundes Gesicht immer mehr einem frisch polierten Winterapfel glich, der von der Sonne der Prominenz beschienen wurde. Einer musste hier ja kühlen Kopf bewahren!

Endlich schaffte Erik es, seiner Schwiegermutter das Gespräch zu entziehen und die Rede auf Donata Zöllner zu bringen. Nein, eine Erklärung für Donatas Anwesenheit in Magdalena Feddersens Haus hatte Dogas nicht. »Ich habe sowieso nicht verstanden, warum sie plötzlich diesen alten Kontakt wieder aufnehmen wollte.« Er hob die Schultern und ließ sie ausdrucksvoll wieder fallen. »Donata rief mich von Sylt an. Angeblich hatte sie sich ganz spontan entschlossen, diese alte Freundin zu besuchen. Ich fand's merkwürdig, aber ich hatte nicht viel Zeit und habe mich nicht weiter darum gekümmert. Sollte sie sich doch ein paar schöne Tage auf Sylt machen!«

»Wann hat Ihre Frau Sie angerufen?«, fragte Erik.

Dogas überlegte nicht lange. »Dienstagmorgen. Sie hatte mit einer Reisebekanntschaft gefrühstückt und wollte nun versuchen, ihre alte Freundin zu erreichen. Sie war verwundert, weil dort niemand den Telefonhörer abnahm, ging aber davon aus, dass sie sie am Nachmittag treffen würde.«

»Zu diesem Zeitpunkt lebte Magdalena Feddersen nicht mehr«, stellte Erik fest.

Dogas nickte. »Und Donata konnte nicht ahnen, dass sie den letzten Tag ihres Lebens verbrachte.« Seine Stimme war emotionslos, aber seine Miene drückte etwas aus, was Erik naheging. Einen heftigen sentimentalen Ausbruch hätte er für die Leistung eines guten Schauspielers gehalten, aber diese klare Stimme und die Ernsthaftigkeit, die nicht zu seinem Gesicht zu passen schien, machten ihn glaubwürdig.

Trotzdem störte es Erik, dass er gekleidet war, als hätte er sich zu einer Pressekonferenz oder Autogrammstunde aufgemacht. Dogas trug eine schwarze Leinenjacke, eine helle Hose und ein orientalisch gemustertes Hemd. Das Goldkettchen, das sich in seine Brusthaare grub, gefiel Erik am allerwenigsten. Er merkte, dass er seine Urteilsfähigkeit im Auge behalten musste. Dieser Schauspieler erweckte so viel Abneigung in ihm, dass er ihm sogar heimlich vorwarf, sich über sein Outfit Gedanken gemacht zu haben, ehe er aufbrach, um seine tote Frau zu identifizieren.

Während Mamma Carlotta damit beschäftigt war, die Rigatoni al pomodoro aufzuwärmen, bat er Severin Dogas, von seiner Frau zu erzählen. »Übte sie einen Beruf aus? Wie lebte sie? Wie war Ihre Ehe? Wie hat sie den Tod Ihres Sohnes verkraftet?«

»Sie war meine Frau«, antwortete Dogas, als handelte es sich um eine Berufsbezeichnung. »Selbstverständlich war sie nicht berufstätig, sie hatte genug damit zu tun, mir den Rücken freizuhalten. Sie erledigte meine gesamte Post, keine Kleinigkeit, wenn man bedenkt, wie viel Fanpost ich täglich erhalte. Außerdem hielt sie Kontakt zu meinen Fanclubs. Wir waren ein gutes Team.«

Erik sah in seine Augen – und glaubte ihm. Von Liebe und Treue würde er nichts zu hören bekommen, aber je länger Severin Dogas über seine Frau sprach, desto deutlicher entstand das Bild einer gut funktionierenden Partnerschaft, in der jeder seinen Platz und seine Aufgaben hatte und in der auch jeder zu Hause war.

»Manuels Tod war natürlich ein schwerer Schlag für meine Frau. Für uns beide«, bekräftigte er schnell. »Er war unser einziges Kind.«

»Das Verhältnis zu Ihrem Sohn war ungetrübt? Trotz der Machenschaften, in die er verwickelt war?«

Severin Dogas betrachtete lange die Rigatoni, die Mamma Carlotta auftrug, dann antwortete er: »Als das Unglück passierte, hatten wir gerade erst erfahren, was Manuel getan hatte. Bis dahin waren wir ahnungslos gewesen. Für mich und mein Image war das eine Katastrophe. Die Kollegen, die von meinem Sohn betrogen worden waren, warfen mir sogar vor, mit ihm unter einer

Decke gesteckt zu haben. Eine Hauptrolle, über die gerade verhandelt wurde, bekam ich nicht, eine Fernsehserie, die bis dahin ein Quotenrenner gewesen war, brach ein und wurde schließlich abgesetzt.«

»Aber Sie hatten natürlich nichts mit der Sache zu tun«, stellte Erik fest und warf Dogas einen schnellen Blick zu.

»Selbstverständlich nicht«, bestätigte Dogas mit einer Stimme, die den guten Schauspieler verriet.

Erik nickte, als hätte er nichts anderes erwartet. »Nun zu Magdalena Feddersen. Bitte überlegen Sie noch einmal. Es muss eine Verbindung zwischen den beiden geben, die über diese alte Bekanntschaft hinausgeht. Was kann Ihre Frau in Magdalena Feddersens Haus gesucht haben?«

Severin Dogas zuckte die Schultern, seine Ratlosigkeit schien nicht gespielt zu sein.

»Wir haben am Tatort«, fuhr Erik fort, »nur einen einzigen Hinweis gefunden, den wir aber noch nicht einordnen können.«

Er griff in die Innentasche seines Jacketts, zog aber die Hand wieder zurück, als sein Handy anschlug. »Entschuldigung, das könnte wichtig sein«, sagte er und ging in die Diele.

Valeries Stimme drang an sein Ohr, hoch und sogar ein wenig schrill. Wenn sie früher angerufen hatte, weil sie Lucia sprechen wollte, hatte ihm ihre weiche Stimme gefallen, die ohne Ecken und Kanten war, ohne Höhen und Tiefen, ohne wechselnden Rhythmus. Jetzt jedoch war sie schnell und holprig.

»Die Reporter sind wir endlich los, Erik! Ich glaube, sie wollen die großen Hotels in Westerland und Kampen nach Severin Dogas absuchen.«

»Ich hoffe, Mathis war standhaft«, gab Erik zurück, »und hat keine Auskünfte über Donata Zöllner gegeben.«

»Du kennst doch Mathis«, bestätigte Valerie zufrieden. »Der hat nicht mal gelächelt, als sie versucht haben, ihn rumzukriegen. Kein Wort hat er über Frau Zöllner verloren.«

»Gut so.« Erik war erleichtert. Auf Mathis und seine Unzugänglichkeit war Verlass. An seinem düsteren Gesicht prallte jedes Bemühen, jede Bitte, jedes gute Argument ab.

»Gerade kam ein Anruf für Severin Dogas aus New York«, fuhr Valerie fort. »Sehr dringend! Herr Dogas hat sein Handy nicht angestellt, sein Manager konnte keine Auskunft geben, deswegen kam der Anruf hier im Hotel an. Dieser Mister … Dingsbums wusste anscheinend, dass Severin Dogas bei uns absteigt.« Valeries Stimme klang nun sogar atemlos. Sie schien die Aufregung um den Star, die so unvermittelt Farbe in ihr Leben gebracht hatte, zu genießen.

»Dann muss er ein sehr guter Bekannter sein«, meinte Erik. »Du weißt ja – Dogas' Aufenthaltsort auf Sylt ist top secret.«

»Ich habe versprochen, mich darum zu kümmern«, sagte Valerie, und Erik war gerührt von dem Eifer, der aus ihrer Stimme klang. »Kann ich dem Herrn aus New York deine Handynummer geben? Dein Festnetzanschluss ist besetzt.«

Erik lauschte kurz und stellte fest, dass Felix seine Handyrechnung schonte. Hoffentlich hielt er sich an sein Versprechen und tat nicht halb Wenningstedt kund, welcher Besuch den Wolfs ins Haus geschneit war.

Erik ging in die Küche zurück, wo Mamma Carlotta sich gerade ein Autogramm geben ließ, das sie ihrer Nachbarin mitbringen wollte, die gebürtige Deutsche war und deshalb Severin Dogas kennen musste. »Na, die wird Augen machen, wenn sie hört, dass Sie meine Rigatoni al pomodoro gegessen haben!«

Dogas' Hände zuckten zu seiner Brusttasche, als Erik ihn darauf hinwies, dass er zurzeit mobil nicht zu erreichen war. »Stimmt, ich habe vergessen, mein Handy nach der Landung wieder einzuschalten.«

Aber Erik winkte ab. »Lassen Sie nur. Das Gespräch wird auf meinem Handy ankommen.«

Er legte es vor Severin Dogas auf den Tisch, und tatsächlich dauerte es nur wenige Augenblicke, ehe es zu läuten begann. Dogas nahm das Handy ans Ohr, meldete sich mit einem kurzen »Hallo« und stand dann auf, um die Küche zu verlassen. Fest zog er die Tür ins Schloss und sprach auf der Diele so leise, dass kein Wort in die Küche drang. Erik konnte dem Gesicht seiner Schwiegermutter ablesen, wie sehr sie das bedauerte.

Das Telefonat war kurz. Mamma Carlotta hatte gerade erst die Espressomaschine in Gang gesetzt, als Severin Dogas wieder in der Küche erschien und Erik wortlos das Handy zurückgab. Eine kurze Stille tat sich auf. Sie wäre mit dem Hinweis zu füllen gewesen, warum das Gespräch aus New York keinen Aufschub geduldet hatte, aber Severin Dogas gab ihn nicht. Er setzte sich wieder an den Tisch und sah Erik mit kühlen Augen an. »Wollten wir nicht heute Abend noch in die Pathologie?«

Erik warf seiner Schwiegermutter einen warnenden Blick zu, die bei diesem entsetzlichen Wort, dessen Sinn sie sich gar nicht vorstellen mochte, prompt zu einer ihrer großen Gesten ansetzte, mit der sie tragische Momente begleitete. Dann antwortete er: »Ich habe mit dem Gerichtsmediziner abgemacht, dass wir ihn anrufen, wenn wir so weit sind.«

Dogas nickte, seine Verschlossenheit schien jetzt mit jedem Wort zu wachsen. »Bringen wir's hinter uns.«

»Nach dem Espresso«, erklärte Mamma Carlotta. »So viel Zeit muss sein.«

Wieder nickte Severin Dogas, doch er schien plötzlich Mühe mit seiner Rolle zu haben. Erik vermutete, dass ihm soeben kondoliert worden war und er draußen auf der Diele eine Trauer preisgegeben hatte, gegen die er hier in der Küche ankämpfen wollte. Dies war der erste Augenblick, in dem Erik ein Gefühl des Mitleids für Severin Dogas überkam, der vielleicht genauso tief um seine verstorbene Frau trauerte, wie er selbst es getan hatte. Nur eben ganz anders.

Erik griff noch einmal in die Innentasche seines Jacketts. »Das ist der einzige Hinweis auf eine Verbindung zwischen Magdalena Feddersen und Ihrer Frau«, wiederholte er und legte das Foto auf den Tisch, das Severin Dogas mit seinem Sohn vor der Skyline Manhattans zeigte. »Können Sie sich erklären, warum Magdalena Feddersen es in einer verschlossenen Dokumentenmappe aufbewahrte?«

Er legte den Kopf zur Seite, um Dogas' Perspektive einnehmen zu können. Dabei fiel ihm auf, wie wenig sich der Schauspieler verändert hatte. Mehrere Jahre mussten vergangen sein, aber sein Haar war noch genauso dunkel und voll wie damals, sein Gesicht kaum älter als auf diesem Foto. Erik blickte auf, um nach Veränderungen zu suchen, aber Dogas hatte sich so tief über das Bild gebeugt, dass sein Gesicht nicht zu sehen war. Seine Hände zitterten, Schweiß bildete sich auf seinen Schläfen, sein Atem ging stoßweise.

Mamma Carlotta stellte erschrocken die Espressokanne zurück und setzte sich zu Severin Dogas. Es fehlte nicht viel, und sie hätte nach seiner Hand gegriffen, um sie tröstend zu streicheln. »Ich weiß, wie Sie sich jetzt fühlen«, sagte sie. »Mir ging es heute Nachmittag genauso, als ich das Fotoalbum durchgeblättert habe. Meine verstorbene Tochter auf den Bildern fröhlich lachen zu sehen, tat weh. Schrecklich weh.«

Die Luft war wie Seide, weich und kostbar, wie sie auf Sylt an Sommerabenden werden konnte. Dann legte sich der Wind manchmal mit der Dämmerung schlafen, raute die seidige Luft nicht mehr auf, ließ sie durch die Nacht schweben wie unsichtbare Spinnfäden. Mamma Carlotta zog leise die Tür ins Schloss und atmete tief durch. Köstlich, diese milde Abendluft, die den langen sonnigen Tag zu einem klaren Abschluss brachte! Sie wusste, dass sie diese Luft vermissen würde in den schwülen, heißen Nächten, die sich in Umbrien über die Dörfer stülpten.

Carolin und Felix hatten sich in einen Film mit Severin Dogas vertieft und das Angebot ihrer Großmutter, sie auf einem Spaziergang zu begleiten, abgelehnt. Mamma Carlotta war es recht. Es würde ihr guttun, eine Weile mit ihren Gedanken allein zu sein. Und Carolin würde es guttun, ein paar Stunden nicht an den Roman zu denken, den Gero Fürst schrieb. Carlotta wagte es noch nicht, ihre Enkelin in ihre Gedanken einzuweihen. Es war noch zu früh, vorher musste sie mit jemandem reden. Aber mit wem? Mamma Carlotta brauchte nicht lange zu überlegen. Dafür kam nur einer infrage, der so wenig vertrauenswürdig war, dass sie ihn ohne weiteres ins Vertrauen ziehen konnte. Niemand würde etwas davon erfahren.

Sie entschloss sich, zu Fuß zu gehen, um frei zu sein von Verkehrsregeln und den dazugehörigen Vorsichtsmaßnahmen. Als Mitglied des rollenden Straßenverkehrs war sie gezwungen, in der Gegenwart zu bleiben, als Fußgängerin konnte sie in die Vergangenheit blicken, ohne sich und andere zu gefährden. Sie konnte mit Dino Zwiesprache halten, mit Lucia reden und auch mit Donata Zöllner. Die Enttäuschung, die sie Mamma Carlotta zugefügt hatte, machte allmählich wieder der Trauer um die

Freundin Platz, die Donata Zöllner nicht hatte werden können.

Mit großen Schritten überquerte Carlotta die Westerlandstraße und wanderte das Horsatal entlang. Sie hatte die bequeme Hose mit dem gummierten Bund angezogen, die weichen Turnschuhe und die Strickjacke, die sie in Umbrien nur während der Wintermonate trug, ohne die sie im Sylter Hochsommer aber noch keinen einzigen Tag ausgekommen war.

Als sie auf die Dünenstraße stieß, wandte sie sich nach rechts und ging über den Parkplatz, von dem noch die Hitze aufstieg, die der Asphalt gespeichert hatte. An der Surfschule gelangte sie über die lange Rampe zum Strand, ging zur Wasserkante und sah aufs Meer hinaus, das trotz der Dunkelheit sichtbar geblieben war. Behäbig rollte es sich an diesem Abend auf den Sand, sah beinahe so aus, als wollte es von seinem steten Rhythmus abweichen, in dem sich die Wellen bildeten, anstiegen, zusammenbrachen, ausliefen und zurückströmten. Aber das Meer blieb bei seinem Rhythmus. Gott sei Dank!

An der Seestraße stieg sie die Holztreppe empor, warf einen Blick in Fietjes verwaistes Strandwärterhäuschen und machte sich dann auf den Weg zu Käptens Kajüte. Das Abendgeschäft war gelaufen. Als Mamma Carlotta die Tür aufstieß, fanden sich nur zwei Nachzügler dort, die sich mit Pommes Mayo über den Abend retten wollten.

Toves griesgrämiges Gesicht knüllte sich in einem Lächeln zusammen. »Wein aus Montepulciano?«

Mamma Carlotta nickte und schob sich auf einen Barhocker. »Ist Fietje nicht da?«

Tove schüttelte den Kopf. »Den habe ich rausgeworfen. In Käptens Kajüte bekommt keiner ein Jever, der behauptet, Sie hätten was mit einem Mord zu tun!«

Wenn Tove empört war, konnte man die Geschichte glauben, die jeder längst Seemannsgarn nannte: dass seinerzeit sein Schiff vor Gibraltar gesunken und er sich als Einziger schwimmend an Land gerettet hatte.

Mamma Carlotta bekam nicht mit, dass sich der Rotwein wie eine Sturmflut in ihr Glas ergoss und den Untersetzer überschwemmte. Mit offenem Mund starrte sie Tove an. Erik hätte seine Freude an ihr gehabt, denn sie war tatsächlich für Augenblicke stumm.

»Er hat mir gesteckt, dass er Sie gestern Nacht gesehen hat. In irgendeinem Gebüsch.« Tove betätigte mit solcher Kraft den Mayonnaise-Spender, dass sein neuer Kunde, ein hungriger Lkw-Fahrer, sich nur im letzten Augenblick in Sicherheit bringen konnte. »So was erzählt der nicht noch mal!«

Mamma Carlotta wartete, bis der Lkw-Fahrer wieder weg war, beugte sich dann vor und flüsterte: »Fietje hat recht.«

Aus der Sturmflut wurde im Nu eine Flaute. Toves Gesicht glättete sich, er schluckte hart und ließ seinen kräftigen Adamsapfel tanzen. »Ist das wirklich wahr?«

Carlotta trank einen kräftigen Schluck Rotwein, dann erzählte sie Tove von Donatas Plan, etwas aus dem Haus der ermordeten Magdalena Feddersen zu holen, von der Rolle, die sie dabei gespielt hatte, und von dem Ende, das das Abenteuer genommen hatte. »Ich wollte Fietje nichts verraten und habe mich deshalb von ihm nach Hause bringen lassen.« Sie trank ihr Glas leer und sah Tove verzagt an. »Ob ich den Mord verhindert hätte, wenn ich auf meinem Posten geblieben wäre?«

»Natürlich nicht!«, gab Tove voller Überzeugung zurück. »Ein Mörder spaziert nicht munter durch die Gegend, sodass ihn jeder sehen kann. Der schleicht sich an, Sie hätten ihn sowieso nicht bemerkt.«

»Vielleicht doch. Der Mörder konnte ja nicht damit rechnen, dass ich im Garten im Gebüsch sitze.«

»Am Ende wären Sie auch noch draufgegangen«, knurrte Tove. »Seien Sie froh, dass Sie nicht mehr dort waren, als es ernst wurde. Fietje hat einen gut bei mir. Möglich, dass er Ihnen das Leben gerettet hat.«

Mamma Carlotta orderte einen weiteren Rotwein. Der Aspekt, den Tove ins Spiel gebracht hatte, gefiel ihr. Immer noch litt sie darunter, dass sie Donata im Stich gelassen hatte, und war froh über jedes Indiz, das sie entlastete.

Tove legte seine dicht behaarten Unterarme auf die Theke und kam Mamma Carlotta so nah, dass sie seinen schlechten Atem riechen konnte. Sie konnte ihn nur ertragen, indem sie die Nase ins Rotweinglas steckte.

»Also ein Doppelmörder! Hat Ihr Schwiegersohn schon einen Verdacht?«

Mamma Carlotta schüttelte den Kopf. »Aber ich«, sagte sie dann und berichtete flüsternd von Gero Fürst und Valerie Feddersen. »Meine Lucia war mit ihr befreundet, daher weiß ich, dass ihre Ehe nicht glücklich ist. Aber dass sie als verheiratete Frau ein Verhältnis eingeht – das hätte ich nicht von ihr gedacht!« Von dem Verdacht, dass ihr Schwiegersohn heimlich in Valerie Feddersen verliebt war, verriet sie allerdings nichts. Wenn sie auch gern über ihre Familie redete – über sämtliche Fehlleistungen ihrer Angehörigen pflegte sie zu schweigen. »Wie konnte Lucia sich nur mit einer so unmoralischen Person anfreunden!«

Zu ihrem großen Bedauern musste Tove sich nun um zwei Jugendliche kümmern, die nach »Pommes Schranke« verlangten. Tove schien es ebenso zu bedauern, denn er malte in größter Geschwindigkeit mit Ketchup und Mayonnaise rot-weiße Streifen auf die Pommes frites und wandte sich Mamma Carlotta wieder zu, kaum dass er kassiert hatte. »Vielleicht wird sie von ihrem Mann schlecht behandelt. Dann darf man sich nicht wundern, dass sie sich woanders ein bisschen Liebe holt.«

Carlotta schüttelte den Kopf. »Das ist noch nicht alles.«

Während sie ihren dritten Rotwein trank, erzählte sie Tove von den Vorwürfen, die Gero Fürst seiner Geliebten gemacht hatte. »Grausam hat er sie genannt. Und dass er nichts mehr mit ihr zu tun haben will.« Von den Zeitungen berichtete sie, die sie in der Küche des Schriftstellers gefunden hatte, und von seiner Behauptung, nichts von dem Mord gehört zu haben. »Und dann noch das Romanmanuskript! Da wird ein Mord beschrieben, der dem Mord an Magdalena Feddersen aufs Haar gleicht!«

»Nicht möglich!« Tove wedelte den Wunsch eines Gastes nach mehr Ketchup einfach aus der Tür.

»Carolin hat das Exposé gelesen. Nun wissen wir, wer den schrecklichen Mord begangen hat.« Prompt verfinsterte sich Toves Miene wieder. Wie immer, wenn ihm Fremdwörter vorgesetzt wurden, die er nicht kannte. »Exposé? Was soll das sein?«

Mamma Carlotta war viel zu sehr auf ihre Erzählung konzentriert, als sich daran zu erfreuen, dass sie ihm ein Wort voraus hatte, das zum deutschen Sprachgebrauch gehörte. »Das ist eine Inhaltsangabe«, erklärte sie Tove und berichtete, was sie von Carolin erfahren hatte.

Daraufhin brauchte Tove einen Genever und beschloss kurzerhand, dass der Signora auch einer guttun würde. Die beiden prosteten sich zu, dann meinte Tove nachdenklich: »Sie glauben also, Magdalena Feddersen ist eine Frau, die ein Baby zur Adoption freigegeben hat? Und ihre leibliche Tochter hat sie erschlagen?«

Carlotta nickte. »Ich weiß, dass Valerie in Heimen aufgewachsen ist, das hat mir Lucia erzählt. Sie leidet sehr darunter, keine eigene Familie zu haben. Natürlich wird

sie ihre leibliche Mutter hassen, die sie einfach weggegeben hat.«

»Und Gero Fürst?«, fragte Tove. »Der weiß, was Valerie Feddersen getan hat?«

Mamma Carlotta nickte. »Er verabscheut sie deswegen.
Aber da er sie einmal geliebt hat, wird er sie nicht verraten.«

»Und was ist mit dem zweiten Mord?«, fragte Tove.
»Hat den auch Valerie Feddersen begangen?«

Diese Frage kam Mamma Carlotta ungelegen. Als Tove
sie aussprach, wurde ihr klar, dass sie schon länger in
ihrer Körpermitte rumorte. Wie passte Donata Zöllners
Tod in dieses Bild? Welche Verbindung gab es zwischen
ihr und Valerie?

Mamma Carlotta verzog das Gesicht. »Dummerweise
gibt es da noch ein Problem. Valerie Feddersen hat ein
Alibi. Sie war in der fraglichen Nacht in Niebüll. Das
behauptet sie jedenfalls, und mein Schwiegersohn glaubt
ihr. Ihre Freundin, die sie in Niebüll besucht hat, behauptet es auch. Und da ihr außerdem in dieser Nacht in Niebüll das Auto gestohlen wurde ...«

Mamma Carlotta sprach nicht weiter, denn in diesem Augenblick kam ein Mann herein, den sie kannte. Er
trug einen nagelneuen hellen Sommeranzug, eine grell ge-
streifte Krawatte und ein dunkles Seidenhemd. Die kurzen Haare hatte er mit viel Gel frisiert, so gleichmäßig
und symmetrisch waren sie aufgestellt wie bei einem Kak-
tus. Die linke Hand steckte in der Hosentasche, mit der
rechten Faust schlug er im Vorübergehen herausfordernd
auf jeden der Stehtische.

»Einen Garnelenspieß«, rief er, »und einen Schampus
dazu!«

Tove betrachtete ihn von Kopf bis Fuß. »Ist bei dir der
Reichtum ausgebrochen?«

Kurt Fehring zündete sich eine Zigarette an. »Du sagst es.« Er sah sich nach einem Aschenbecher um und benutzte, als er keinen fand, einen der Blumentöpfe, in denen blaue Veilchen standen, deren künstliche Blüten vom Frittierfett glänzten. »Wahrscheinlich werde ich demnächst bei Gosch am Kliff meine Garnelenspieße essen.«

»Das wirst du wohl müssen. Bei mir stehen sie nämlich nicht auf der Karte. Wie wär's mit einem Fischbrötchen?«

Fehring verzog den Mund. »Die stinken!«

Mamma Carlotta erschrak, als Tove mit einer blitzschnellen Bewegung über die Theke nach Fehrings Kragen griff. »Du spielst hier nicht den dicken Max, Frettchen! Klar? Wenn dir meine Fischbrötchen nicht passen, brauchst du meinen Schampus auch nicht zu trinken.« Er versetzte Fehring einen Stoß, sodass er ein paar Schritte zurücktaumelte. »Und jetzt kannst du dir noch mal überlegen, ob du lieber gleich zu Gosch gehst. Im Übrigen gilt auch in meinem Imbiss das Rauchverbot! Und daran hast du dich zu halten – wie alle anderen! Geraucht wird nur draußen!«

Fehring drückte seine Zigarette aus. »Ist ja schon gut. Du verstehst wohl überhaupt keinen Spaß mehr?«

»Nicht von Leuten, die zu dämlich sind, ein Auto zu klauen«, knurrte Tove.

»Von wegen dämlich!«, trumpfte Fehring auf. »Fass dir an die eigene Nase, Käpten Tove! Oder ist es nicht genauso dämlich, in einer Imbissstube zu stehen, die so gut wie nichts abwirft? Und die ständig vom Gewerbeaufsichtsamt überprüft wird, weil jeder weiß, dass deine Heringe drei Tage alt sind und deine Mayonnaise nie in den Kühlschrank kommt?«

»Warum isst du dann bei mir?«, schnaubte Tove.

»Weil uns so vieles verbindet«, lächelte Kurt Fehring. »Also gut, ich verzichte auf den Garnelenspieß und nehme ein Fischbrötchen. Mit Brathering! Der wird nicht so schnell schlecht wie ein Matjes. Aber beim Schampus bleibe ich.« Er sah Tove mit einem Grinsen bei der Arbeit zu, das Mamma Carlotta ihm gerne aus dem Gesicht gewischt hätte. »Demnächst kannst du übrigens wieder Werbung bei mir drucken lassen.«

Tove sah nicht auf. »Ich habe keine Werbung nötig.«

»Du kriegst einen Sonderpreis.«

Tove ließ dem Hering keine Zeit zum Abtropfen. Der Sud, aus dem er ihn gehoben hatte, durchweichte das Brötchen in Sekundenschnelle. Mamma Carlotta beobachtete, wie er mehrere Servietten ineinanderlegte, die hoffentlich so lange dicht halten würden, bis Fehring mit dem Fischbrötchen dort angekommen war, wo er es verzehren wollte. Vermutlich würde Tove sich sogar freuen, wenn Fehring sich auf dem Weg dorthin den hellen Sommeranzug ruinierte.

»Du schnackst dummes Zeug«, knurrte Tove. »Nur weil es dir gelungen ist, irgendwo einen Anzug zu klauen, glaubst du, du kannst deine Druckerei wieder flottmachen?«

»Kann ich«, nickte Fehring und ließ die Sektflasche, die Tove öffnete, nicht aus den Augen. »Ist der Schampus kalt genug?«

Tove knallte das Sektglas auf die Theke, das in seinem Etablissement zum Glück aus Plastik war. »Trink ihn, oder lass ihn stehen. Aber bezahl ihn!« Er bedachte Fehring mit dem Blick eines Kapitäns, der sich überlegt, ob er den aufmüpfigen Schiffsjungen verprügeln oder gleich über Bord werfen soll. »Herr Druckereibesitzer!«, fügte er spöttisch an. »Und wann soll die Geschäftseröffnung gefeiert werden? Während du im Knast sitzt, weil du dich beim Autoklauen so dämlich angestellt hast?«

»Die paar Wochen sitze ich auf einer Backe ab«, behauptete Fehring und kippte den Sekt in einem Zug hinunter. Dann griff er mit der Linken nach dem Fischbrötchen und legte mit der Rechten einen Zehneuroschein auf die Theke. »Stimmt so.«

Mamma Carlotta blickte ihm nach und beobachtete, wie Fehring sich an einen Stehtisch vor der Tür stellte, die im Sommer nie geschlossen wurde. Sie sah, wie er das Fischbrötchen zum Mund führte, wobei ihm der Heringssud auf die staubigen Schuhe tropfte. Bevor sie entschieden hatte, welches Gefühl hier angebracht war, Schadenfreude oder Anteilnahme, beugte sich Tove erneut über die Theke und tuschelte ihr zu: »Irgendwas stimmt mit dem Frettchen nicht.«

Mamma Carlotta sah ihn erstaunt an. »Was meinen Sie?«

»Der hat ein Ding gedreht.«

»Sie meinen den Autodiebstahl?«

Tove schüttelte den Kopf. »Ich meine ein Ding, was ihm richtig Kohle eingebracht hat.«

Mamma Carlotta streckte ihm wortlos ihr Geneverglas hin, das Tove ebenso wortlos füllte. Geduldig wartete er, bis sie den Gedanken, der sich soeben in ihrem Kopf formierte, in Worte kleiden konnte. So ungeheuerlich war er, dass sie ihn nicht laut aussprach, sondern nur ins Geneverglas flüsterte: »Dieser Autodieb und Valerie Feddersen müssen Komplizen sein.«

Erik konnte nicht schlafen. Das wusste er, noch ehe er sich zu Bett begeben hatte. Er war nicht müde, hatte kein Bedürfnis, sich auszuruhen, den Arbeitstag hinter sich zu lassen und für ein paar Stunden zu vergessen, was lästig, unerfreulich oder mysteriös gewesen war. Er hatte seine Pfeife ausgeklopft und sich frühzeitig zurückgezogen, um nicht mit Mamma Carlotta über Severin Dogas reden zu müssen, um sich nicht anhören zu müssen, was sie von ihm hielt, und um nicht immer wieder die Frage zu erörtern, ob Donata mit ihm glücklich gewesen war. Er würde sich in den nächsten Tagen noch oft genug anhören müssen, dass der Schauspieler gut oder unsympathisch aussah, charmant oder unhöflich, elegant oder schlecht gekleidet war und ausreichend gefühlvoll oder viel zu kühl auf den Tod seiner Frau reagierte. Mamma Carlotta würde noch lange darüber reden müssen, bis die Sensation bewältigt war, für einen leibhaftigen Star das Essen aufgewärmt zu haben.

Als im Gästezimmer wie in den Kinderzimmern Ruhe eingekehrt war, warf Erik sich den Bademantel über und kehrte ins Wohnzimmer zurück. Er öffnete die Terrassentür und trat hinaus. Die Nacht war kühl, und er fror. Trotzdem blieb er eine Weile stehen, bewegte seine nackten Zehen, um die Füße zu wärmen, und wickelte sich enger in seinen Bademantel. Ob Dogas heute Ruhe finden würde? Er selbst war in der Nacht, nachdem Lucia gestorben war, bis zum Morgengrauen an der Wasserkante entlang gelaufen und hatte die Sonne angeschrien, die sich unterstand, den Tag zu wärmen, als wäre nichts geschehen. Die kichernden Jugendlichen, die ihm kurz darauf begegneten, hätte er am liebsten geohrfeigt.

Severin Dogas schien seine Gefühle besser im Griff zu haben. Er hatte auf seine tote Frau hinabgeblickt und sich so schnell abgewandt, dass in Erik die Sorge hochgeschossen war, die Tote könne jemand anders sein als Donata Zöllner. Aber im Hinausgehen hatte Dogas genickt und war dann nicht mehr auf seine Frau zu sprechen gekommen. Jede Frage, zu der Erik ansetzen wollte, hatte er unterbunden und schweigend im Fond des Autos gesessen, bis sie vor dem Hotel Feddersen vorfuhren.

Dann allerdings war Leben in ihn gekommen. Ungläubig hatte er das Gebäude betrachtet. »Hier hat meine Frau gewohnt?«

Erik hatte auf eine Antwort verzichtet, die ohnehin überflüssig gewesen wäre. Stattdessen hatte er gefragt: »Sie können nach wie vor nicht sagen, was es mit dem Foto auf sich hat?«

»Warum sollte meine Antwort jetzt anders lauten als vor zwei Stunden?«, hatte Severin Dogas gereizt erwidert. »Ich war oft in New York – mit meinem Sohn, mit meiner Frau und allein! Ich liebe diese Stadt und möchte mir demnächst dort ein Apartment kaufen. Deswegen auch der Anruf heute Abend aus New York. Der Immobilienmakler, den ich beauftragt habe, wollte mir ein neues Angebot durchgeben.«

Erik hatte genickt. »Aber Sie haben verständlicherweise zurzeit kein Interesse an so etwas.«

Darauf hatte Severin Dogas nicht mehr geantwortet. Er hatte das Hotel Feddersen ins Auge gefasst und war darauf zugegangen, als hätte er für die Schritte zum Eingang Mut sammeln müssen. Direkt vor der Tür war er stehen geblieben. »Sehen Sie nach, was mich da drinnen erwartet.«

Erik musste lächeln, als er an die Staatsanwältin dachte. Sie war aufgesprungen, als Severin Dogas das Hotel betrat, und auf ihn zugelaufen, als wollte sie ihn um ein Autogramm bitten. Einen Augenblick lang war Erik tatsächlich in der Sorge gewesen, sie würde es tun. Aber dann hatte sie dem Star doch nur lange und ausgiebig die Hand geschüttelt und ihm mehrmals versichert, welch eine große Bewunderin seiner Kunst sie war.

Und während Dogas vergeblich nach einem Aufzug Ausschau gehalten und die Staatsanwältin ihn zur Treppe dirigiert hatte, sicherte sie ihm ein ums andere Mal zu, dass die Aufklärung des schrecklichen Verbrechens in aller

Diskretion vonstatten gehen würde und das Maß seiner Belästigung auf ein Minimum reduziert werden könne. Da sie Erik nicht zur Kenntnis nahm, fühlte er sich nicht genötigt, der Staatsanwältin und dem Star zu folgen. Er war sicher gewesen, dass Frau Dr. Speck es vorzog, mit Dogas allein zu sein.

Erik drehte sich um und ging ins Wohnzimmer zurück. Sein Handy lag auf dem Tisch. Er griff danach und wog es in den Händen. Dann rief er entschlossen die Liste der eingegangenen Anrufe auf, wählte den aus New York und drückte den grünen Knopf seines Handys. Lange lauschte er auf das schwache Tuten, dann sprang am anderen Ende der Anrufbeantworter an. Erik hatte Mühe, die Stimme zu verstehen, die sehr schnell und undeutlich sprach. Aber nachdem er es ein zweites und drittes Mal versucht hatte, war er sicher, dass sich das Büro eines gewissen Reginald Warden gemeldet hatte, in dem zurzeit niemand erreichbar war.

Erik rückte seine grünen Kissen zurecht, dann ließ er sich auf dem Sofa nieder. Morgen würde jede Zeitung vom Mord an Donata Zöllner berichten, viele auf der Titelseite und mit einem großen Foto, das Severin Dogas und seine über alles geliebte Frau zeigte, die auf so grausame Weise von seiner Seite gerissen worden war. Erik schüttelte sich.

Vor ihm auf dem Tisch lag ein Fotoalbum, in dem vermutlich seine Schwiegermutter geblättert hatte. Erik griff danach und legte es sich auf den Schoß. Auf der aufgeschlagenen Seite klebten zwei Fotos mit Lucia und ihren Freundinnen Valerie und Angela. Wie unbeschwert die drei in die Kamera lachten! Erik blätterte zurück und sagte sich bei jeder Seite, die er aufschlug, dass er besser aufhören sollte. Er wusste, dass ihn die Erinnerungen nicht trösten konnten. Sie taten weh, legten sich wie Blei auf sein Herz, brannten in seinen Augen. Aber trotzdem blätterte er weiter, als könnte er nicht anders.

Ein Wochenende in Venedig – wie glücklich waren sie gewesen! Der letzte Urlaub in Umbrien! Hätte er geahnt, dass Lucia nie wieder in ihre Heimat zurückkehren würde, hätte er sich nicht so oft darüber beklagt, dass es in ihrem Elternhaus so laut zuging und kein Tag verstrich, ohne dass für irgendwelchen Besuch Kuchen gebacken wurde. Und dann 1997 die unvergesslichen Tage in New York! Lucia war noch nie in den USA gewesen und hatte sich wie ein Kind gefreut, als sie die Freiheitsstatue aus der Nähe sehen konnte.

Erik hörte auf zu blättern, atmete tief durch und betrachtete das Bild, das ein japanischer Tourist von Lucia und ihm gemacht hatte. Es war aus einer ähnlichen Perspektive aufgenommen worden wie das Foto, das die Spurensicherung in Magdalena Feddersens Haus gefunden hatte.

Plötzlich war Erik, als führe ein eiskalter Wind durchs Haus. Er beugte sich tiefer über das Foto und starrte es an, sehr lange, sehr ausgiebig. Die Gedanken jagten durch seinen Kopf, er strich sich den Schnauzer glatt, immer wieder, dann endlich konnte er den Blick von dem Foto lösen.

Lange starrte er das Fenster an, in dem sich sein fassungsloses Gesicht spiegelte – dann sprang er so plötzlich auf, dass das Fotoalbum von seinem Schoß fiel. Er hob es auf, warf es auf den Tisch zurück und lief in die Diele, wo sein Jackett auf einem Garderobenhaken hing.

Das Inselblatt lockte am nächsten Morgen sogar mit einer Sonderausgabe, die am Nachmittag erscheinen sollte: *Noch ein Mord auf Sylt! Derselbe Tatort! Derselbe Täter?*

Mamma Carlotta las begierig die ersten Sätze, dann warf sie die Zeitung zur Seite und zerknüllte sie dabei mit voller Absicht, sodass Severin Dogas' lachendes Gesicht eine hässliche Falte erhielt. Eine Frechheit, wie diese Schmierenjournalisten mit ihrem Schwiegersohn umgingen! Der Chefredakteur höchstpersönlich hatte sich erdreistet, der Polizei Unfähigkeit vorzuwerfen, weil sie den ersten Mord noch nicht aufgeklärt und den zweiten nicht verhindert hatte.

Zornig setzte sie die Espressomaschine in Gang, steckte das Brot in den Toaster und stellte die Pfanne auf den Herd. Während das Olivenöl heiß wurde, stand Mamma Carlotta an den Herd gelehnt da, die Arme vor der Brust gekreuzt, und starrte böse die Zeitung an, die es nicht verdient hatte, gelesen zu werden. Andererseits ... dieser Menno Koopmann würde niemals erfahren, dass Mamma Carlotta sich geweigert hatte, das Ergebnis seiner Schreiberei zur Kenntnis zu nehmen. Somit hatte es auch keinen Sinn, das Pamphlet zu ignorieren.

Mamma Carlotta schlug die Eier in die Pfanne, griff erneut nach der Zeitung und las weiter: »In der Nachbarschaft scheint sich niemand zu wundern, dass im Haus von Magdalena Feddersen schreckliche Dinge geschehen sind. Viele haben es kommen sehen. Eine vermögende Frau, die allein lebt und keine ausreichenden Vorkehrungen trifft, ihr Haus, ihren Besitz und sich selbst zu schützen, zieht Gewalttäter ja geradezu an ...«

Eine Viertelstunde später kratzte Mamma Carlotta das angebrannte Rührei aus der Pfanne, während Sören am Küchentisch saß und vorlas: »Seit Wochen schon ging es im Hause Feddersen merkwürdig zu. Die reiche Inselbewohnerin fand immer wieder Einbruchsspuren, sie vermisste Gegenstände, fühlte sich bedroht und ihres Lebens nicht mehr sicher. Warum hat die Polizei ihr nicht geholfen? Hätte sie frühzeitig eingegriffen, wäre vermutlich auch der zweite Mord verhindert worden, der einen prominenten Schauspieler zum Witwer machte.« Sören pochte aufgebracht auf das Zeitungsblatt. »Das ist auf Frau Berhennes Mist gewachsen, wetten? Was hat die dem Koopmann bloß für Märchen erzählt?«

»Fragen Sie sich lieber, was der Koopmann aus dem gemacht hat, was Frau Berhenne ihm erzählt hat«, entgegnete Erik und betrachtete sehnsüchtig die Pfanne, die allmählich wieder einen Zustand annahm, in dem die nächsten Rühreier ihre Pracht entfalten konnten. »Wir kennen doch den allseits geschätzten Chefredakteur des Inselblattes.«

Mamma Carlotta ließ den Blick nicht von der Pfanne, als sie fragte: »Das mit den Einbrüchen stimmt also gar nicht? Hat sich diese Frau Berhenne das nur ausgedacht?«

Carolin hatte sich, blass wie immer, in die Küche gedrückt, und setzte sich an den Tisch. »Was für Einbrüche?«

Obwohl Erik seiner Schwiegermutter einen warnenden Blick zuwarf, setzte Mamma Carlotta ihre Enkelin ausführlich von dem in Kenntnis, was das Inselblatt an diesem Morgen verbreitet hatte. Da sie gleichzeitig das dampfende Rührei auf die Teller verteilte, brachte Erik die Bitte, die Kinder mit Einzelheiten zu verschonen, nur halbherzig vor.

»Sie können lesen«, gab Mamma Carlotta zurück, »sie würden es sowieso erfahren. Außerdem ist es gut, wenn sie wissen, was passieren kann, wenn man die Tür nicht gut abschließt.«

Carolin legte die Hände über den Teller. »Ich will kein Rührei. Ich habe keinen Appetit.«

Mamma Carlotta rollte mit den Augen, als habe Carolin mit Hungerstreik gedroht, und häufte Felix, der ge-

188

rade in die Küche kam, die doppelte Menge Rührei auf den Teller.

Erik sah seine Kinder erstaunt an. »Warum seid ihr schon so früh auf? Ihr habt doch keine Schule!«

Carolin antwortete nicht, vielleicht, weil sie ihrem Vater Gelegenheit geben wollte, sich ohne fremde Hilfe daran zu erinnern, dass sie einen Job bei Gero Fürst angenommen hatte.

Felix' Reaktion war weniger gnädig. »Vielleicht denkst du mal daran, dass wir am Sonntag ein wichtiges Fußballspiel haben? Die Grauen Husumer sind eine starke Mannschaft.«

»Die Sylter Lümmel etwa nicht?«, fragte Erik.

»Wir sind sogar noch besser«, gab Felix großspurig zurück. »Aber Mathis sagt, wir sollten jede freie Minute nutzen, um zu trainieren. Sicher ist sicher.«

Mamma Carlotta sah ihren Enkel entrüstet an. »Du bist ein Sylter Lümmel? Das ist mir aber gar nicht recht.«

»Nonna, das ist anders, als du denkst. Die Sylter Lümmel sind keine ungezogenen Jungs, sondern leckere Würste.«

»Mit Sylter Solesalz«, ergänzte Erik. »Sehr lecker.«

Mamma Carlotta war verwirrt. »Ihr seid eine Mannschaft von Würstchen?«

Felix verdrehte die Augen. »Wir haben uns so genannt, weil uns das Sponsoren gebracht hat! Das kapiert doch wohl jeder.«

Mamma Carlotta kapierte es nur mit Mühe, aber sie zog es vor zu schweigen, da sie von ihrer Sorge um Carolin in Anspruch genommen wurde. Die griff nach der Zeitung und legte sie auf den Teller, damit niemand auf die Idee kommen konnte, ihr etwas aufzutun, was sie nicht essen wollte. Als Mamma Carlotta beobachtete, dass die

Hände ihrer Enkelin zitterten, wurde sie immer unruhiger. »Carolina, du musst etwas essen.«

Aber Carolin antwortete nicht und sah auch nicht auf.

»Wir müssen los«, sagte Erik zu seinem Assistenten, kaum dass dessen Teller leer war. »Wir fahren ins Hotel Feddersen.« Er legte Sören sein Handy hin. »Hier finden Sie die New Yorker Telefonnummer, von der Dogas gestern Abend angerufen wurde. Sie gehört einem gewissen Reginald Warden. Auf dem Weg zum Hotel können Sie herausfinden, ob er wirklich Immobilienmakler ist. Sie sprechen besser Englisch als ich.«

»Mein Englisch ist eine Katastrophe, das wissen Sie genau«, gab Sören zurück und warf Erik einen Blick zu, als hätte er eine Strafarbeit aufbekommen. »Außerdem ist in New York noch tiefste Nacht. Sechs Stunden Zeitverschiebung!«

Erik runzelte die Stirn. »Dann rufen Sie eben in sechs Stunden dort an.«

Sörens Hoffnung, an einer Demonstration seiner Englischkenntnisse vorbeizukommen, fiel in sich zusammen. »Was sollen wir überhaupt schon so früh im Hotel Feddersen?«

»Mit Dogas reden«, antwortete Erik und stand auf.

»Wetten, dass er noch schläft?«

»Dann werden wir ihn wecken.«

Sören starrte seinen Chef an. »Um acht Uhr morgens?«

Erik nickte. »Und die Staatsanwältin auch.«

»Dogas hat gerade einen schweren Schicksalsschlag erlitten. Und mit der Staatsanwältin haben Sie sowieso schon genug Ärger, auch ohne sie aus dem Schlaf zu holen.«

»Ich erzähle Ihnen alles auf dem Weg zum Hotel.«

Mamma Carlotta fing einen Blick auf, der sie verletzt hätte, wenn sie nicht vollauf damit beschäftigt gewesen wäre, Carolins Aufmerksamkeit auf ein Stück Toast mit Honig zu lenken. Dass das Kind etwas in den Magen bekam, war wichtiger als die im Prinzip ärgerliche Tatsache, dass Erik ihr augenscheinlich etwas verschweigen wollte.

»Ich hoffe, Sie haben einen guten Grund«, seufzte Sören und folgte Erik zur Tür.

»Einen sehr guten Grund«, betonte Erik. »Da es ja noch keinen Sinn hat, mit New York zu telefonieren, können Sie unsere Münchner Kollegen anrufen. Sie sollen sich darauf einstellen, das Haus von Severin Dogas zu durchsuchen. Vor allem das Büro seiner Frau.«

»Weiß die Staatsanwältin das schon?«, wollte Sören wissen.

»Sie wird es gleich erfahren. Und Sie können sicher sein: sie wird den Durchsuchungsbeschluss unterschreiben, ohne mit der Wimper zu zucken.«

Kaum waren Erik und Sören aus dem Haus, nahm Felix seinen Teller und trug ihn ins Wohnzimmer, um sein Frühstück vor dem Fernseher zu beenden. Sein Vater duldete nicht, dass er schon am Morgen angestellt wurde, und seine Großmutter hätte es auch nicht zugelassen – aber in diesem besonderen Fall war sie froh, ein paar Augenblicke mit Carolin allein zu sein, um die sie sich allmählich große Sorgen machte. Noch immer starrte das Kind in die Zeitung, war blasser als je zuvor, reagierte nicht darauf, dass ihre Großmutter ihr Haargummi löste, und strich nicht einmal die Haarsträhne zurück, die ihr anmutig in die Stirn fiel.

»Papa hat ein Foto aus dem Album gerissen!«, schrie Felix empört. »Wenn ich das mache, gibt's jedes Mal Stress!«

Aber aus der Küche kam keine Reaktion. Mamma Carlotta rückte ihren Stuhl näher an Carolin heran und griff nach ihrer Hand. »Was ist los, Carolina? Dich bedrückt etwas, das sehe ich doch.«

Sie hatte mit Carolins Widerstand gerechnet, damit, dass sie mit den Schultern zucken und behaupten würde, es sei nichts. Aber Carolin nickte tatsächlich, ohne zu zögern, und sagte: »Das ist alles so unheimlich.«

»Was denn, um Himmels willen?« Mamma Carlotta nahm die Zeitung von Carolins Teller, damit ihre Enkelin endlich den Blick hob und sie ansah. In Carolins Augen stand so viel Fassungslosigkeit, dass Mamma Carlotta das kalte Grauen überlief. »Madonna! Was ist geschehen?«

Carolin konnte nur flüstern: »Diese Einbrüche! Auch die hat Gero Fürst in seinem Roman beschrieben. Die leibliche Tochter ist, bevor sie ihre Mutter umbrachte, häufig in ihr Haus eingestiegen, um sie besser kennenzulernen. Sie hat ihr alltägliche Gegenstände weggenommen, hat den Wein ausgetrunken, den ihre Mutter eingeschenkt hatte, hat das Brot gestohlen, von dem ihre Mutter gegessen hatte, die Wurst oder ein Stück Käse. Und sie hat das Buch gelesen, in dem ihre Mutter geblättert hatte. Sie wollte sich mit ihrer Mutter auseinandersetzen, aber nicht Gefahr laufen, sie zu mögen, sie am Ende sogar zu lieben. So hat Gero Fürst es beschrieben. Sie wollte nur etwas wissen von der Frau, die sie geboren hat, und ihren Hass auf sie stärken. So lange, bis er so groß war, dass sie sich rächen konnte.«

»Und dann hat sie die Mutter erschlagen«, flüsterte Mamma Carlotta.

Sören klappte sein Handy zusammen. »Die Münchner Kollegen warten natürlich auf den Durchsuchungsbeschluss. Aber sie bereiten schon mal alles vor.«

Erik nickte schweigend. Als sie am Dorfteich entlangfuhren, drosselte er die Geschwindigkeit. Vielleicht, weil er sich vor dem fürchtete, was im Hotel Feddersen auf ihn wartete, vielleicht, weil der Friedhof in Sicht kam, vielleicht auch nur, weil die ersten Stunden des Tages in der Hochsaison besonders kostbar waren. Wenn die Feriengäste erst die Straßen bevölkerten und in Blechlawinen zu den Dünen rollten, dann hatte Sylt viel von dem verloren, was die meisten Touristen leider nicht auf der Insel suchten.

Mathis stand an der Rezeption und sah ihnen entgegen, als gehörten sie zum Berufsstand der Gerichtsvollzieher. Aus einem angrenzenden Raum drang Kaffeeduft, Geschirrgeklapper und das Lachen und Plaudern der Hotelgäste. Offenbar hatte Mathis derzeit wenigstens einige Zimmer vermietet.

»Alles klar bei dir?«, fragte Erik leise. »Oder hast du Ärger mit der Presse?«

»Jetzt nicht mehr, aber ich musste sehr deutlich werden«, gab Mathis zurück. »Anscheinend haben die Reporter nun endlich begriffen, dass ich Donata Zöllners Zimmer nicht öffnen und zum Fotografieren freigeben werde.«

Erik nickte zufrieden. »Hast du überhaupt noch Zeit, die Sylter Lümmel zu trainieren?«

Mathis sah auf die Uhr. »Ich hoffe, dass ich pünktlich auf den Fußballplatz komme. Die Jungs wollen unbedingt gegen die Husumer gewinnen. Denen kann ich nicht mit meinen Problemen kommen.«

Noch einmal lächelte Erik, diesmal sollte sein Lächeln Dankbarkeit und Anerkennung ausdrücken. »Ich muss Herrn Dogas sprechen«, sagte er dann. »Und die Staatsanwältin auch. Aber Dogas hat sein Handy abgestellt ...«

»Weil er noch schläft«, warf Mathis ein.

»... und die Handynummer von Frau Dr. Speck habe

ich nicht. Die gibt sie nur den Mitarbeitern ihres Vertrauens. Wenn du so nett sein könntest, die beiden zu wecken?«

Mathis sah ihn an, als hätte Erik von ihm verlangt, sich für einen Nahkampf zu rüsten. »Bist du verrückt?«, stieß er hervor. »Frau Dr. Speck – okay! Die ist im Dienst und sollte um acht eigentlich bei der Arbeit sein. Aber Dogas? Nein! Der hat mich schon gestern Abend zur Schnecke gemacht, weil er nicht in das versiegelte Zimmer seiner Frau kam.«

»Was wollte er dort?«

»Eine Gedenkminute einlegen, hat er gesagt, seiner Frau noch einmal ganz nahe sein.«

Erik beugte sich an Sörens Ohr. »Oder alles Verräterische verschwinden lassen«, flüsterte er. Laut sagte er zu Mathis: »Schick Fatlum hoch, wenn du es selbst nicht tun willst. Oder eins der Zimmermädchen. Aber schärf ihnen ein, dass sie sich nicht abwimmeln lassen sollen.« Da der Zweifel noch immer nicht aus Mathis' Gesicht verschwinden wollte, ergänzte er: »Ich übernehme die Verantwortung.«

»Also gut!« Mathis seufzte, dann richtete er sich auf, als wollte er allen Mut sammeln, zu dem er fähig war. »Ich erledige das natürlich selbst.«

Erik sah ihm nach, wie er steifbeinig die Treppe hochstieg. Er war noch nicht oben angekommen, als der kleine Ole ihm entgegensprang. Mathis blieb stehen, drückte ihn kurz an sich, aber seine zärtliche Geste wurde von keinem Lächeln begleitet. Trotzdem lag so viel Zuwendung darin, dass Erik wegsehen musste. Er sah immer weg, wenn es etwas gab, was Mathis Feddersen sympathisch machte.

»Bist du fertig fürs Training?«, fragte Mathis. »Wir müssen gleich los.«

»Meine Tasche ist gepackt«, gab Ole fröhlich zurück und sprang die letzten drei Treppenstufen mit einem einzigen Satz herunter.

Sören schien plötzlich den Mut zu verlieren. »Glauben Sie wirklich, dass er es war?«, fragte er seinen Chef leise. »Was ist, wenn wir uns nur eine Menge Ärger einhandeln?«

»Er hat ein Motiv«, gab Erik zurück, aber auch seine Miene verriet, wie nervös er war. »Es sei denn, er kann uns die Sache mit dem Foto erklären.«

»Wenn er das kann, haben wir ein Problem!«

Die Staatsanwältin hatte am vergangenen Abend Überstunden gemacht und sich noch lange dem Star gewidmet. Aber zum Glück war sie dennoch der Ansicht, dass sie gegen acht Uhr dem Leiter der Ermittlungen zur Verfügung stehen musste, wenn er glaubhaft versicherte, dass die Angelegenheit von höchster Brisanz sei. Was natürlich nicht bedeutete, dass sie Erik und seinen Assistenten freundlich oder auch nur gnädig empfing.

Frau Dr. Speck war in Eriks Alter, einen Kopf kleiner als er und etliche Kilo leichter. Aber es war unverkennbar, dass sie ihre schlanke Linie nur mit großer Mühe und viel Disziplin hielt. Ein Monat Unachtsamkeit, Frustessen oder orientalische Küche – und die Staatsanwältin würde das sein, was die Natur für sie vorgesehen hatte: eine pummelige, gelockte Blondine. Das, was sie augenscheinlich unter allen Umständen zu vermeiden suchte. Sie glättete ihre Haare jeden Morgen mit einem Glätteisen, ließ das Pausbäckige unter dunklem Puderrouge verschwinden und trug die Kleidung erfolgreicher Business-Frauen, dunkle Kostüme, die ihre Figur streckten, und Hosenanzüge, die ihre Beine optisch verlängerten. Und bei jeder Gelegenheit betonte sie, dass Ehe und Familie nicht für sie infrage kämen, bestenfalls eine unverbindliche Lebensgemeinschaft.

Ob sie die mittlerweile eingegangen war, ob die Gerüchte über eine Affäre mit einem verheirateten Kommunalpolitiker der Wahrheit entsprachen, das alles wusste Erik nicht zu sagen. Er interessierte sich nicht für das Privatleben der Menschen, mit denen er beruflich zu tun hatte, und empfand Unwohlsein, als er mit dem der Staatsanwältin konfrontiert wurde.

Sören dagegen ließ neugierig den Blick über das ungemachte Bett wandern, aus dem der Zipfel eines dunkelroten Pyjamas heraussah, über den Dan-Brown-Schmöker, der auf dem Nachttisch lag, die Kostümjacke, die an einem Haken hing, das umfangreiche Lippenstiftsortiment, das auf der Fensterbank aufgebaut worden war, und die »Gala«, die keiner der beiden im Hotelzimmer der Staatsanwältin vermutet hatte.

»Haben Sie den Brieföffner gefunden?«, fragte sie. »Oder den hölzernen Engel? Das hätten Sie mir ruhig in zwei Stunden erzählen können.«

Erik schüttelte den Kopf. Er brauchte eine Weile, bis er sich an ihr ungeschminktes Gesicht, an die ungeordneten Locken und die nackten Füße gewöhnt hatte. Ihr ungehaltener Blick war ihm zur Genüge bekannt, an ihm hielt er sich fest, als er der Staatsanwältin erklärte, welche Entdeckung er gemacht hatte. Konsequent sah er ihr in die zornigen Augen, während er ihr die beiden Fotos vorlegte. Auch dann noch, als aus dem Zorn endlich Überraschung und dann tiefe Betroffenheit wurde. Sie schob das Foto, das am Tatort gefunden worden war, auf der Tischplatte hin und her und wagte es schließlich, das Bild aus Eriks privatem Fotoalbum zum direkten Vergleich daneben zu legen.

Erik hatte das Gefühl, Frau Dr. Speck die Sache noch

einmal erklären zu müssen. »Meine Frau und ich waren 1997 in New York, damals stand das World Trade Center noch. Und als Manuel Zöllner 1999 im Montblanc-Tunnel ums Leben kam, stand es auch noch. Aber auf diesem Foto ...« Er pochte auf das Bild, das Severin Dogas mit seinem Sohn zeigte. »... sieht man es nicht mehr. Es muss also nach dem 11. September 2001 aufgenommen worden sein.« Er wartete, bis die Staatsanwältin endlich aufblickte und in ihrem Gesicht die Anerkennung zu lesen war, auf die er gewartet hatte. »Ich brauche einen richterlichen Durchsuchungsbeschluss«, sagte er leise. »Und voraussichtlich einen internationalen Haftbefehl.«

Ihr Weg führte nicht zwangsläufig an Käptens Kajüte vorbei, aber es würde ihr auch niemand vorwerfen können, einen Umweg gemacht zu haben, um bei Tove einen Cappuccino zu trinken. Mamma Carlotta stieg vom Fahrrad und klopfte an die verschlossenen Fensterläden von der Imbissstube. Aber niemand öffnete. Vermutlich war Tove noch im Großmarkt. Schade! Mamma Carlotta hätte sich vor ihrer Mission gerne Zuspruch von ihm geholt.

Sie stieg wieder aufs Rad und fuhr mit leisen, aber unüberhörbaren Missfallensäußerungen an einer Frau vorbei, die ihr Alter und ihre Figur hatte, jedoch mit deutlich weniger Kleidung auskam. »Scandoloso!«, brummte Mamma Carlotta. Wenn der Frau die Spaghettiträger gerissen und die Brüste auf den Hosenbund gefallen wären – Mamma Carlotta hätte ihr nicht beigestanden, sondern ihr etwas von gerechter Strafe erzählt.

Sie bog in den Risgap ein und fuhr ihn auf und ab, um sich Mut zu machen. Würde Frau Berhenne ihr glauben? Würde sie bereit sein, die Neugier einer Fremden zu befriedigen? War es nicht besser, Erik zu informieren? Musste er nicht eigentlich erfahren, dass Gero Fürst in seinem Manuskript einen Mord beschrieb, der wirklich geschehen war? Und bewies die Beschreibung weiterer Einzelheiten nicht, dass Gero Fürst mehr wusste über den Mord an Magdalena Feddersen? Mehr sogar als Erik! Und der hätte natürlich auch längst erfahren müssen, dass Gero Fürst Valerie für schuldig hielt, für grausam, egoistisch und verantwortungslos und dass er fand, sie müsse bestraft, verhaftet und eingesperrt werden.

Mamma Carlotta stieg ab und sah sich um. Nein, sie wollte Erik nicht gestehen, dass sie den Streit zwischen Valerie und Gero Fürst belauscht hatte. Neugierig würde er sie schimpfen, indiskret und taktlos. Auch Carolin war der Ansicht gewesen, man solle ihren Vater lieber nicht mit unbewiesenen Behauptungen verunsichern. Sie fand es richtig, erst mal zu recherchieren, ob die Ähnlichkeiten wirklich so gravierend waren, wie es den Anschein hatte. Und da Mamma Carlotta sehr beeindruckt vom Wort »recherchieren« war, hatte sie sich darauf eingelassen.

Außerdem durfte Carolin ihr Wissen ja nicht preisgeben. Sie hatte eine Vereinbarung unterschrieben, die ihr untersagte, über den Inhalt des Manuskripts zu sprechen. Und sie würde in Teufels Küche kommen, wenn ausgerechnet dieses Manuskript die Grundlage für die Aufklärung eines Mordes war. Nein, Carolin hatte recht. Sie musste schweigen. Und Mamma Carlotta hatte ihrer Enkelin in die Hand versprochen, ebenfalls kein Wort verlauten zu lassen.

Hinter der Tür blieb es lange still, nachdem sie geklingelt hatte, dann waren schlurfende Schritte zu hören. Als die Tür sich öffnete, wusste Mamma Carlotta sofort, dass sie ihresgleichen vor sich hatte. Eine Frau, die sich dankbar auf jedes Gespräch einließ und am Ende froh sein musste, wenn ihr Gesprächspartner nicht alles, was er erfahren hatte, mit der Goldwaage wog. Mit zuckersüßem Lächeln brachte Mamma Carlotta die Lügen vor, die sie mit Carolin einstudiert hatte. Dass sie ein Apartment in Morsum gemietet habe, in dem sie sich nicht wohlfühle, und nach einer Möglichkeit suche, ihre restlichen Ferien in einem angenehmeren Ambiente zu verbringen. Von mehreren Westerländern sei ihr das Haus Berhenne in Wenningstedt empfohlen worden. »Nirgendwo soll es gemütlicher sein als bei Ihnen.«

Frau Berhenne glaubte ihr jedes Wort, vernahm mit Staunen, dass sie eine Italienerin vor sich hatte, und fühlte sich allein dadurch hoch geehrt. Ihr Ehemann, der auf See geblieben war, hatte ihr gelegentlich von Neapel erzählt, wo er oft an Land gegangen war, von den schönen Frauen, dem angenehmen Klima und dem süffigen Wein. Dass Mamma Carlotta noch nie in Neapel gewesen war, spielte keine Rolle. Für Frau Berhenne zählte das Prinzip. Sie bedauerte lebhaft, dass leider zurzeit kein Apartment in ihrem Hause frei war, was Mamma Carlotta erleichtert zur Kenntnis nahm, deren letzte Sorge es gewesen war, dass Frau Berhenne ihr freudig ein soeben durch Krankheit frei gewordenes Apartment anbieten konnte.

Dann wurde sie aufgefordert, sich das Haus Berhenne anzusehen, für den Fall, dass sie sich bei anderer Gelegenheit in das Heer der Stammgäste einreihen wolle. Damit war der zweite Schritt getan. Mamma Carlotta wurde ins Haus gelassen und konnte hoffen, das Gespräch mit Frau Berhenne dorthin zu lenken, wo sie es haben wollte. Tatsächlich war es nicht schwer, die Sprache auf die schrecklichen Mordfälle im Nachbarhaus zu bringen.

Frau Berhennes Seufzen war mittlerweile gut eingeübt. »So eine Tragödie! Und jetzt noch eine Tote! In Magdalenas Haus! Dass es die Frau eines Prominenten ist, habe ich ja erst erfahren, als es im Risgap plötzlich nur so wimmelte von Reportern.«

Mamma Carlotta sinnierte daraufhin über die bedenkliche Moral der Journalisten im Allgemeinen und deren verhängnisvolle Neigung, die Wahrheit mit ein paar Übertreibungen interessanter zu machen.

Frau Berhennes Seufzen wollte kein Ende nehmen. »Sie sagen es! Nun ist die ganze Nachbarschaft beunruhigt wegen der Einbrüche, von denen das Inselblatt geschrieben hat. Dabei habe ich ausdrücklich gesagt, dass Magdalena zwar behauptet hat, bei ihr wäre eingebrochen worden, dass ich es aber nicht geglaubt habe. Magdalena wurde tüdelig und wollte es nicht wahrhaben – so habe ich es gesagt. Aber das war dem Inselblatt wohl nicht spektakulär genug.«

Nun war die Besichtigung des Hauses zwar beendet, aber Mamma Carlotta bekam, worauf sie gehofft hatte: das Angebot, bei einem Gläschen die reizende Unterhaltung zu Ende zu führen. Worauf sie nicht gehofft hatte, war das rote Getränk, das Frau Berhenne in Schnapsgläschen goss und das Mamma Carlotta mit größtem Argwohn erfüllte.

»Aufgesetzter!«, erklärte Frau Berhenne. »Selber gemacht! So was gibt's bei Ihnen in Italien nicht.«

Da hatte sie zweifellos recht. Mamma Carlotta probierte zögernd und war dann angenehm überrascht. So angenehm, dass sie sich einen zweiten einschenken ließ, weil man ja auf einem Bein nicht stehen konnte.

»Warum sollte ein Dieb«, fragte Frau Berhenne, »bei Nacht in ein Haus einsteigen, um eine angebrochene Flasche Wein zu stehlen? Oder ein Stück Wurst oder Käse?«

Mamma Carlotta schüttelte sich, wie sie es bei Frau Berhenne gesehen hatte, dann stellte sie das Schnapsglas zurück. »Das hat Ihnen Frau Feddersen erzählt?«

Frau Berhenne nickte. »So ein Quatsch, habe ich zu ihr gesagt. Aber sie blieb dabei. Auch als ein paar ihrer Brüsseler Pralinen verschwanden, hat sie behauptet, sie wären gestohlen worden.«

Carlotta starrte sie an, während sich die Gedanken in ihrem Kopf drehten. Brüsseler Pralinen! Sie spürte noch den samtigen, weichen Geschmack auf der Zunge, die herbe Süße, die milde Bitterkeit. Wo hatte sie kürzlich eine Brüsseler Praline gekostet?

»Sogar ihr teures Parfüm war angeblich gestohlen worden!«, fuhr Frau Berhenne fort. »Bevor Magdalena nach Westerland zum Kurkonzert fuhr, hatte sie es angeblich benutzt. Ebenso wie ihren Terracotta-Puder. Als sie zurückkam, war beides nicht mehr da.«

Mamma Carlotta wehrte sich nicht, als Frau Berhenne behauptete, aller guten Dinge seien drei, und ihr Glas erneut füllte. »Wissen Sie, was es für ein Parfüm war?«, erkundigte sie sich und hoffte, dass Frau Berhenne sich nicht über diese Frage wunderte.

»Ich weiß nur, dass es von Nina Ricci war. Unsereins kann sich so was ja nicht leisten.«

Carlotta kippte den dritten Aufgesetzten mit einer schnellen Bewegung hinunter, wie Frau Berhenne es getan hatte, die darin anscheinend Übung hatte. Dann war sie froh, dass es für den vierten keinen passenden Spruch mehr gab. Schwankend erhob sie sich, bedankte sich und versicherte, dass ihr nächster Urlaub sie ins Haus Berhenne führen würde. Das schlechte Gewissen, das bei ihr anklopfte, verwies sie an den Aufgesetzten.

Sie beschloss, vernünftig zu sein und ihr Fahrrad zu schieben, bis in das Durcheinander in ihrem Kopf, das die Aufgesetzten verursacht hatten, wieder Ordnung gekommen war. Warum hatte Valerie die Gegenstände, die sie Magdalena Feddersen gestohlen hatte, zu Gero Fürst getragen? Auf dessen Regalbrett hatte Mamma Carlotta schließlich die Pralinen, das Parfüm und den Puder gefunden. Im Haus des Schriftstellers waren vermutlich auch die Wurst, der Käse und der Wein gelandet. Verzehrt von einem ahnungslosen Literaten, der nicht wissen konnte, dass er gestohlenes Gut zu sich nahm.

Versuchsweise kreuzte sie das linke Bein über das rechte, setzte den linken Fuß aufs linke Pedal, stieß sich mit dem rechten Fuß ab und unternahm das Wagnis, ihn über den Fahrradrahmen auf das rechte Pedal zu setzen und sich selbst auf den Sattel – aber die Angelegenheit erwies sich schnell als viel zu riskant. Besser war es, mit beiden Beinen auf der Erde zu bleiben und das Fahrrad zu schieben. Sie war sogar froh, dass sie den Fahrradlenker hatte, an dem sie sich festhalten konnte. So ließ es sich besser nachdenken.

So dauerte es nicht lange, bis ihr klar wurde, warum Valerie die Gegenstände, die sie ihrer leiblichen Mutter gestohlen hatte, nicht nach Hause getragen hatte. Weil Mathis Feddersen alles kannte, was sich im Haus seiner Tante befand, und Valerie auf die Schliche gekommen wäre. Blieb nur noch die Antwort auf die Frage, warum auch Donata Zöllner Valerie zum Opfer gefallen war.

Erik war sicher, dass Severin Dogas deswegen seinen Kopf so tief über das Foto neigte, damit niemand an seiner Miene ablesen konnte, was ihn bewegte. Wie erwartet war der Star äußerst ungehalten gewesen, als Mathis Feddersen, flankiert von den beiden Polizeibeamten und der Staatsanwältin, so lange an seine Tür geklopft hatten, bis endlich seine Stimme nach draußen gedrungen war: »Verdammt noch mal! Was ist da los?«

Frau Dr. Speck, deren Verehrung für den Star noch nicht überwunden war, flötete durchs Schlüsselloch, dass sich zu ihrem allergrößten Bedauern ein paar Fragen ergeben hätten, deren Beantwortung keinen Aufschub duldeten.

»Wenden Sie sich an meinen Manager«, kam es wütend zurück.

Die Staatsanwältin beugte sich so weit zum Schlüsselloch herab, dass Erik den Wunsch verspürte, sie von der Unwürdigkeit ihrer devoten Haltung zu erlösen. »Ihr Manager ist noch nicht auf Sylt«, rief sie so leise wie möglich und so laut wie nötig durchs Schlüsselloch.

Sören beobachtete sorgenvoll die Türen der Nachbarzimmer, sah Mathis Feddersen fragend an und flüsterte dann: »Wenn sich diese Diskussion noch lange hinzieht, kann von Geheimhaltung keine Rede mehr sein.«

Das war der Moment, in dem es Erik zu viel wurde. Mit einer herrischen Bewegung schob er die Staatsanwältin zur Seite, die viel zu verblüfft war, um dagegen zu protestieren, und trommelte mit der Faust gegen die Tür. »Aufmachen! Polizei!«

Prompt erschienen am Ende des Ganges zwei erschrockene Gesichter, und eine Stimme fragte im schönsten Schwäbisch nach, was denn in diesem Haus für ein »Hudelespack« wohne, dass man mit der Polizei die Räumung des Zimmers veranlassen müsse.

Mathis Feddersen lief zu ihnen, drängte sie Richtung Treppe und redete besänftigend auf sie ein, während die Staatsanwältin nach Luft schnappte und Sören damit zu tun hatte, seine Kinnlade nach oben zu bewegen.

Erik wartete höchstens drei oder vier Sekunden, dann wiederholte er: »Aufmachen! Polizei! Wenn Sie nicht sofort öffnen, treten wir die Tür ein. Wir geben Ihnen zehn Sekunden.«

Severin Dogas brauchte nicht einmal drei. Er riss die Tür auf, hob die Hand, als wolle er sich Erik entgegenstellen, machte einen Schritt auf ihn zu, ließ sich dann aber erstaunlich bereitwillig von den beiden Polizisten zurückdrängen. Die Staatsanwältin schloss eilig die Tür und

stellte sich mit ausgebreiteten Armen davor. Ob sie Dogas'
Flucht oder das Eindringen unbefugter Personen vereiteln
wollte, wusste nur sie selbst.

Severin Dogas trug noch die Kleidung des Vortags,
seine Augen waren gerötet, die Haare zerrauft. Neben dem
Bett stand eine halbleere Whiskyflasche. Anscheinend
hatte er sich am Abend zuvor angekleidet aufs Bett geworfen, sich betrunken und war dann eingeschlafen. Erik
war sich noch nicht sicher, wie er seinen Zustand werten
sollte: als Verzweiflung des Täters oder des Witwers.

»Was bilden Sie sich eigentlich ein?«, begann Dogas.

»Die Angelegenheit duldet keinen Aufschub«, sagte
Erik kurz und bündig, während die Staatsanwältin dem
Star versicherte, dass der Hauptkommissar bedauerlicher-
weise recht daran täte, den gramgebeugten Witwer zu so
früher Stunde zu belästigen, dass es ihm aber dennoch
sehr, sehr leid täte und alle drei untröstlich seien.

Erik warf ihr einen ungeduldigen Blick zu. Begriff sie
denn immer noch nicht, dass aus dem umjubelten Film-
preisträger ein Tatverdächtiger geworden war …?

Nun also hockte Severin Dogas über dem Foto. Das
Schweigen stand wie Eiseskälte in dem Hotelzimmer mit
den zerkratzten Möbeln, dem abgetretenen Läufer, der
angeschlagenen gläsernen Lampe und dem Bett mit der
violetten Biberbettwäsche. Da endlich konnte Severin
Dogas die Kälte nicht mehr ertragen und hob den Kopf.
»Ja, es stimmt«, sagte er. »Mein Sohn lebt.«

Erik löste sich von dem Bettpfosten, an dem er gelehnt
hatte, und ließ sich auf der Bettkante nieder, Sören hockte
sich auf die Fensterbank, die Staatsanwältin nahm Severin Dogas gegenüber an dem wackligen kleinen Tisch
Platz.

»Erzählen Sie«, bat sie mit leiser Stimme.

Severin Dogas holte tief Luft und fuhr sich durch die

Haare. Erik erfasste Unruhe, als er sich aufrecht hinsetzte, als baute er seine Stütze auf, als er das Gesicht seinem Publikum zuwandte und so konzentriert aussah, als legte er sich seinen Text zurecht. Was für eine Vorstellung würden sie zu sehen bekommen?

Sie begann mit einem Prolog. Den Blick ins Nirgendwo gerichtet, das Gesicht von Schwermut gezeichnet und mit einer Stimme, in der das Schuldbewusstsein schwankte, ein sanftes Timbre aber um Verständnis warb, ließ Severin Dogas verlauten, wie leid es ihm tue, die Öffentlichkeit hintergangen zu haben, dass er aber eigentlich schuldlos daran sei, denn er habe ja selbst erst Monate nach dem Unglück im Montblanc-Tunnel die Wahrheit erfahren. Dass er dann nichts getan habe, um sie ans Licht zu tragen, könne man ihm vorwerfen, selbstverständlich, aber dürfe man wirklich einen Vater verachten, der es nicht über sich gebracht habe, den Sohn zu verraten?

Die Staatsanwältin hatte bereits wieder diesen Blick aufgesetzt, der vermuten ließ, dass sie auf eine tollkühne Fehlentscheidung zusteuerte, die sie den Kopf kosten konnte. Da auch Sörens Gesicht eine feierliche Miene trug, sah Erik sich genötigt, die Fahnen der Zweifler hochzuhalten. Mit harschen Worten, damit Dogas' Sicherheit sich nicht an den Augen der beiden anderen entflammte, bat er um Beginn des ersten Aktes. »Genug der Einleitung! Was ist genau passiert?«

Die schauspielerische Leistung war wirklich beachtlich. In Severin Dogas' Mundwinkeln hing ein kleines, tapferes Lächeln, als er begann, von seinem Sohn zu erzählen, von der Liebe, mit der er großgezogen worden war, von den Hoffnungen, die seine Eltern in ihn gesetzt hatten, von der Enttäuschung, als ihre Erwartungen nicht erfüllt wurden. »Meine arme Donata! Wie hat sie sich um den Jungen gesorgt! Manuel war leider sehr unstet. Wir waren so froh, als er sich mit einem jungen Immobilienmakler anfreundete und Spaß an dessen Arbeit fand. Und wie glücklich waren wir, als dieser Freund ihm die Teilhaberschaft anbot. Das hat mich viel Geld gekostet, aber was tut man nicht alles, damit ein Kind seinen Platz im Leben findet?«

Er legte eine Pause ein und sah so aus, als erwartete er den einen oder anderen Seufzer der Ergriffenheit. Da die Staatsanwältin drauf und dran war, seine Erwartung zu erfüllen, warf Erik schnell ein: »Ich gehe davon aus, dass der Freund weniger an der Mitarbeit als vielmehr an dem Geld interessiert war, das Ihr Sohn in die Firma einbrachte?«

»Und an den Verbindungen, die er durch mich bekam«, setzte Severin Dogas mit einem traurigen Lächeln hinzu.

»Was dann passierte, wissen wir.« Erik sah Dogas so lange eindringlich an, bis er wissen musste, dass ein altgedienter Kriminalhauptkommissar sich kein X für ein U vormachen ließ. »Ihr Sohn und sein Kompagnon betrogen eine Reihe Prominenter um sehr viel Geld. In den Zeitungen war sogar von mehreren Millionen die Rede.«

»Übertreibungen«, behauptete Severin Dogas. »In der Presse wird ja immer alles aufgebauscht.«

Erik hörte darüber hinweg. Ihm lag daran, die Befragung so lange wie möglich allein durchzuführen. Wer konnte schon sagen, wann Frau Dr. Speck sich von ihrer Betroffenheit erholt haben und sich einmischen würde?

»Irgendwann jedenfalls wurde es Ihrem Sohn und seinem Freund zu heiß. Die beiden zogen es vor, alles stehen und liegen zu lassen und zu flüchten.«

Severin Dogas senkte den Blick und nickte. »Unterwegs bekamen die beiden Streit. Manuel nahm seinen Koffer und stieg aus. Er wollte mit dem Zug weiterfahren.«

»Sein Glück«, meldete sich Sören zu Wort. »Das hat ihm das Leben gerettet.«

Nun mischte sich auch die Staatsanwältin ein. »Dann hörte er von dem Unglück im Montblanc-Tunnel und rechnete sich aus, dass er so aus seinem alten Leben verschwinden könnte, nicht wahr?«

Erik nickte. »Niemand würde nach ihm suchen, von der Fahndungsliste der Polizei wurde er natürlich gestrichen. Keine Verhaftung, keine Strafe, keine Wiedergutmachung! Er ging nach New York und arbeitet dort seitdem als Immobilienmakler. Unter dem Namen Reginald Warden.«

Severin Dogas sah auf. »Wir haben nichts davon gewusst. Wir hatten geglaubt, Manuel wolle in Urlaub fahren.«

»Sicher?« Eriks Augen verengten sich. »War es nicht eher so, dass Sie Ihrem Sohn zur Flucht geraten haben? Weil Sie mit drinsteckten in seinen Betrügereien? Ich habe in den Akten geblättert, Herr Dogas. Der Verdacht gegen Sie hat sich lange gehalten.«

»Aber nicht lange genug!«, gab Dogas zurück. »Wenn Sie so genau Bescheid wissen, dann haben Sie sicherlich auch herausbekommen, dass ich niemals angeklagt und verurteilt wurde.«

»Stimmt«, gab Erik ruhig zurück. »Aber das lag vor allem daran, dass Ihr Sohn vor seiner Flucht alles vernichtet hatte, was Ihnen zur Last gelegt werden konnte. Und da er für eine Vernehmung nicht mehr zur Verfügung stand, weil man ihn für tot hielt, verlief die Sache im Sande. Sie haben einfach Glück gehabt.«

Erik erhob sich von der Bettkante und baute sich vor dem Schauspieler auf, dem es sichtlich unangenehm war, zu ihm aufsehen zu müssen.

»Aber dann war Ihnen das Glück plötzlich nicht mehr

hold«, sagte Erik. »Magdalena Feddersen war eine reise-
lustige Frau. Ihre Nachbarin, Frau Berhenne, hat uns erzählt, dass sie vor gar nicht langer Zeit in New York war.
Bei dieser Gelegenheit muss Frau Feddersen Sie gesehen
haben. Sie und Ihren Sohn. Bestimmt hätte sie sich nichts
weiter dabei gedacht, wäre da nicht die Erinnerung an
Donata Obermann aus Karlsruhe gewesen. Zwar hatten
die beiden sich nach der Ferienfreizeit in ihrer Jugend nie
wieder gesehen, aber Magdalena hat natürlich das Leben
ihrer alten Freundin in den Medien verfolgt: dass Donata
die Frau eines bekannten Schauspielers war und einen
Sohn bekam, der später tödlich verunglückte. Und dann?
Dann machte sie eine Reise nach New York und sah Sie
mit eben diesem Sohn! Ein paar Jahre älter, wohl auch
verändert – aber Magdalena Feddersen war sich ziemlich
sicher, dass es Manuel war. Vielleicht hat sie sich die Telefonnummer Ihrer Frau besorgt, sie angerufen und ihr erzählt, dass sie da einen Verdacht habe. Donata solle nach
Sylt kommen und selbst entscheiden, ob die Person auf
dem Foto ihr verstorbener Sohn sei oder nicht.«

Erik unterbrach sich und sah Dogas an, der es jedoch
vorzog, sich von ihm abzuwenden und die Wand anzu-
starren.

»Man muss sich das mal vorstellen«, fuhr Erik fort.
»Ihre Frau durfte plötzlich hoffen, dass ihr Sohn noch
lebt. Andererseits musste sie fürchten, dass sie von Mann
und Sohn schwer betrogen worden war. Wie mochte es
in ihr ausgesehen haben, als sie nach Sylt reiste?« Erik erinnerte sich, dass Donata Zöllner auf der Fahrt durchs
Watt kein Auge für die Schönheiten der Natur gehabt
hatte. Nun konnte er sie verstehen und ihr verzeihen. »Sie
muss unter größter Anspannung gestanden haben, und
dann, kurz bevor sie die Wahrheit erfuhr, wurde Magdalena Feddersen ermordet. Ist es da ein Wunder, dass

sie alles tat, um doch noch an das Beweisstück zu kommen?«

Plötzlich kam Leben in die Staatsanwältin, die bis zu diesem Augenblick erstaunlich ruhig gewesen war. Sie nahm den Blick nicht von dem Star, während sie Erik fragte: »Und warum hat sie sich nicht einfach an Sie gewandt, Herr Wolf?«

»Weil sie befürchten musste, dass Magdalena Feddersen von ihrem Mann umgebracht worden war. Oder ... von ihrem Sohn.«

Dogas sprang auf. »So ein Gedanke wäre meiner Frau nie gekommen. Niemals!«

Erik erhob sich ebenfalls und machte einen Schritt auf ihn zu und sah ihn aus zusammengekniffenen Augen an. »Wo waren Sie in der Nacht von Dienstag auf Mittwoch? Und wo haben Sie sich in der Nacht von Donnerstag auf Freitag aufgehalten?«

Severin Dogas stand vor Verblüffung der Mund offen. »Ich brauche ein Alibi?«

Erik machte die befremdliche Feststellung, dass die Staatsanwältin augenscheinlich immer noch daran festhielt, dass ein genialer Schauspieler wie Severin Dogas unmöglich ein Gewalttäter sein konnte. »Herr Wolf!«, rief sie aus. »Sie können doch Herrn Dogas nicht ...«

Aber Erik unterbrach sie mit einer solchen Sicherheit, dass sie nicht darauf bestand, ihre Empörung zu einem wirkungsvollen Ende zu führen. »Ich sehe das so, Frau Staatsanwältin: Herr Dogas war – trotz der Trauer um seinen Sohn – heilfroh, dass gegen ihn selbst nicht mehr ermittelt wurde. Seine Karriere bekam zwar einen schweren Knick, aber die Vorwürfe, die gegen ihn erhoben wurden, gerieten bald in Vergessenheit. Es wurden ihm nach einer Weile auch wieder gute Rollen angeboten, die Öffentlichkeit redete nur noch von dem armen Vater, der seinen einzigen Sohn verloren hatte. Es muss ein großartiger Moment für ihn gewesen sein, als Manuel ihn anrief und ihm mitteilte, dass er noch lebte.« Erik blickte Dogas freundlich an. »Das war es doch, oder?«

»Ich dachte, ich kriege einen Herzinfarkt«, brummte Dogas.

»Warum hat Ihr Sohn sich so lange Zeit gelassen?«

»Weil er Angst hatte, dass seine Mutter nicht mitspielen würde«, kam es prompt zurück. »Donata war ein rechtschaffener Mensch. Sie hätte nicht zugelassen, dass Manuel nicht für das geradesteht, was er angerichtet hat. Sie hätte nicht in der Öffentlichkeit um ihren toten Sohn trauern können, während der in New York ein neues Leben führt, von dem niemand etwas weiß.«

»Woher haben Sie von dem Foto gewusst?«, fragte Erik. »Hat Magdalena Feddersen zunächst Sie angerufen? Sind Sie von ihr erpresst worden?«

»Ich habe nichts davon gewusst!«, brüllte Severin Dogas so plötzlich los, dass alle zusammenzuckten.

»Natürlich haben Sie es gewusst«, beharrte Erik. »Und Ihr Sohn ebenfalls. Wer von Ihnen beiden hat Magdalena Feddersen auf dem Gewissen?«

Severin Dogas machte Anstalten, sich auf Erik zu stürzen. »Wagen Sie nicht, diese Frage noch einmal zu stellen!«

»War es Ihr Sohn? Wir werden natürlich die Flugpläne nach einem gewissen Reginald Warden durchsuchen lassen. Andererseits – wer einmal seine Identität gewechselt hat, kommt sicherlich auch ein zweites Mal an falsche Papiere.«

Die Staatsanwältin sprang auf, als wollte sie einen drohenden Zweikampf verhindern. Auch Sören stieß sich von der Fensterbank ab und ließ erkennen, dass er seinen Chef mit bloßen Fäusten verteidigen würde, wenn es nötig sein sollte.

Erik blieb als Einziger ganz ruhig und wich keinen Zentimeter zurück. »Also – wo waren Sie zur Tatzeit?«

Dogas' Zorn fiel in sich zusammen wie ein Luftballon, der einer Nadel zu nahe gekommen war. »In Köln«, brummte er. »Dreharbeiten!«

»Gibt es Zeugen?«, fragte Erik.

Dogas antwortete nicht. Er starrte auf die Tischplatte, auf die seine Fingerspitzen ein bizarres Muster malten.

»Und in der Nacht, in der Ihre Frau ermordet wurde?«, fragte Erik weiter.

Nun blickte Dogas auf und starrte ihn an. »Sie glauben, ich könnte auch meine Frau umgebracht haben?«

Erik zuckte betont gleichmütig die Schultern. »Was blieb Ihnen anderes übrig, wenn Sie verhindern wollten, dass Sie doch noch wegen Betruges belangt werden? Und wenn Sie verhindern wollten, dass das schöne Lügengebäude, in dem sich Ihr Sohn eingerichtet hat, zusammenbricht?« Er betrachtete Dogas, der immer noch mit offenem Mund dasaß. »Wir werden natürlich auch Ihren Sohn befragen. Es wird noch heute ein internationaler Haftbefehl rausgehen. Außerdem werden wir natürlich Ihr Haus in München durchsuchen lassen. Frau Dr. Speck wird heute noch den richterlichen Durchsuchungsbeschluss beantragen, damit die Münchner Kollegen anfangen können.«

In Käptens Kajüte hatte jeder Gast den Kopf in den Nacken gelegt, denn der Fernseher war platzsparend über dem Grill an der Wand befestigt worden. Auf dem Bildschirm erschien soeben die Staatsanwältin und versicherte der Öffentlichkeit, dass alles getan würde, um die beiden Mordfälle auf Sylt so schnell wie möglich zur Aufklärung zu bringen.

Tove war der Einzige, der den Blick vom Bildschirm

nahm, als Mamma Carlotta eintrat. Wortlos griff er zur Rotweinflasche, doch sie winkte ab. »Bloß kein Alkohol! Ich brauche einen Espresso. Am besten einen doppelten!«

Was Tove ihr vorsetzte, war mindestens ein dreifacher. Carlottas Blick gewann prompt an Klarheit, ihre Bewegungen wurden sicherer. Während die Staatsanwältin behauptete, man habe in beiden Mordfällen bereits eine heiße Spur, berichtete Mamma Carlotta leise von ihrem Gespräch mit Frau Berhenne. Und sie war zufrieden, als Tove zum selben Schluss kam wie sie.

»Es muss alles so gewesen sein, wie dieser Schriftsteller es beschrieben hat.« Er lehnte sich über die Theke, sein Hemd stand offen, und Mamma Carlotta konnte sehen, wie der Schweiß an seinem Hals herunterlief und im Brusthaar versickerte. »So einer sagt alles, was er mitzuteilen hat, durch seine Romane. Am Ende wird er dann seine Geliebte doch verraten haben.«

»Aber wann?«, fragte Mamma Carlotta flüsternd. »Das Buch wird erst in einem Jahr erscheinen, sagt Carolina. Bis dahin ist der Mord an Magdalena Feddersen fast vergessen. Und ob überhaupt jemand versteht, dass der Roman die Wahrheit weitertragen will, muss man auch erst abwarten.«

Die Staatsanwältin drückte ihr Bedauern darüber aus, dass zur Stunde noch nicht völlig klar sei, warum die Frau des bekannten und beliebten Schauspielers Severin Dogas ins versiegelte Haus des ersten Mordopfers eingedrungen sei. Es gebe zwar Vermutungen, doch sei es derzeit noch zu früh, sie auszusprechen. Vor allem wolle man die Ermittlungen nicht gefährden.

»Sie müssen Ihrem Schwiegersohn sagen, was Sie wissen«, raunte Tove über die Theke. »Anscheinend hat er keine Ahnung, dass Valerie Feddersen mit Frettchen gemeinsame Sache macht.«

Aber Mamma Carlotta winkte ab, ohne lange zu überlegen. »Völlig unmöglich! Ich habe Carolina versprochen, nichts zu verraten. Und außerdem …« Sie steckte die Nase in die Tasse, in die Tove soeben ein zweites Mal einen dreifachen Espresso gegossen hatte, und zögerte.

»Und außerdem darf er nicht wissen, dass Sie im zweiten Mordfall Schmiere gestanden haben«, ergänzte Tove.

Die Tür öffnete sich, und Fietje betrat den Imbiss. Er würdigte Carlotta keines Blickes, setzte sich ans andere Ende der Theke und winkte ein Jever herbei. Auf der Mattscheibe lobte die Staatsanwältin gerade die Arbeit der Polizei, vor allem die des leitenden Ermittlers Wolf, was Carlotta von Fietjes abweisendem Verhalten ablenkte. Strahlend sah sie jedem einzelnen Gast ins Gesicht und hoffte, dass wenigstens einer darunter war, der ihre verwandtschaftlichen Beziehungen zum Hauptkommissar kannte. Aber sie wurde enttäuscht. Nicht einer gratulierte ihr zu ihrem Schwiegersohn.

Die Staatsanwältin forderte die Öffentlichkeit und vor allem die Presse auf, die Polizei ungehindert ihre Arbeit tun zu lassen, sie zu unterstützen, wo es nötig sei, und geduldig die Ergebnisse der Ermittlungen abzuwarten. Mamma Carlotta rutschte von ihrem Hocker, nahm ihre Kaffeetasse und stellte sie neben Fietjes Bierglas. »Warum reden Sie eigentlich nicht mehr mit mir?«

Der Strandwärter ließ den Blick nicht vom Fernseher. »Sie haben das silberne Rechteck nicht wieder an Ihrem Armband befestigt.«

Mamma Carlotta ließ ihr Bettelarmband klimpern. »Es gehört nicht mir, ich habe mich geirrt. Mir scheint, es gehört an das Armband meiner … meiner Bekannten.«

»Der zweiten Toten.«

Immer noch sah Fietje auf den Bildschirm, aber Mamma Carlotta war sicher, dass er nichts von dem aufnahm, was die Staatsanwältin sagte. Sie forschte in seinem Gesicht, von dem unter seinem struppigen Bart nicht viel zu sehen war, und wünschte sich, dass seine hellen, klaren Augen sich endlich auf sie richten würden. »Denken Sie wirklich, dass ich mit diesem Mord etwas zu tun habe, Fietje?«, fragte sie leise. Fietje starrte schweigend in das Gesicht der Staatsanwältin, die es gerade ablehnte, den Aufenthaltsort Severin Dogas' bekannt zu geben, und die Journalisten eindringlich bat, dem schmerzbewegten Witwer seine Ruhe zu lassen.

»Oder reden Sie nicht mit mir, weil ich Ihnen nicht die Wahrheit gesagt habe?«

Fietje gab immer noch keinen Mucks von sich, aber Mamma Carlotta sah, dass seine gekränkte Miene sich allmählich auflöste und er nur auf ein gutes Argument wartete, um ihr verzeihen zu können, ohne seinen Stolz zu verraten. Als er sich ein weiteres Jever bestellt hatte, sagte er schließlich: »Also gut. Wenn Sie versprochen hatten, nichts zu verraten, dann mussten Sie sich wohl daran halten.«

Mamma Carlotta nickte feierlich. »Eigentlich gilt so ein Versprechen zwar über den Tod hinaus, aber jetzt weiß sowieso alle Welt, dass die Frau von Severin Dogas nachts in das Haus von Magdalena Feddersen eingestiegen ist.«

»Nur dass Sie dabei Schmiere gestanden haben, das weiß niemand«, ergänzte Fietje.

Mamma Carlotta sah ihn ängstlich an. »Sie werden doch nicht darüber reden?«

Fietje winkte ab. »Wo denken Sie hin!«

»Allora, Fietje ...« Mamma Carlotta rückte ein Stück näher an den Strandwärter heran, ohne auf Toves ärgerlichen Blick zu achten. »Haben Sie in der Nacht irgendwas beobachtet? Sie haben mich in dem Gebüsch gefunden. Da könnte es doch sein, dass Sie auch etwas anderes gesehen haben.«

Fietje erinnerte Tove an das Jever, das er noch nicht erhalten hatte, und schimpfte ihn einen Schwindler, als er zu hören bekam, dass die sieben Minuten, die ein Pils brauchte, noch nicht vorüber seien. »Immer wenn du lieber in die Glotze guckst, statt zu arbeiten, braucht ein Pils plötzlich sieben Minuten!«

Fietjes Blick richtete sich wieder auf Carlottas Bettelarmband, ihre letzte Frage schien er nicht gehört zu haben. »Finden Sie nicht, dass Sie dem Witwer das silberne Rechteck zurückgeben sollten? Sie könnten es tun, ohne Verdacht zu erregen. Schließlich waren Sie mit seiner toten Frau befreundet.«

»Gut bekannt«, korrigierte Mamma Carlotta, »mehr nicht.«

Nun sah Fietje ihr zum ersten Mal in die Augen. Er ließ den Blick nicht einmal von ihrem Gesicht, während er den Schaum von seinem Pils abtrank. In seinem Blick lag eine Aufforderung, die Mamma Carlotta nicht verstand, die aber so dringlich war, dass sie befürchtete, es könnte die Freundschaft zu Fietje erneut gefährden, wenn sie jetzt eine falsche Frage stellte.

»Also, ich würd's tun«, bekräftigte Fietje und nahm wieder die Haltung ein, in der er sich am wohlsten fühlte: die Arme auf der Theke, den Kopf über sein Bier geneigt.

Im Fernsehen dankte die Staatsanwältin gerade für die Aufmerksamkeit, und Mamma Carlotta fiel ein, dass sie Gero Fürst für heute Antipasti versprochen hatte. »Madonna! Wo habe ich bloß meine Gedanken? Ich bin ja noch nicht mal dazu gekommen, Gemüse einzukaufen!«

»Dann bringen Sie ihm die Antipasti eben nicht heute, sondern morgen«, schlug Tove vor.

»Aber ich muss doch auch ein Auge auf Carolina haben!« Mamma Carlotta rang verzweifelt die Hände.

»Bei Feinkost Meyer gibt's Antipasti«, brummte Tove, »die sind total in Ordnung. Wenn ich die in meinem Imbiss verkauft habe, hat's noch nie Beschwerden gegeben.«

Erik und Sören verließen die Polizeistation durch den hinteren Ausgang. Erik fluchte, als er sah, dass sein Wagen in der prallen Sonne stand. »Lassen Sie uns erst mal lüften!«, meinte er und öffnete die Fahrertür. Ein Schwall abgestandener, heißer Luft kam ihm entgegen.

Sören öffnete die Beifahrertür, legte die Arme aufs Autodach und das Kinn auf seine gekreuzten Hände. »In den Fluglisten sind die Namen Manuel Zöllner und Reginald Warden nicht gefunden worden.«

Erik lehnte sich gegen die geöffnete Fahrertür. »Das besagt gar nichts. Manuel Zöllner hat sich einmal falsche Papiere besorgt, das wird ihm auch ein zweites Mal gelingen.«

»Aber warum? Er konnte sich doch als Reginald Warden ganz sicher fühlen.«

»Jemand, der so lebt, ist nie ganz sorglos. Und einer, der einen Mord plant, wird auf Nummer sicher gehen wollen.«

»Manuel Zöllner wird vermutlich schon am Montag einen Flug von New York nach Hamburg genommen haben«, überlegte Sören. »Wie lange ist man auf dieser Strecke unterwegs?«

»Er musste zwischenlanden«, gab Erik zurück. »In München oder Frankfurt. Neun Stunden etwa wird er gebraucht haben.«

»Und dann nach Sylt! Entweder Montag Abend oder im Lauf des Dienstags. Das Risiko war beachtlich. Ob er keine Angst hatte, dass ihn jemand erkennt? Jemand von früher?«

»Er gilt als tot. Es sind Jahre vergangen. Er ist älter geworden.«

»Aber Magdalena Feddersen hat ihn erkannt.«

»Er wird zusätzlich sein Äußeres verändert haben. Perücke, Brille, Bart.«

»Stimmt.« Sören beugte sich ins Wageninnere. »Ich glaube, wir können.«

Sie stiegen ein, stöhnten gemeinsam gegen die Hitze an und kurbelten die Fensterscheiben herunter, um den Fahrtwind hineinzulassen. Erst nach längerem Warten gelang es Erik, sich in die Fahrzeugschlange einzugliedern, die über den Kirchenweg kroch. »Bin ich froh, wenn die Hauptsaison vorbei ist!«

»Er muss in einem Hotel abgestiegen sein«, überlegte Sören weiter. »Unter falschem Namen natürlich. Daher hat es wenig Sinn, dass wir die Hotels überprüfen.«

»Vielleicht ist er auch mit einem Privatflugzeug auf Sylt gelandet und gleich nach dem Mord wieder gestartet.«

Sören zuckt die Schultern. »Dann müsste der Pilot sein Mitwisser sein. Der hätte doch sonst gleich gewusst, was los ist, wenn er später von dem Mord hört.«

»Wir sollten das trotzdem überprüfen.«

»Habe ich schon«, gab Sören zurück. »Die Piloten der Privatflugzeuge müssen die Namen ihrer Passagiere angeben. Ein Manuel Zöllner oder ein Reginald Warden waren nicht dabei.«

Sie schwiegen eine Weile, während sie die Hitze der Stadt hinter sich ließen. Endlich wurde der Fahrtwind frischer. Er wurde kühl und salzig, er kam vom Meer.

»Glauben Sie, dass Magdalena Feddersen sich zunächst an Severin Dogas gewandt hat?«, fragte Sören, während sie die Norderstraße Richtung Wenningstedt fuhren.

»Könnte sein. Womöglich hat sie ihm gedroht, die Sache auffliegen zu lassen, seiner Frau die Wahrheit zu sagen. Vielleicht hat sie ihn sogar erpresst. Geld verdirbt den Charakter. Sie hatte zwar inzwischen genug davon, wollte aber vielleicht noch mehr.«

»Und Dogas waren die Hände gebunden, er konnte sich nicht wehren. Erstens steckte er in Dreharbeiten, zweitens ist es für einen Mann mit einem so bekannten Gesicht verdammt schwierig, heimlich eine Reise zu unternehmen.«

»Er ruft natürlich seinen Sohn in New York an und erzählt ihm, dass Gefahr im Verzug ist.«

»Und der sagt: Kein Problem, ich regle das. Ich bin offiziell tot. Wenn das Foto verschwunden ist und die Feddersen nicht mehr reden kann, sind wir aus dem Schneider.«

Erik nickte. »Doch er hat sich überschätzt. Er bringt Magdalena Feddersen um, damit er danach in Ruhe nach dem Foto suchen kann. Aber er ist nach dem Mord mit den Nerven am Ende und haut ab, ohne das Foto mitzunehmen.«

»Oder er wurde gestört.«

»Auch möglich. Verdammt, was ist denn da vorne los?«

Vor einer Bäckerei hatte es einen Auffahrunfall gegeben. Eine vollschlanke Mittvierzigerin in verschwitzten Shorts quälte sich aus ihrem Mercedes. Alles an ihr war in Bewegung, ihre Schenkel, ihre Oberarme, die Brüste, ihr Doppelkinn, während sie auf den Fahrer des Wagens einschimpfte, der ihr die Stoßstange und den rechten Kotflügel zerbeult hatte.

Erik lehnte sich zurück und betrachtete die Unfallgegner, ohne sie zu sehen. »Vielleicht hat Zöllner das Foto auf die Schnelle nicht gefunden. Aber er war vermutlich nicht sehr besorgt. Er hat sich gesagt, dass niemand dem Foto Bedeutung beimessen wird, der es findet. Ohne Magdalena Feddersens Aussage stellte es keine Gefahr dar.«

»Er konnte ja nicht ahnen, dass das Foto verrät, wann es gemacht worden ist.« Sören beugte den Kopf aus dem Fenster. »Können die nicht endlich die Straße frei machen?«

Erik zeigte auf einen Mann, der aus seinem Wagen sprang, mit Badehose, Sandalen und Sonnenbrille bekleidet, und sich daran machte, den beiden Kontrahenten die Meinung zu sagen. »Der verliert gerade die Nerven. Gleich wird's weitergehen.«

Sören lehnte sich zurück und schloss die Augen. »Was wird Manuel Zöllner gemacht haben, nachdem er Magdalena Feddersen umgebracht hat? Ins nächste Flugzeug und ab nach New York?«

»Jedenfalls runter von Sylt! Aber am nächsten Morgen hört er von seinem Vater, dass seine Mutter auf der Insel angekommen ist. Die hätte ihn auf jeden Fall erkannt, auch in der besten Verkleidung. Wenn er noch auf Sylt war, wird er spätestens dann die Flucht ergriffen haben.«

»Oder auch nicht, denn ihm muss ja schlagartig klar geworden sein, was Donatas Besuch zu bedeuten hatte.«

Erik legte den ersten Gang ein, die Fahrzeugschlange setzte sich in Bewegung. »Richtig, dafür gab es nur eine Erklärung: Magdalena Feddersen hatte vor ihrem Tod noch Donata angerufen und ihr von dem Foto erzählt.«

»Manuel hatte keine andere Wahl. Nun musste er doch das Foto finden und es beseitigen.«

»Er steigt noch einmal in das Haus ein und stößt dort auf seine Mutter.« Erik schüttelte den Kopf. »Was mag das für ein Wiedersehen gewesen sein?«

»Nicht auszudenken.« Sören machte einen langen Hals, während sie an den beiden Autos vorbeifuhren, deren Besitzer sich noch immer beschimpften. »Wahrscheinlich hat sie ihrem Sohn klipp und klar gesagt, dass mit ihrer Unterstützung nicht zu rechnen ist.«

»Und damit war ihr Schicksal besiegelt«, schloss Erik. »Er nahm den hölzernen Engel und schlug damit auf seine Mutter ein. Nicht einmal, sondern mehrmals, wie Dr. Hillmot sagt. So lange, bis sie sich nicht mehr rührte.« Er schüttelte sich, als überstiege diese Vorstellung seine Einbildungskraft.

Schweigend legten sie den Rest des Weges zurück. Als sie in den Süder Wung einbogen, sagte Sören: »Und wenn es doch Severin Dogas war?«

»Das glaube ich nicht. Sein Alibi ist zwar nicht lückenlos, aber er müsste geradezu ideale Zugverbindungen gehabt haben, um jedes Mal rechtzeitig wieder bei den Dreharbeiten zu erscheinen. Und wie gesagt ...«

»... sein bekanntes Gesicht!«, ergänzte Sören und stieg aus.

Mamma Carlotta hatte sich ein Wettrennen mit der Zeit geliefert. Ihre Stunden, die in Umbrien behäbig und unauffällig ihre Aufgabe erfüllten, wurden nun plötzlich geschubst und gedrängt und lösten sich zwischen Herd und Kühlschrank unversehens auf. Weg war sie, die Zeit!

»Dein Vater ist ein schwer arbeitender Mann«, stieß sie hervor, während sie die Antipasti auf einen Teller warf, die Umverpackungen von Feinkost Meyer verschwinden ließ und auf dem Weg zum Herd den Ausschnitt von Carolins T-Shirt nach unten zupfte. »Er hat ein Recht darauf, gut versorgt zu werden.«

Carolin zog den Tomaten im Eiltempo die Haut ab. »Die Antipasti von Feinkost Meyer schmecken sicherlich sehr gut. Gero Fürst hat jedenfalls geglaubt, dass sie von einer Italienerin höchstpersönlich eingelegt worden sind.«

Mamma Carlotta rückte den Knoblauchzehen zu Leibe, als wollte sie Vergeltung üben für jede körperliche Annäherung, die in ihrem Leben durch dieses Gemüse unterblieben war. »Wer einmal meine Antipasti gegessen hat, der wird nie wieder andere genießen können. Deinem Vater und Sören werden wir nichts vormachen können.«

»Na und? Du bist nicht auf Sylt, um Antipasti für uns einzulegen, sondern um bei uns Urlaub zu machen.«

»Urlaub?« Mamma Carlotta fand, dass dieses Wort so wenig zu ihr passte wie Nerzmantel und Champagner. »Ich bin hier, um euch zu versorgen, wie es deine Mutter getan hat. Wenigstens zwei- bis dreimal im Jahr soll es euch so gut ergehen wie früher, als meine Lucia noch lebte.« Sie warf die Ravioli ins kochende Wasser. »Auch nicht selbst gemacht«, jammerte sie. »Aber was soll ich tun? Gero Fürst bezahlt dafür, dass ich in seiner Küche den Nudelteig rolle.«

»Vielleicht solltest du kündigen«, schlug Carolin vor. »Wir haben doch alles herausgefunden. Jetzt müssen wir nur noch dafür sorgen, dass Papa es erfährt. Irgendwie!«, setzte sie hilflos hinzu.

»Aber wie? Erstens kann ich unmöglich zugeben, dass ich ein Gespräch zwischen Gero Fürst und Valerie Feddersen belauscht habe. Dein Vater würde glatt behaupten, ich sei neugierig.«

»Üble Nachrede!«

Mamma Carlotta warf Carolin einen prüfenden Blick zu, schüttelte jedoch den Verdacht, ihre Enkelin könne sich heimlich über sie lustig machen, ab und redete weiter: »Zweitens kann ich deinem Vater nicht erzählen, was ich im Haus von Gero Fürst gefunden habe. Er würde mir unterstellen, dem Schriftsteller nur deshalb im Haushalt zu helfen, um dort herumschnüffeln zu können.«

»Schon wieder üble Nachrede!« Diesmal war Carolins Lachen nicht zu übersehen.

Mamma Carlotta war entschlossen, sich nicht provozieren zu lassen. »Ecco!« Und um Carolin das respektlose Grinsen aus dem Gesicht zu wischen, ergänzte sie: »Drittens darfst du nichts von dem verraten, was du in dem Romanmanuskript gelesen hast.«

Prompt wurde Carolins Gesicht wieder ernst, sie war sich der großen Verantwortung bewusst, die Gero Fürst ihr aufgeladen hatte. Den vierten Punkt unterschlug Mamma Carlotta, denn Carolin sollte nicht mit der Sorge belastet werden, dass ihr Vater sich in die Frau, die sie für eine Mörderin hielt, verliebt hatte. Schon deswegen würde er alles, was gegen Valerie sprach, nicht an sich heranlassen wollen.

Stattdessen erging sie sich mit Carolin in der Erörterung der Frage, ob Valerie Feddersen auch für Donata Zöllners Tod verantwortlich sei.

»Wir können nur hoffen«, seufzte Mamma Carlotta, »dass Gero Fürst zügig mit seinem Manuskript vorankommt. Irgendwann wird er in seinem Roman hoffentlich auch den zweiten Mord erwähnen. Und dann wissen wir mehr.« Sie gönnte dem Messer eine Pause und starrte die Wand an. »Das ist aber auch eine ungewöhnliche Geschichte, die Gero Fürst sich da ausgedacht hat!«

Carolin nickte. »Er hat mir erzählt, dass er selbst ein Adoptivkind ist. Deswegen interessiert ihn das Thema so sehr.«

Mamma Carlotta strich sich gerade die feuchten Locken aus der Stirn, als Felix in die Küche kam, um sich über den Fortgang der Essensvorbereitungen zu informieren. »Fußballer brauchen nahrhafte Kost!«

Er trat jedoch schnell den Rückzug an, als Carolin ihm vorschlug, sich in die Arbeit einzubringen, und Mamma

Carlotta versuchte, den Schirm seines Käppis in eine völlig uncoole Position zu schieben.

Auf seiner Flucht stieß er mit Erik und Sören zusammen, die mit dem Blick in der Küche erschienen, mit dem schon die Steinzeitmänner ihre Frauen bedrängten, wenn sie in ihre Höhle zurückkehrten: hungrig und fordernd! Moderne Männer ersetzten das Fordernde zwar durch höfliches Interesse, aber die Wirkung auf die Frau blieb die gleiche. Mamma Carlotta öffnete einen weiteren Knopf ihrer Bluse, die Hitze war kaum noch auszuhalten.

Eine halbe Stunde später schloss sie die Knöpfe wieder und schob ihre Löckchen zurecht, während Erik und Sören die Antipasti ohne das geringste Anzeichen einer Irritation verzehrten. Mamma Carlotta war erschüttert. Den beiden war augenscheinlich verborgen geblieben, dass die Marinade nicht liebevoll gerührt, das Gemüse nicht penibel geputzt und zerkleinert und das Ganze nicht mit allergrößter Sorgfalt abgeschmeckt worden war. Erik und Sören waren derart in ihr Gespräch vertieft, dass man ihnen mariniertes Unkraut hätte anbieten können.

Mamma Carlotta schwankte noch zwischen Empörung und der Erleichterung, dass man ihr nicht auf die Schliche gekommen war, da wurde sie sowohl von dem einen als auch von dem anderen abgelenkt. Sie ließ die Ravioli überschäumen und setzte sich zu den beiden.

»Donatas Sohn soll der Mörder sein? Impossibile! Völlig ausgeschlossen!«

Erik warf ihr einen spöttischen Blick zu. »Kommst du mir jetzt wieder mit deiner Intuition?«

»No!« Mamma Carlotta fiel es schwer, sich zu entscheiden. »Sì!« Dann jedoch wusste sie, was sie wollte: »No! Ein Sohn wird niemals seine Mutter erschlagen. Niemals! Erst recht nicht der Sohn von Donata Zöllner!«

»Also doch Intuition«, gab Erik zurück, und Sören

lachte, als hätte sein Chef von einer schlechten Angewohnheit gesprochen.

Mamma Carlotta ging zum Herd, hob den Deckel des
Topfes an, sah lange den Ravioli beim Sieden zu und tat
nichts, um sie vor dem Verkochen zu retten. Ganz vorsichtig, ohne Erik anzusehen, brachte sie das Gespräch
auf Valerie Feddersen, auf deren unglückliche Kindheit in
verschiedenen Heimen und Pflegefamilien, auf ihre Ehe,
an der sie festhielt, weil sie ihr eine Familie bot.

»Worauf willst du hinaus?«, unterbrach Erik sie ärgerlich. »Dass Valerie die Morde begangen hat? Weil du sie
nicht leiden kannst und ihr einen Mord zutraust? Vergiss
es! Valerie hat ein wasserdichtes Alibi für den ersten Mord
und kein Motiv für den zweiten.«

»Wieso ist ihr Alibi wasserdicht?«, fragte Mamma
Carlotta, griff nach einem Schaumlöffel und fischte die
Ravioli aus dem Wasser.

Erik verdrehte die Augen. »Das weißt du doch! Valerie
hat die fragliche Nacht bei Angela in Niebüll verbracht.
Vorher waren die beiden in Flensburg, um sich ein Musical anzusehen, Anatevka.«

»Hat Angela das auch gesagt?« Mamma Carlotta
dachte an das heimliche Treffen hinter dem Strandkorb
im Garten des Hotels Feddersen. »Was ist, wenn sie Valerie deckt?«

Erik wollte auf den unsinnigen Einwand seiner Schwiegermutter nicht antworten, aber Sören erklärte: »Ihr
wurde in dieser Nacht das Auto gestohlen. Der Dieb
wurde gefasst, er hat einen Diebstahl in Niebüll zugegeben. Also ...«

»Die beiden könnten unter einer Decke stecken«, unterbrach Mamma Carlotta ihn schnell und sah aufmerksam zwischen Erik und Sören hin und her. »Der Dieb hat
in Wirklichkeit Valeries Auto auf Sylt gestohlen, aber er

behauptet, er hätte es in Niebüll geknackt. Dadurch hat Valerie ein Alibi. Und den Dieb wird sie für seine Aussage bezahlen, sobald ihr Mann das Geld geerbt hat.«

»Und Angela?«, fragte Erik gereizt zurück. »Du willst gleich zwei unbescholtene junge Frauen verdächtigen? Die eine soll einen Mord begangen und die andere ihn gebilligt und die Mörderin gedeckt haben? Schämst du dich eigentlich nicht?«

Darauf antwortete Mamma Carlotta vorsichtshalber nicht. Dass Erik wütend auf sie sein würde, damit hatte sie gerechnet. Fürs Erste gab sie sich damit zufrieden, dass Sören einen sehr nachdenklichen Blick aufsetzte.

Erik sah auf die Uhr, als er die Autotür aufschloss. »Allmählich dürfte in New York der Arbeitstag beginnen. Hoffentlich hält die Staatsanwältin, was sie versprochen hat.«

»Sie trauen ihr nicht?« Sören lachte. »Die Schwärmerei für den Star müsste sie inzwischen überwunden haben.«

»Meinetwegen soll sie weiterhin für ihn schwärmen«, brummte Erik. »Hauptsache, sie verhindert, dass er seinen Sohn warnt.«

»Das wird sie«, meinte Sören. »Sie darf ihn nicht aus den Augen lassen. Und genau das wird ihr ein Vergnügen sein.«

»Aber ob sie auch darauf achtet, dass er sein Handy nicht mit aufs Klo nimmt?«

»Sie ist keine Anfängerin.«

»Aber ein Fan. Und Frauen, die für einen Promi schwärmen, benehmen sich sehr merkwürdig. Ich brauche bloß an Carolin und Gero Fürst zu denken. Wenn sie von dem spricht, wird sie mir richtig fremd. Erst recht, seit sie für ihn arbeitet. Ich könnte verstehen, wenn sie für

Xavier Naidoo schwärmt oder meinetwegen für Tokio Hotel. Aber für einen Schriftsteller?«

In diesem Moment klingelte Eriks Handy. Sören drückte die Freisprechtaste, und die Stimme der Staatsanwältin erklang: »Wir haben Nachricht aus New York. Reginald Warden ist vor seiner Bürotür festgenommen worden.«

Erik atmete erleichtert auf. »Gibt's schon eine Aussage von ihm?«

Sanftes Geraschel war die Antwort. Erik und Sören hörten Schritte, Frau Dr. Speck murmelte etwas Unverständliches, dann klappte eine Tür. Die Stimme der Staatsanwältin klang hohl, jede Silbe erhielt ein schwaches Echo. Sie schien mit dem Handy ins Bad gegangen zu sein, damit Severin Dogas nicht hörte, was sie zu sagen hatte. Wieder litt Erik darunter, etwas Vertrauliches mit der Staatsanwältin zu teilen. Er wollte nicht wissen, wie sich ihre Stimme in der Intimität eines Badezimmers anhörte. Genauso wenig, wie er wissen wollte, dass sie halterlose Strümpfe trug und in einem roten Pyjama schlief.

»Reginald Warden hatte letzte Woche Urlaub«, berichtete Frau Dr. Speck leise. »Niemand weiß, wo er diese Woche verbracht hat, auch seine Sekretärin nicht. Und er selbst hat jede Aussage darüber verweigert. Angeblich war er mit einer Frau verreist, die mit einem einflussreichen Politiker verheiratet ist. Deswegen will er ihren Namen nicht nennen.«

»Das ist allerdings mehr als verdächtig«, stieß Erik hervor und strich seinen Schnauzer so lange glatt, bis er unbedingt die zweite Hand ans Steuer nehmen musste. »Und seine Identität?«

»Er hat schnell zugegeben, dass er Manuel Zöllner ist.«

»Was hat er zu den Morden gesagt?«

»Die will er natürlich nicht begangen haben.« Die Staatsanwältin flüsterte jetzt. »Herr Dogas ist außer sich, das können Sie sich bestimmt vorstellen.«

»Oh ja.« Erik brauchte seine Phantasie nicht lange zu bemühen, um sich Dogas' Zorn auszumalen. »Der Fall ist gelöst. Klar, dass ihm das nicht gefällt.«

»Wir brauchen nur noch ein Geständnis.« Die Staatsanwältin schien froh zu sein, dass der Verdacht gegen Severin Dogas vom Tisch war. Sie durfte weiterhin für den Schauspieler schwärmen. Dass er einen Sohn hatte, der zum Mörder geworden war, konnte man Dogas nicht anlasten. Im Gegenteil! Umso mehr hatte der Star die Unterstützung seiner Fans nötig, die ihm helfen würden, den Schock zu überwinden. »Wir müssen fürs Erste auf die New Yorker Kollegen vertrauen. Der Antrag auf Auslieferung des Tatverdächtigen wird eine Weile in Anspruch nehmen. Hoffen wir, dass sein Geständnis nicht allzu lange auf sich warten lässt.«

»Was sagen wir der Öffentlichkeit?«, fragte Erik.

Die Staatsanwältin zögerte. »Ich schlage vorsichtigen Optimismus vor. Die Sache wird Staub aufwirbeln, die Presse wird sich auf Dogas stürzen. Namen nennen wir erst, wenn das Geständnis vorliegt.«

Nach Beendigung des Gesprächs schwiegen Erik und Sören, bis der Bahnhof mit seinen schrägen grünen Figuren auf dem Vorplatz in Sicht kam. Als Erik in den Kirchenweg einbog, fragte Sören: »Und nun? Die Hände in den Schoß legen? Oder vorsichtshalber weiter ermitteln, bis wir das Geständnis haben?«

Erik antwortete erst, als er in den Hof der Polizeistation fuhr. »Interessante Spuren werden wir natürlich trotzdem verfolgen. Sicher ist sicher. Die Öffentlichkeit wird später unsere Arbeit genau unter die Lupe nehmen.«

Sören nickte erleichtert. »Wenn Prominente im Spiel

sind, kann man gar nicht gründlich genug vorgehen. Sonst lesen wir hinterher in der Zeitung, was wir alles versäumt haben.«

Sie stiegen aus und gingen auf den Hintereingang zu. Sören, der die Schweigsamkeit genauso liebte wie sein Chef, schien plötzlich Schwierigkeiten mit der Einsilbigkeit zu haben. Er nestelte an der Knopfleiste seines Hemdes herum, zog es vom Körper weg, damit der Schweiß es nicht an die Haut klebte, strich mit der flachen Hand über die Haare und übers Gesicht, wischte dann die Hände an seiner hellen Sommerhose ab und sagte schließlich vorsichtig: »Was Signora Capella sagte, war nicht ganz uninteressant. Wenn auch alles gegen Manuel Zöllner spricht – wir sollten vielleicht trotzdem ...?«

Erik ließ ihn nicht ausreden. »Meine Schwiegermutter und ihre Intuition!« Er stieß die Tür so heftig auf, dass sie gegen die Wand prallte. »Valerie Feddersen soll gemeinsame Sache mit Kurt Fehring gemacht haben? So etwas Dummes habe ich ja noch nie gehört. Warum soll eine Frau, die sich bisher nie etwas zuschulden kommen ließ, plötzlich in Ganovenkreisen verkehren?« Er blieb plötzlich stehen, die Hand auf der Klinke der Tür, die ins Revierzimmer führte. »Sie kannte den Namen des Diebes nicht einmal. Ich erinnere mich, dass sie mich nach ihm gefragt hat. Sie hatte Angst, ihm auf Sylt zu begegnen, und hätte gern von mir gehört, dass er hinter Schloss und Riegel sitzt.«

Nun riss er die Tür so heftig auf, dass Rudi Engdahl, der in der Nähe saß, zusammenzuckte.

»Valerie Feddersen, die mit meiner Frau befreundet war, soll einen Mord eiskalt geplant haben? Und einen zweiten gleich dazu? Ich kenne diese Frau seit Jahren! Wo ist eigentlich Ihr kriminalistischer Spürsinn geblieben, Sören?«

Rudi Engdahl stand auf und ging zum Faxgerät. »Die Münchner Kollegen haben ein Fax angekündigt.«

Erik blieb wie angewurzelt stehen. »Haben die was gefunden?«

»Angeblich deutet nichts darauf hin, dass Severin Dogas etwas mit den beiden Morden zu tun hat. Und Hinweise auf seinen Sohn sind auch keine entdeckt worden.« Engdahl zuckte mit den Schultern. »Es gibt nur einen einzigen Hinweis darauf, dass sich die beiden Opfer gekannt haben.«

»Wir können jedes Indiz gebrauchen, solange der Mörder nicht geständig ist.« Erik ging in sein Büro, ließ aber die Tür geöffnet. »Was ist das für ein Hinweis?«

Engdahl ging zum Faxgerät und stellte sich wartend daneben. »Das Fax muss jeden Augenblick kommen. Der Flyer irgendeiner Organisation, auf der die Telefonnummer des ersten Mordopfers steht.«

In diesem Moment begann das Faxgerät zu surren, ein Blatt Papier wurde eingezogen.

»Kann ja sein«, meinte Rudi Engdahl, »dass dieser Flyer völlig ohne Bedeutung ist. Manche Leute notieren sich eine Telefonnummer, die ihnen durchgegeben wird, auf einem Stück Einwickelpapier, wenn sie gerade nichts anderes zur Hand haben.«

Das Faxgerät spuckte ein Blatt aus, das Rudi Engdahl quer in die Hände nahm. Wenig später kam ein zweites Blatt zum Vorschein, die Rückseite des Flyers.

»Kinder + kinder«, murmelte Rudi Engdahl. »Einmal groß, einmal klein geschrieben.« Er sah Erik an. »Können Sie was damit anfangen?«

Erik nickte. »Große Kinder, kleine Kinder! Das ist eine Organisation, die sich für sehr junge Mütter einsetzt, für Mütter, die selber noch Kinder sind.« Er nahm die Faxblätter an sich und betrachtete sie eingehend. Grau gesprenkelt waren sie, ein Zeichen dafür, dass das Original farbig war. Der Flyer, den er auf Donata Zöllners Nachttisch gefunden hatte, war maisgelb gewesen. Wo hatte es einen weiteren Hinweis auf Kinder + kinder gegeben? Erik sah Sören fragend an.

Der wusste, was sein Chef hören wollte, noch ehe die Frage ausgesprochen wurde. »Kinder + kinder war die einzige gemeinnützige Organisation, die Magdalena Feddersen mit Spenden unterstützt hat. Vielleicht hat es ja einen Grund, dass uns der Name jetzt zum wiederholten Mal begegnet. Ich werde da vorsichtshalber mal anrufen.«

Carlotta Capella stieß mit großer Geste die Tür auf und rief so laut »Buongiorno!«, als wäre der Raum voller Menschen, gegen deren laute Stimmen sie sich durchsetzen musste. In Wirklichkeit gab es nur einen Gast, der vom Mittagsgeschäft übrig geblieben war und sich überlegte, ob ein weiterer Kaffee seiner Verdauung dienlich sein könnte. Außerdem Fietje, der zu sich nahm, was ihm zu jeder Tageszeit schmeckte – ein Jever.

Tove sah auf, seine Stirn war umwölkt, die Mundwinkel hingen herab. Er liebte keine Kaffeegäste, die in seinem Imbiss frischen Käsekuchen erwarteten und mit dem Schmalzgebäck vom Vortag nicht zufrieden waren. Auch für die jüngsten Kunden, die ihm ein paar Cents für ein Eis am Stiel und dazu jede Menge Sand ins Haus trugen, hatte er nicht viel übrig. Als er aber Mamma Carlotta erkannte, hoben sich seine Mundwinkel, und seine Stirn glättete sich. »Moin, Signora! Sie sehen aus, als hätten Sie was erlebt!«

»Habe ich auch!« Mamma Carlotta sah Fietje unsicher an, der den Blick nicht aus seinem Jever nahm. Dennoch entschloss sie sich, neben ihm Platz zu nehmen. Und als sie auf dem Barhocker thronte, strahlte sie Fietje so lange an, bis der endlich die Nase aus dem Glas nahm und ebenfalls lächelte.

»Denn man tau«, sagte Tove. »Wetten, dass Sie hier sind, um uns alles haarklein zu erzählen?«

»Certo!« Mamma Carlotta setzte sich in Positur. »Ich habe gerade einen bekannten Schauspieler besucht. Einen Prominenten! Einen Star! Wenn ich das Signora Abrami erzähle! Die war einmal in Rom und hat erst den Papst von Weitem und dann Mario Adorf aus der Nähe gesehen. Madonna! Seit drei Jahren redet sie von nichts anderem, dabei hat sie weder mit dem Papst noch mit Mario Adorf ein Wort gewechselt!«

Fietje wurde ernst und sah wieder in sein Glas. »Sie waren bei Severin Dogas?«

»Sì! Und er hat sich sehr über meinen Besuch gefreut. Valerie Feddersen wollte mich erst nicht zu ihm lassen. Ich musste ihr lange zureden, dann hat sie mich endlich angemeldet. Und als der Star hörte, dass ich ihm etwas zurückgeben wolle, was seiner verstorbenen Frau gehört hat, wollte er mich unbedingt sehen!« Sie winkte Tove zu, was der ganz richtig als die Bestellung eines doppelten Espresso verstand. »Niemand darf erfahren, wo er abgestiegen ist.« Sie sah sich um und flüsterte, damit der Gast, der sich gerade für einen Eistee entschied, nichts mitbekam. »Wäre ich nicht die Schwiegermutter des Hauptkommissars, hätte er mich niemals empfangen.«

Obwohl sich bald herausgestellt hatte, dass Severin Dogas weniger an ihr als vielmehr an dem interessiert war, was sie ihm von den letzten Stunden seiner Frau erzählen konnte, glaubte Mamma Carlotta trotzdem, dass ihr Charme und die Erinnerungen an ihre Kochkünste ihr zu diesem Privileg verholfen hatten.

Die Idee, ihn aufzusuchen, war ihr gekommen, als sie

zufällig das silberne Rechteck wiedergefunden hatte. Fietjes eindringlicher Rat war ihr in diesem Augenblick eingefallen: Beinahe wie eine Bitte hatte er geklungen, wie ein dringender Wunsch. Wollte Fietje ein Geheimnis ans Tageslicht holen, ohne es selbst verraten zu müssen? Als Mamma Carlotta dieser Gedanke gekommen war, gab es kein Halten mehr. Ja, sie musste es tun! Fietje zuliebe, Donata zuliebe und auch ein bisschen für sich selbst. Signora Abrami konnte demnächst mit ihren Schilderungen vom Papst und von Mario Adorf einpacken, wenn Mamma Carlotta auf dem Dorfplatz erzählte, dass sie lange und ausgiebig mit einem prominenten deutschen Schauspieler geplaudert hatte.

Sie flüsterte vor sich hin, was Fietje ihr gesagt hatte. »Finden Sie nicht, dass Sie dem Witwer das silberne Rechteck zurückgeben sollten?« Lange hatte er sie angesehen, so lange, wie er es sonst nie tat. Das musste einen guten Grund haben.

Doch Severin Dogas hatte das silberne Rechteck gleichgültig entgegengenommen und nur einen kurzen Blick darauf geworfen. »Hat meine Frau Ihnen verraten, warum sie in das Haus der Toten einsteigen wollte?«

»Nein.«

»Hat sie von mir gesprochen?«

»Nur, dass Sie wenig Zeit haben.«

»Und von meinem Sohn?«

»Von dem Unglück im Montblanc-Tunnel hat sie mir erzählt. Dass er verhaftet werden sollte, hat sie nicht erwähnt.«

»Und sie hat Ihnen auch nicht verraten, warum sie Magdalena Feddersen besuchen wollte?«

»Eine alte Bekanntschaft, hat sie gesagt. Es ist doch schön, eine Jugendfreundin wiederzutreffen.« Mamma Carlotta zog den Gero-Fürst-Roman hervor, den Donata ihr geliehen hatte, und reichte ihn Severin Dogas. »Das Buch wollen Sie doch bestimmt auch zurückhaben?«

»Ach so, ja.« Severin Dogas legte es achtlos auf seinen Nachttisch. Dann warf er noch einen Blick auf das silberne Rechteck und gab es Mamma Carlotta zurück. »Das gehört nicht Donata.«

Mamma Carlotta sah ihn verblüfft an. »Aber es muss zu ihrem Armband gehören.«

»Nein!« Dogas' Stimme wurde bereits ungeduldig. »Form und Größe sind ähnlich, das stimmt. Aber ihr Armband ist unversehrt. Ich werde dafür sorgen, dass meine Frau es trägt, wenn sie beigesetzt wird. Es hat ihr sehr viel bedeutet.« Dogas' Augen verengten sich zu schmalen Schlitzen. »Wo haben Sie das silberne Rechteck gefunden?«

»Ich habe es gar nicht gefunden«, antwortete Carlotta schnell. »Ein Freund hat es mir gegeben.«

Severin Dogas stand auf. »Danke für das Buch.«

Mamma Carlotta konnte sich nichts mehr vormachen. An einer Plauderei, auf die sie gehofft hatte, war der Star nicht interessiert. Er hatte ihr Fragen gestellt, auf die sie keine interessanten Antworten gegeben hatte, also erklärte er die Audienz für beendet. Sie steckte das silberne Rechteck ein. »Wenn das so ist …«

Er rang sich ein Lächeln ab und öffnete ihr die Tür. »Schönen Gruß an den Hauptkommissar.«

Tove war von Mamma Carlottas Bericht nicht halb so beeindruckt, wie sie gehofft hatte. »Das war's schon? Wenn Sie mich fragen – der wollte Sie nur aushorchen.«

Carlotta war empört. »Wie kommen Sie auf so was? Der arme Mann wollte über seine Frau sprechen! Über ihre letzten Tage und Stunden!«

»Für mich hört sich das anders an«, sagte Tove ungerührt. »Der wollte wissen, ob Sie etwas erfahren haben, was später in der Presse ein schlechtes Licht auf ihn werfen könnte. So sieht's aus.«

Mamma Carlotta rührte drei Löffel Zucker in ihren Espresso, während sie über Toves Worte nachdachte. Auf dem Weg vom Hotel Feddersen zu Käptens Kajüte war es mit ihrem Selbstwertgefühl, das Severin Dogas angekratzt hatte, steil bergauf gegangen. Noch während sie das Hotel verließ, hatte sie sich gefragt, ob sich jemand, dem sie Rigatoni al pomodoro vorgesetzt hatte, eigentlich das Recht herausnehmen durfte, sie barsch zu behandeln und ohne Dank gehen zu lassen. Und während sie sich die Geschichte zurechtlegte, die sie zu Hause auf dem Dorfplatz erzählen würde, wurden die unerwünschten Tatsachen bereits von den erwünschten Illusionen überlagert. Schon als sie vor Käptens Kajüte das Fahrrad abschloss, war aus Dogas' Ungebührlichkeit eines Witwers Gram geworden, verzeihlich also, und aus seinen Fragen hatte sie das Misstrauen sorgsam herausgefiltert. Übrig geblieben war ein Prominenter, der seine Trauer mit Mamma Carlotta geteilt hatte, weil sie die letzten Lebenstage mit seiner Frau verbracht hatte.

Doch was Tove sagte, holt sie in die Realität zurück, die anders war als die Erzählung, die sie in Umbrien zum Besten geben würde. Und als ihr einfiel, dass ihr Schwiegersohn Manuel Zöllner in Verdacht hatte und seinen Vater für dessen Mitwisser hielt, konnte sie sich nichts mehr vormachen. Severin Dogas hatte keinen Gedanken an die Rigatoni al pomodoro verschwendet. Er hatte erfahren wollen, ob Carlotta Capella mehr wusste, als ihm lieb war. Sollte Erik recht haben mit seinem Verdacht? War Donata Zöllner wirklich ihren nächsten Angehörigen zum Opfer gefallen?

Während Mamma Carlotta den Espresso trank, beobachtete sie Fietje. Welchen Hinweis hatte er ihr geben wollen? War ihm in der Mordnacht womöglich Manuel Zöllner begegnet? Oder Valerie Feddersen? Aber warum gab er ihr dann ein silbernes Rechteck, das weder zu ihrem Bettelarmband noch zu Donata Zöllners Armband gehörte?

In diesem Moment erklang dröhnendes Lachen vor der Imbissstube. Zwei dickbäuchige Männer kamen herein und sahen sich um, als hätten sie das Grandhotel erwartet, schienen sich aber schnell mit dem bescheidenen Ambiente zufriedenzugeben.

»Buongiorno! Terribile, diese Hitze! Una birra! Un gelato! Due espressi! E acqua minerale!«

»Mein Gott!«, stieß Tove hervor. »Ich glaube, das sind so Leute wie Sie.«

»Italiani! Sì!«

Enno Mierendorf legte Erik einen gelben Flyer auf den Schreibtisch. »Den haben wir im Hotelzimmer des zweiten Mordopfers sichergestellt.«

Erik nahm ihn zur Hand, rieb ihn nachdenklich zwischen den Fingerspitzen, dann suchte er nach der Telefonnummer und wählte. Während er auf den Ruf lauschte, fiel ihm ein, dass Sonnabend war. Polizeibeamte mussten, während sie in einem Mordfall ermittelten, selbstverständlich auch am Wochenende Dienst tun, aber das Büro von Kinder + kinder würde vermutlich nicht besetzt sein. Doch gerade als er sich entschloss aufzugeben, meldete sich am anderen Ende die atemlose Stimme einer jungen Frau. Anscheinend war der Weg zum Telefon lang und hürdenreich gewesen.

»Hier Kinder + kinder, guten Tag! Sie sprechen mit Rosi Falk. Was kann ich für Sie tun?«

Erik mochte es, wenn die Leute, die er anrief, sich Zeit ließen mit der Begrüßung und so deutlich sprachen, dass man sicher sein konnte, die richtige Nummer gewählt zu haben. Er revanchierte sich, indem er sich genauso deutlich artikulierte und seiner Freude Ausdruck verlieh, dass er sie am Wochenende erreichte.

»Hier ist immer jemand«, war die Antwort. »Wer uns braucht, der braucht uns auch am Wochenende.«

Das kommentierte Erik ebenfalls mit freundlichen Worten, dann erklärte er langsam und gründlich, dass er Kriminalhauptkommissar auf Sylt sei und in zwei Mordfällen zu ermitteln hatte.

»Ich weiß! Die Zeitungen sind ja voll davon. Besonders von dem zweiten, der Severin Dogas zum Witwer gemacht hat. Aber ... was hat das mit mir zu tun?«

»Mit Ihnen sicherlich gar nichts, aber vielleicht mit Kinder + kinder.« Erik erzählte ihr, dass die gemeinnützige Organisation das Einzige zu sein schien, was die beiden Mordopfer miteinander verband. »Und wir wissen, dass Magdalena Feddersen regelmäßig gespendet hat.«

Er hörte Papiergeraschel am anderen Ende der Leitung. »Kann sein«, kam es zurück. »Auf die Schnelle kann ich in meinen Unterlagen nichts finden.«

»Können Sie mal nachsehen, ob die beiden Namen bei Ihnen irgendwo auftauchen?«

Rosi Falk schien sich Notizen zu machen. »Magdalena Feddersen«, sprach sie so langsam, wie sie schrieb, »und Donata Dogas.«

»Donata Zöllner«, korrigierte Erik. »Dogas ist ein Künstlername.«

Wieder wurde am anderen Ende mit Papier geraschelt. »Stimmt, eine Donata Zöllner hat regelmäßig gespendet.«

Erik runzelte die Stirn. Warum hatten die Münchner Kollegen davon nichts gesagt? Die hatten doch Donata Zöllners Konten überprüft!

»Sie hat das Geld immer bar eingezahlt«, ergänzte Rosi Falk.

»Das ist ungewöhnlich. Warum hat sie ihre Spende nicht überwiesen?«

»Das ist gar nicht so ungewöhnlich. Von unseren Ehemaligen tun das viele.«

»Ehemalige? Was meinen Sie damit?«

»Na ja ... Frauen, die als Mädchen in einem unserer Häuser ein Kind zur Welt gebracht haben. Viele leben jetzt in guten Verhältnissen und unterstützen unsere Arbeit, wollen aber nicht, dass ihre Familien davon erfahren.«

»Sie meinen, Magdalena Feddersen und Donata Zöllner ...«

»Besser, ich sehe erst mal nach«, wurde Erik unterbrochen. »Sie brauchen sicherlich keine Vermutungen, sondern Fakten.«

Erik lächelte. »So ist es.«

»Außerdem möchte ich zurückrufen, um sicher zu sein, dass ich mit einem Polizeibeamten spreche.«

Das fand Erik sehr vernünftig. Er nannte Rosi Falk Donatas Geburtsnamen und gab ihr seine Telefonnummer. Und sie versprach ihm, ihren Computer nach beiden Namen zu durchsuchen. »Ich rufe zurück, sobald ich Bescheid weiß.«

Nachdenklich ließ Erik den Hörer sinken. Donata Zöllner hatte gesagt, sie habe Magdalena Feddersen auf einer Ferienfreizeit in der Nähe von Bremen kennengelernt. Hatte sie gelogen? War diese Ferienfreizeit in Wirklichkeit der Aufenthalt in einem Heim für ledige Mütter gewesen, die in aller Heimlichkeit ihre Babys zur Welt bringen wollten?

Plötzlich begann es in seiner Körpermitte zu vibrieren. Konnte es sein, dass seine Schwiegermutter recht hatte? Valerie war von ihrer leiblichen Mutter direkt nach der

Geburt weggegeben worden. Er wusste von Lucia, dass Valerie oft den Wunsch geäußert hatte, die Frau zu finden, die sie zur Welt gebracht hatte. War es ihr gelungen? Hatte sie herausgefunden, dass Magdalena Feddersen ihre Mutter war? Oder Donata Zöllner? Hatte Valerie sich für ihre freudlose Kindheit gerächt?

Das Vibrieren wurde heftiger, konzentrierte sich auf seinen Magen und erzeugte Übelkeit. Nein, er wollte immer noch nicht glauben, dass Valerie zu einem heimtückischen Mord fähig war, dass sie sich einen Komplizen gesucht hatte, der ihr ein Alibi verschaffte, und Angela Reitz dazu gebracht hatte, diesen Mord zu decken. Er stellte sich Valeries schmales Gesicht vor, ihre klaren Augen, ihre zarte Gestalt. »Nein, unmöglich!«, murmelte er vor sich hin.

Und selbst wenn es doch möglich sein sollte – warum war der zweite Mord geschehen?

Aus Käptens Kajüte war eine italienische Trattoria geworden. Mamma Carlotta hatte festgestellt, dass der ältere der beiden Männer Leonardo hieß, wie ihr Schwiegervater, und der jüngere den Namen Guillermo trug, wie ihr Vater. Grund genug, vor lauter Freude die Gläser auf den Tisch zu knallen und so laut aufeinander einzureden, dass jeder gebürtige Friese an einen Streit gedacht hätte, der in einer wüsten Schlägerei enden würde!

Der Mann, der seit geraumer Weile an seinem Eistee nippte, gab auf, als Carlotta entdeckte, dass Leonardo und Guillermo aus Chianciano stammten, wohin es die Frau ihres jüngsten Bruders nach der Scheidung verschlagen hatte, was zu weiteren Begeisterungsausbrüchen führte.

Fietje blieb sitzen, aber wohl nur deshalb, weil die Verblüffung ihn lähmte, und Tove, weil ihm nichts anderes übrig blieb und weil er außerdem ein gutes Geschäft witterte. Tatsächlich wanderten viele Gläser und Tassen von der Theke zu dem Tisch, an dem die beiden Italiener und für eine Weile auch ihre Landsmännin Platz genommen hatten. Als Mamma Carlotta zu ihrem Barhocker zurückkehrte, war aus den Strichen auf Leonardos Bierdeckel ein Gartenzaun für ein Puppenhaus geworden.

Mit leuchtenden Augen übersetzte Mamma Carlotta für Tove und Fietje das Gespräch, das sie mit Leonardo und Guillermo geführt hatte, gab eine Übersicht über die Familiengeschichten der beiden, verglich sie mit ihrer eigenen und analysierte die Eheschwierigkeiten ihres jüngsten Bruders, die zur Scheidung und zum Umzug seiner Frau nach Chianciano geführt hatten.

Als sie an diesem Punkt angekommen war, ließ Tove sich erschöpft auf einem Bierfass nieder. Dass Mamma Carlotta daraufhin plötzlich einsilbig wurde, bekam er erst mit, als er sich ein wenig erholt hatte. Aber so wohltuend es war, so beunruhigend war es auch. Er betrachtete sie besorgt und hätte gern gewusst, warum sie plötzlich ein nachdenkliches Gesicht zog, ihren Blick an die gegenüberliegende Wand und ihre Ohren auf den Tisch der beiden Italiener richtete. Doch er hielt sich mit Fragen zurück und schenkte sich stattdessen einen Genever ein, der für die befreiende Erkenntnis sorgte, dass Carlotta Capellas Verwandtschaft ihn eigentlich nichts anging.

Erleichtert schenkte er sich einen zweiten Genever ein – dann aber begann ihn Mamma Carlottas Wortkargheit zu ängstigen. Sie lehnte ihren Körper so weit nach links, dass er fürchtete, sie könnte vom Hocker kippen. Kein Zweifel, sie belauschte das Gespräch, das Leonardo und Guillermo führten, und versuchte, es sich nicht anmerken zu lassen.

Als Mamma Carlotta feststellte, dass sie sowohl von

Tove als auch von Fietje mit besorgten Blicken beobachtet wurde, zwinkerte sie ihnen besänftigend zu. Schließlich atmete sie tief durch, setzte sich wieder kerzengerade hin und sah derart bedeutungsvoll vom einen zum anderen, dass Tove sich von seinem Bierfass erhob und sie fragend ansah. »Ist was, Signora?«

Carlotta nickte so langsam, als wäre sie von plötzlicher Schwermut ergriffen worden. »Nun haben wir den Beweis«, sagte sie mit dumpfer Stimme. »Die beiden Signori haben mich drauf gebracht. An Valerie Feddersens Alibi ist was faul.«

Erik brauchte nicht lange zu warten. Schon eine halbe Stunde später rief Rosi Falk zurück. »Ich habe beide Namen in unserer Kartei gefunden. Magdalena Feddersen und Donata Obermann sind als Sechzehnjährige ein paar Monate in unserem Haus in der Nähe von Bremen gewesen und haben dort ihre Kinder zur Welt gebracht.«

»Also keine Ferienfreizeit«, flüsterte Erik.

Rosi Falk stieß etwas hervor, was wohl ein Lachen sein sollte. »Ich würde es jedenfalls nicht so nennen.«

Eriks Gedanken rasten. In welchem Jahr war Valerie geboren? Wann hatte sie Geburtstag? Es fiel ihm nicht ein. War Valerie älter oder jünger als Lucia? Oder gleichaltrig? Wann hatte Valerie in den vergangenen Jahren ihren Geburtstag gefeiert? Im Sommer? Im Winter? Erik konnte sich nicht erinnern. Aber es würde ein Leichtes sein, das herauszufinden. Und dann würde er Klarheit haben.

»Wann sind die Babys geboren worden?«

»Eins am 27. April, das andere am 29. Mai.«

»Und beide wurden zur Adoption freigegeben?«

»Sie wurden in Heime gegeben«, korrigierte Rosi Falk. »Ob dann wirklich eine Adoption erfolgte, kann ich den Akten nicht entnehmen.« Sie stockte, und Erik spürte, dass sie in diesem Augenblick etwas entdeckte, was wichtig für ihn sein konnte. Und richtig! »Mir ist gerade eine Aktennotiz aufgefallen«, sagte Rosi Falk. »Es hat eine Anfrage gegeben. Jemand, der am 27. April geboren wurde, hat sich nach seiner Mutter erkundigt. Da kam nur Magdalena Feddersen infrage. Dieser Jemand hat lange vergeblich gesucht, ist erst nach vielen Jahren auf Kinder + kinder gestoßen und auf unser erstes Haus in der Nähe von Bremen. Das hat damals ein reicher Industrieller erbaut und unterhalten. Später kamen dann weitere Häuser hinzu, und Kinder + kinder wurde gegründet.«

Erik hätte die Frage, die er stellen musste, gern heruntergeschluckt. »Dieser Jemand ... das war eine Frau?«

Er hörte das Klicken einer Computermaus. »Nein, ein Mann! Magdalena Feddersen hatte ja einen Sohn geboren. Donata Obermann dagegen eine Tochter.«

Erik atmete sehr langsam aus. War Valerie aus dem Schneider? Oder konnte sie die Tochter von Donata Zöllner sein? »Wie hieß der Mann, der angerufen hat?«

Wieder das Klicken der Computermaus. »Der Name ist nicht vermerkt. Anscheinend hat es keine Kontaktaufnahme gegeben, nur diese Anfrage. Wenn wir sie an Frau Feddersen weitergeleitet hätten, wäre die Aktennotiz fortgeführt worden. Vielleicht hat er Angst vor seiner eigenen Courage bekommen. Er hat von meiner Kollegin erfahren, dass am 27. April ein Junge in unserem Haus bei Bremen geboren worden ist. Er wollte dann mit seinen Papieren vorbeikommen, denn telefonische Auskünfte, die den Datenschutz berühren, erteilen wir natürlich nicht.«

»Aber bisher ist er nicht bei Ihnen erschienen?«

»Nein! Das ist übrigens nicht selten. Viele suchen zwar nach Klarheit, haben aber gleichzeitig Angst davor. Viele fühlen sich nicht stark genug, ihrer leiblichen Mutter tatsächlich gegenüberzutreten.«

Mamma Carlotta lehnte sich über die Theke. Wenn die beiden Italiener auch kein Deutsch sprachen, wenn die beiden jungen Leute, die sich an einen Stehtisch gestellt hatten, auch nur Augen und Ohren füreinander hatten, so war es doch besser, niemanden hören zu lassen, was sie Tove übersetzte. Auf Fietje kam es nicht an. Wenn der etwas ausplauderte, dann murmelte er es in sein Bier, und das nahm niemand ernst.

»Worüber haben die beiden geredet?« Tove nickte zu den Italienern.

»Über Anatevka«, flüsterte Mamma Carlotta zurück.

»Kenne ich nicht. Wer soll das sein?«

»Das ist ein Musical«, entgegnete Mamma Carlotta. »Valerie hat es mit Angela in Flensburg gesehen. In der Nacht, in der Magdalena Feddersen ermordet wurde.«

»Na und?« Tove sah sie verständnislos an, Fietje trank sein Jever aus, wischte sich den Mund ab und rückte seine Bommelmütze zurecht. »Leonardo und Guillermo waren auch in Flensburg. Sie haben ebenfalls Anatevka gesehen.«

»Am selben Tag?«

Mamma Carlotta nickte. »Das Theater des Nordens gastiert in unterschiedlichen Orten, das haben die beiden auch erzählt. In Flensburg gab es nur diese eine Vorstellung.«

Fietje rutschte von seinem Barhocker und blieb abwartend stehen, als überlegte er sich, ob es Tove auffallen würde, wenn er ohne zu bezahlen die Imbissstube verließ.

»Leonardo und Guillermo haben darüber gesprochen, wie schrecklich es war, als einem Zuschauer in der ersten Reihe schlecht wurde. Er musste sich übergeben, direkt vor die Bühne. Da ist auch einem der Schauspieler schlecht geworden. Und alle anderen, die in der ersten Reihe gesessen haben, sind rausgerannt. Schließlich musste die

Vorstellung unterbrochen werden, bis man eine Putzfrau aufgetrieben hatte, die die Bescherung beseitigt hat. Als dann weitergespielt wurde, waren die meisten Zuschauer schon gegangen.«

Mamma Carlotta betrachtete Tove, in dessen ausdrucksloser Miene sich ganz allmählich eine Erkenntnis breitmachte. »Sie meinen, wenn Valerie Feddersen diese Vorstellung gesehen hat, muss sie von diesem Zwischenfall wissen?«

»Wenn sie nichts davon weiß, dann war sie nicht dort.«

Fietje starrte weiter in sein Bier, Tove nickte. »Sie müssen die Feddersen fragen!«

Mamma Carlotta verzog das Gesicht. »Sie wird Verdacht schöpfen, wenn ich noch einmal im Hotel auftauche und verfängliche Fragen stelle.«

»Aber wie sonst wollen Sie herausfinden, ob sie lügt?«

Tove setzte Mamma Carlotta einen weiteren Kaffee vor, der ihr Denkvermögen tatsächlich positiv beeinflusste. »Haben Sie ein Telefonbuch hier? Eins von Niebüll?«

Tove griff, ohne zu fragen, unter die Theke und legte ein dickes gelbes Buch vor Mamma Carlotta hin.

Die fing sofort an zu blättern, dann legte sie einen Finger unter einen Namen. »Angela Reitz! Die werde ich anrufen.«

Tove und Fietje sahen ihr zu, wie sie die Nummer wählte, Fietje schob sich wieder auf seinen Barhocker, Tove reichte einem Kunden ein Bier über die Theke, ohne Carlotta aus den Augen zu lassen. Über deren Gesicht ging ein Lächeln, als am anderen Ende abgenommen wurde. Schnell und mit vielen rollenden Rs half sie Angelas Gedächtnis auf die Sprünge, bis die sich endlich an Lucias Mutter erinnerte, die sie persönlich nie kennengelernt hatte. Carlotta beklagte ausführlich den frühen Tod ihrer Tochter, bewunderte die Tapferkeit ihrer zurückgebliebenen Familie und berichtete eingehend von Eriks Fürsorge, der nicht müde wurde, seine Schwiegermutter über den Tod der Tochter hinwegzutrösten.

»Er tut alles, um mich aufzuheitern. Nun will er mich sogar aufs Festland einladen. Ein Musical wollen wir sehen, Anatevka!«

Am anderen Ende der Leitung machte jemand den Versuch, zu Wort zu kommen, aber Mamma Carlotta hatte sich ihre Rede sorgfältig zurechtgelegt und wollte sich nicht durch eine Gegenrede in eine andere Richtung drängen lassen.

»Valerie hat mir erzählt, dass sie mit Ihnen das Musical in Flensburg gesehen hat. Hat es Ihnen gefallen? Lohnt es sich, dafür extra aufs Festland zu fahren?«

Nun gab sie der hellen Stimme am anderen Ende Gelegenheit, sich zu äußern. Mamma Carlotta zwinkerte Tove zu, während sie zuhörte. »Großartig!«, rief sie schließlich. »Wenn die Vorstellung so gut ist, werde ich Eriks Einladung annehmen. Und es hat keine unliebsamen Zwischenfälle gegeben? Ich habe mal davon gehört, dass einer der Hauptdarsteller nicht mehr weiterwusste und ein Zuhörer einen Schluckauf bekam, der lauter war als das, was sich auf der Bühne tat.« Sie lauschte in den Hörer, ihre Mundwinkel drängten zwei Grübchen in ihre Wangen. »Va bene!«

Es folgte noch eine Kaskade von höflichen Worten, frommen Wünschen und Empfehlungen. Dann legte Mamma Carlotta auf und strahlte Tove an. »Ecco! Ich hab's doch gleich gesagt!«

»Sie hat den Zwischenfall nicht erwähnt?«, fragte Tove.

»No!« Carlotta drehte sich mit triumphierender Miene zu Fietje um. Doch der war nicht mehr da. Er hatte Käptens Kajüte verlassen, ohne dass es jemandem aufgefallen war.

Erik wollte gerade Enno Mierendorf damit beauftragen, Valeries Geburtsdatum herauszufinden, da ging sein Telefon. Die Staatsanwältin hielt sich nicht damit auf, ihren Namen zu nennen. Sie ging davon aus, dass der Klang ihrer Stimme ausreichend bekannt war. »Die New Yorker Kollegen haben gerade angerufen! Manuel Zöllner ist bei der Überstellung ins Untersuchungsgefängnis geflohen.«

Erik ließ sich zurücksinken und strich seinen Schnauzer glatt. »Das könnte als Schuldeingeständnis gewertet werden«, sagte er langsam.

»So sehe ich das auch!« Die Staatsanwältin schien Mühe zu haben, die Freude über den Erfolg ihrer Arbeit zu zügeln, weil es jemanden in ihrer Nähe gab, dem diese Freude Höllenpein war: Severin Dogas, dem ebenfalls klar geworden sein musste, dass das Schicksal seines Sohnes sich entschieden hatte. »Wir werden noch heute eine Pressekonferenz abhalten.« Die Stimme der Staatsanwältin wurde immer sachlicher, immer emotionsloser, je länger sie redete. »Mein Büro wird alles organisieren. Wir können den Alten Kursaal in Westerland bekommen. Das Interesse wird sicherlich riesig sein.«

»Warum heute schon?«, fragte Erik. »Vielleicht wird Manuel Zöllner schnell gefasst. Das ist ja häufig so. Und nach einer misslungenen Flucht ist die Bereitschaft, ein Geständnis abzulegen, noch größer. Warum warten wir nicht so lange?«

»Nein, wir machen es heute Abend.« Mit dem Wohlwollen der Staatsanwältin war es vorbei. »Morgen früh geht es dann über die Fernsehsender. Herr Dogas möchte persönlich eine Stellungnahme abgeben. Er fühlt sich aufgerufen, der Öffentlichkeit seine Haltung zu erklären. Die Haltung des Vaters, der seinen Sohn schützen wollte, und die des Schauspielers, der seinem Publikum verpflichtet ist. Er kann dann nach Köln zurück, die Dreharbeiten müssen ja weitergehen. Der Tatverdacht gegen ihn ist vom Tisch, der Verdacht der Mittäterschaft auch. Flucht- und Verdunkelungsgefahr besteht sowieso nicht.«

Severin Dogas war es also, der hier die Bedingungen diktierte? Erik ärgerte sich. »Lieber wäre es mir trotzdem, wir hätten ein Geständnis.«

»Kümmern Sie sich nicht um meine Angelegenheiten«, schoss die Staatsanwältin prompt zurück. »Sie sorgen jetzt dafür, dass die Beweislage gesichert wird. Tragen Sie alles zusammen, was die Täterschaft erhärtet. Je mehr Beweise wir haben, desto besser. Sehen Sie zu, dass dieser Brieföffner und der bemalte Engel gefunden werden. Fingerabdrücke sind genau das, was wir jetzt brauchen.«

»Es ist nicht anzunehmen, dass der Brieföffner und die Holzfigur wieder auftauchen. Wenn der Täter beides mitgenommen hat, dann um beides gründlich zu entsorgen.«

»Trotzdem! Der Mann hatte Stress, er stand vermutlich unter Schock. Gerade nach dem Mord an seiner Mutter! So einer handelt nicht unbedingt logisch.«

»Wir haben bereits im Lokalsender die Bevölkerung aufgerufen, nach einem Brieföffner und einem bemalten Holzengel Ausschau zu halten. Am Montag wird es auch einen entsprechenden Aufruf in der Zeitung geben.«

Erik dachte an Kinder + kinder, an den Mann, der dort angerufen hatte, weil er seine Mutter suchte, an das kleine Mädchen, das Donata geboren hatte und das heute eine erwachsene Frau war. Er konnte nicht lange darüber nachdenken, ob es richtig war, diese Frage zu stellen, weil Frau Dr. Speck Anstalten machte, das Gespräch zu beenden: »Weiß Severin Dogas eigentlich, dass seine Frau als Sechzehnjährige in einem Heim ein Baby zur Welt brachte und es zur Adoption freigab?«

»Warum ist das von Interesse?« Die Stimme der Staatsanwältin war so kalt, dass Erik trotz der Hitze zu frieren glaubte.

»Magdalena Feddersen und Donata Zöllner haben sich nicht während einer Ferienfreizeit kennengelernt, sondern in einem Heim, wo junge Mütter heimlich ihre Kinder zur Welt bringen können. Beide haben ihre Babys nach der Geburt weggegeben.«

An Eriks Ohr drang etwas, was sich anhörte wie das Rühren in einer Plastikschüssel. Die Staatsanwältin hielt den Hörer zu, ehe sie mit Severin Dogas sprach, sie schien nervös zu sein, ihre Hände waren ständig in Bewegung. Aber nur kurz, dann sagte sie mit klarer Stimme: »Nein, er wusste es nicht. Er kann es auch nicht glauben.«

»Danke«, sagte Erik, verabschiedete sich höflich und legte auf.

Mit einem Seufzen stützte er seinen rechten Arm auf, legte das Kinn in die Hand und strich mit der Linken seinen Schnauzer glatt. Gab es für Manuel Zöllner nicht auch andere Gründe zu fliehen? Nicht nur die Angst, als Mörder entlarvt zu werden, auch die Angst, in seine alte Identität zurückzumüssen, wo Verhaftung und Bestrafung auf ihn warteten. Aber warum bekannte er nicht, wo er sich in der vergangenen Woche aufgehalten hatte? Wollte er tatsächlich eine Frau schützen, die mit einem einflussreichen Politiker verheiratet war? Oder sich selbst, weil dieser Politiker es nicht hinnehmen würde, dass jemand ihm seine Frau ausspannte?

Erik schüttelte den Kopf, um hinter seiner Stirn für Klarheit zu sorgen. Dann griff er nach seinem Lieblingskuli, den er immer benutzte, wenn er auf ein Blatt Papier den Namen des Täters schrieb und um ihn herum einen Kreis der Indizien anordnete, die für oder gegen ihn sprachen.

Wenig später streckte Sören den Kopf ins Zimmer. »Anruf von Kinder + kinder! Bei Ihnen war besetzt.«

»Die Staatsanwältin«, seufzte Erik und informierte seinen Assistenten über die Pressekonferenz, die am Abend stattfinden würde.

»Muss ich da auch hin?«

Erik schüttelte den Kopf. »Es reicht, wenn ich mich über Menno Koopmann ärgere.«

Sören atmete auf. »Rosi Falk hat gesagt, das sie uns vielleicht doch noch den Namen nennen kann. Sie wissen schon – den Namen des Mannes, der glaubt, dass Magdalena Feddersen seine Mutter ist.«

Erik fühlte sich mit einem Mal frisch und energiegeladen. »Das ist ja großartig!«

»Sie weiß, welche Kollegin den Anruf entgegengenommen hat, und hält es für möglich, dass die sich an seinen Namen erinnern kann. Aber die Kollegin hat Urlaub und ist zurzeit nicht zu erreichen. Frau Falk meldet sich wieder, wenn sie mehr weiß.«

Frische und Energie fielen wieder von Erik ab. »Wahrscheinlich spielt das überhaupt keine Rolle mehr. Aber wenn die nette Frau Falk schon so freundlich ist, werden wir so tun, als hätte sie uns geholfen. Man muss dafür sorgen, dass der Bürger motiviert ist, der Polizei zur Seite zu stehen.«

»Ja, es spricht wirklich alles dafür, dass Manuel Zöllner der Täter ist. Morgen können wir es im Fernsehen sehen und am Montag in allen Zeitungen lesen.«

»Trotzdem wäre es mir lieber«, ergänzte Erik, »wenn wir sein Geständnis hätten.«

Als Sören gegangen war, fiel Erik ein, dass er noch immer nicht Valeries Geburtsdatum kannte. Er war froh, dass es jetzt keine Rolle mehr spielte. Valerie Feddersen als Mörderin zu verhaften – was für eine schreckliche Vorstellung!

Tove hatte seinen Imbiss kurzerhand geschlossen und ein Schild an die Tür gehängt: *Bin gleich wieder da!* Obwohl er mit Carlotta allein war, flüsterte er. »Sie meinen also, Valerie Feddersen ist die Tochter von der Tante ihres Mannes? Dann wären die beiden ja Cousin und Cousine! Und um ihr heimzuzahlen, was sie ihr angetan hat, hat sie sie erschlagen.«

»Genau!« Mamma Carlotta fühlte sich sehr sicher. »Vorher hat sie sich eine Weile mit ihr auseinandergesetzt, so wie Gero Fürst es in seinem Roman beschrieben hat. Sie wollte ihre Mutter kennenlernen, aber nicht persönlich, weil sie nicht Gefahr laufen wollte, sie zu lieben. Sie wollte Rache, keine Liebe. Deswegen ist sie heimlich in ihr Haus eingestiegen, hat den Vino getrunken, den auch ihre Mutter getrunken hat, hat von ihrer Wurst gegessen, hat ihren Puder benutzt und ihr Parfüm.«

»Und dann hat sie sie umgebracht.«

»Sì!«

Vor der geschlossenen Tür tröstete eine Mutter ihr Kind, das auf ein Eis gehofft hatte. Ein Auto fuhr vorbei, aus dem wummernde Musik dröhnte. Als es sich endlich gen Westerland entfernte, glaubte Mamma Carlotta das Meer rauschen zu hören, während sie sich vorstellte, wie Valerie sich an das Bett von Magdalena Feddersen schlich, den schweren Kerzenständer erhob – und zuschlug. Voller Hass, angefüllt mit einer Rache, die sie in vielen Jahren aufgebaut hatte.

»Und warum hat sie Dogas' Frau erschlagen?«

Carlotta sah Tove ärgerlich an. Natürlich war die Frage längst auch in ihrem Kopf herumgeschwirrt, aber bis zu diesem Augenblick war es ihr gelungen, sie in eine finstere Ecke ihres Gehirns zu schieben, wo Platz war für unbequeme Fragen, auf die es keine bequemen Antworten gab. »Was weiß ich!«, gab sie unzufrieden zurück und beschäftigte sich ausführlich mit dem Löffel, der neben ihrer Tasse lag und weiß Gott eine gründliche Politur nötig hatte.

»Vielleicht war es ja auch umgekehrt«, gab Tove zu bedenken. »Donata Zöllner war Valeries leibliche Mutter.«

Carlotta fiel der Zuckerlöffel aus der Hand. »Benissimo!«

Doch bevor sie Tove mit Komplimenten überschütten und seine außergewöhnliche Kombinationsgabe mit vielen italienischen Galanterien loben konnte, stellte er schon die nächste Frage in den Raum: »Aber warum hat sie dann Magdalena Feddersen erschlagen?«

Aus den Komplimenten wurde ein hilfloses Seufzen. Sie konnte es drehen und wenden, wie sie wollte: Der eine Mord passte nicht zum anderen.

Vor der Tür warteten mittlerweile mehrere Kinder, um in Käptens Kajüte Eis, Cola oder Pommes frites zu kaufen. Und als die Frage erörtert wurde, ob der Stehtisch das Gewicht von drei Zwölfjährigen aushalten würde, beschloss Tove, seine Imbissstube wieder zu öffnen.

»Das wurde aber auch Zeit«, sagte Kurt Fehring, drängte die Kinder zur Seite und betrat als Erster Käptens Kajüte. »Wie kann man nur in der Hochsaison bei bestem Strandwetter den Laden schließen?«

»Das geht dich nichts an, Frettchen«, brummte Tove und bediente die Kinder, ehe er Fehring nach seinen Wünschen fragte.

»Einen Campari-Orange, aber mit viel Eis.«

»Laufen deine Maschinen schon wieder?«, fragte Tove, während er wenig Campari, viel Orangensaft und jede Menge Eis zusammenschüttete.

»Noch nicht! Aber bald!«

»Worauf wartest du?«

Kurt Fehring antwortete nicht, sondern grinste Tove

nur an, als wüsste er genau, dass er damit riskierte, aus Käptens Kajüte rausgeworfen zu werden. Voller Überheblichkeit beobachtete er, wie Toves Gesicht die Reizbarkeit annahm, die ihn mehr als einmal ins Gefängnis gebracht hatte, und schien sich daran zu freuen.

Mamma Carlotta rutschte von ihrem Barhocker und legte das Geld auf die Theke. Sie würde wiederkommen, wenn Tove nicht mehr der war, vor dem Erik sie gewarnt hatte.

»Es interessiert mich nicht einmal«, fuhr er Kurt Fehring an. »Ich will nur, dass du dein Geld endlich bei Gosch ausgibst und nicht mehr bei mir.«

Dann knallte er Kurt Fehring den Campari-Orange hin, dass ein Eisstück über den Rand hüpfte und einen Teil des klebrigen Orangensaftes mitnahm.

Fehring zog seine Hand zurück und betrachtete die Manschette seines weißen Hemdes. »Muss man demnächst eine Schürze umbinden, ehe man zu dir kommt?«, schimpfte er. »Sieh dir mein Hemd an.«

»Was ziehst du bei diesem Wetter auch ein Hemd an?«, schimpfte Tove zurück. »Außerdem ist es mindestens zwölf Jahre alt. Zeit, ein neues zu kaufen.«

»Gerne! Aber auf deine Kosten! Oder kannst du dir keine Haftpflichtversicherung leisten?«

»Ich bezahle nicht für ein Hemd, das schon vor Jahren in die Kleidersammlung gehört hätte.«

»Von wegen Kleidersammlung! Das Hemd war mal richtig teuer.«

»Vor zwölf Jahren vielleicht. Jetzt ist es nur noch richtig billig.« Tove machte Anstalten, den Orangensaftspritzern auch noch Ketchup- und Mayonnaiseflecken hinzuzufügen. »Da helfen deine blöden Manschettenknöpfe auch nichts. Billig bleibt billig, Frettchen!«

Tove nahm einen Löffel und rührte den Kartoffelsalat

um, damit dessen Oberfläche nicht mehr so vertrocknet aussah.

»Aber demnächst bist du ja wieder der Herr Druckereibesitzer. Dann kannst du dir ein neues Hemd leisten und vielleicht sogar neue Manschettenköpfe.«

Mamma Carlotta wollte eigentlich verschwinden, bevor es zu Handgreiflichkeiten kam – da sah sie ihn: Kurt Fehrings rechten Manschettenkopf! Er war aus Silber, ein rechteckiger Rahmen mit einem dunklen Fleck in der Mitte. Ein Rahmen ohne Inhalt! Auf dem Fleck musste früher einmal etwas gewesen sein, das geblinkt und gefunkelt hatte. Carlotta war sicher, dass es sich um ein silbernes Rechteck handelte, noch ehe sie Fehrings linken Manschettenknopf gesehen hatte, der unversehrt war.

»Nimm dir ein Beispiel an deinem Vater«, sagte Mamma Carlotta. »Der ist kein bisschen aufgeregt.«

»Der ist nie aufgeregt«, gab Felix zurück. »Außerdem ist so eine Pressekonferenz nicht halb so spannend wie ein Fußballspiel.«

»Aber die Pressekonferenz wird morgen im Fernsehen übertragen.«

Selbst diesen Einwand ließ Felix nicht gelten. »Wenn ich bei Schalke spiele, bin ich auch im Fernsehen. Ob die Spiele in Italien übertragen werden?«

Mamma Carlotta glaubte es nicht, hielt es aber für möglich, dass Inter Mailand den Schalkern bald ein Angebot machen und den Stürmer Felix Wolf abwerben würde. »Und dann kann ich dich im Fernsehen bewundern.«

Diese Aussicht gefiel Felix, die Sorge verschwand aus seinen dunklen Augen. »Ich darf nur nicht Willi vergessen.«

Willi war ein Stoffhase, den seine Mutter ihm vor Jahren ins Osternest gesetzt hatte und der seitdem dafür sorgte, dass Felix auch das Unmögliche gelang, dass er für einen Vokabeltest eine gute Note bekam oder den Mut fand, ein Mädchen ins Kino einzuladen. Dass Willi schon oft versagt hatte, änderte nichts daran, dass Felix ihn für seinen Glücksbringer hielt.

»Vor allem darfst du nicht vergessen, früh ins Bett zu gehen«, mahnte seine Großmutter. »Fußballspieler müssen ausgeschlafen sein.«

Ausnahmsweise hatte Felix nichts dagegen einzuwenden, da er am Vortag in einer Sportzeitschrift gelesen hatte, dass Maradona zu seinen Glanzzeiten vor jedem Spiel zwölf Stunden geschlafen und immer dann, wenn er mit elf Stunden auskommen musste, kein Tor geschossen hatte.

»Ihr müsst immer ganz laut schreien, wenn ich am Ball bin«, schärfte Felix seiner Großmutter ein. »Und wenn ich ein Tor geschossen habe, muss eine La-Ola-Welle kommen.«

Doch Mamma Carlotta kam gar nicht mehr dazu, ihm etwas versprechen zu müssen, denn in diesem Moment klappte die Haustür.

»Endlich, Carolina! Es wird schon bald dunkel! Wie konnte Gero Fürst dich so lange dabehalten?«

Carolin sah müde aus. Mit einem kleinen Lächeln ging sie an Mamma Carlotta vorbei in die Küche. »Er will die letzten Kapitel umschreiben. Plötzlich ist er nicht mehr zufrieden. Ich muss sogar morgen früh zu ihm kommen.«

»Das geht nicht!«, schrie Felix. »Morgen ist mein Fußballspiel. Wir brauchen jeden Zuschauer!«

Carolin seufzte. »Tut mir leid, aber der Job geht vor.« Sie setzte sich an den Tisch mit der wichtigen Miene derer, die von schwerer Arbeit heimkehren und eine gute Behandlung erwarten. »Er sagt, du hast ihm frische Antipasti versprochen«, ermahnte sie ihre Großmutter. »Die soll ich morgen mitbringen.«

»Madonna!« Mamma Carlotta fuhr in die Höhe und riss die Kühlschranktür auf. »Daran habe ich nicht gedacht. Feinkost Meyer hat schon geschlossen. Was mache ich nur? Es ist aber auch ein Kreuz auf dieser Insel! Ständig passiert was, was mich am Kochen hindert!«

Erleichtert seufzte sie auf, als sich eine Aubergine, drei Zucchini, eine Handvoll Kirschtomaten und einige Langusten fanden. »Das reicht! Der Schriftsteller wird zufrieden sein.«

Im Nu verbreitete sich in der Küche der Duft von Knoblauchzehen, frischem Olivenöl und Balsamico. Zu den Wohlgerüchen gesellten sich Wohllaute: das Schmurgeln und Zischen, das Rühren und Hacken.

Carlottas Gedanken wanderten immer wieder zu der Pressekonferenz, während sie die Zucchini in hauchdünne Scheiben schnitt und die Langusten ins Olivenöl warf. Erik hatte erklärt, dass viele Indizien gegen Manuel Zöllner sprachen und dass seine Flucht ein weiteres Indiz darstellte. Er hatte seiner Schwiegermutter sogar haarklein auseinandergesetzt, wie sich die Morde seiner Meinung nach zugetragen hatten. Aber in Carlottas Kopf hatte Valerie dazu nur höhnisch gelacht und Kurt Fehring einen müden Blick auf seinen Manschettenkopf geworfen und wiederholt, was er vor ein paar Stunden zu Carlotta gesagt hatte: »Keine Ahnung, wo ich das Ding verloren habe. Ist mir noch gar nicht aufgefallen.«

Carlotta wusste, wo er das silberne Rechteck verloren hatte, und sie war drauf und dran, es Erik zu erklären. Aber dann hätte sie ihm auch gestehen müssen, dass sie ein Teil des Manschettenknopfs vom Strandwärter Fietje Tiensch bekommen hatte, und am Ende würde Erik aus ihr herausgefragt haben, dass sie bei Donatas Einbruch in Magdalena Feddersens Haus Schmiere gestanden hatte.

Sie sah auf die Uhr. In diesen Minuten begann die Pressekonferenz. Was, wenn die Öffentlichkeit falsch informiert wurde? Wenn sich später herausstellte, dass nicht Manuel Zöllner, sondern Valerie Feddersen hinter den Morden steckte? Dass sie nur deshalb ein Alibi hatte, weil Kurt Fehring ihr Komplize war? Erik hatte nicht glauben wollen, dass Valerie zu einem Mord fähig war. Würde er glauben können, dass sie fähig war, einen Mord in Auftrag zu geben? Wenn sie auch nicht die Erbin Magdalena Feddersens war, die Nutznießerin war sie auf jeden Fall und würde daher ihrem Komplizen den Lohn für den Mord zahlen können. Aber würde Erik das glauben? Mamma Carlotta schüttelte den Kopf. Vermutlich würde er dieselbe Frage stellen, mit der sie sich herumgeschlagen hatte: Was hatte der eine Mord mit dem anderen zu tun?

Sie warf Carolin einen Blick zu. Wie dumm, dass Gero Fürst die letzten Kapitel überarbeitete, statt sich mit dem Schreiben der weiteren zu beeilen. Er hatte den ersten Teil der Mordgeschichte in seinem Manuskript verraten, sicherlich würde er auch den zweiten Teil literarisch verwerten. Das war anscheinend seine Art, mit der fatalen Liebe zu einer Mörderin fertig zu werden.

Sonntag! Glockengeläut, Leere auf den Straßen trotz Hochsaison. Die Sonne heller, die Luft milder, der Wind sanfter. So hatte Erik als Kind den Sonntag erlebt, und er hatte es geschafft, sich diese Einstellung bis in die Gegenwart zu bewahren. Wenn er am Sonnabend mit dem guten Gefühl zu Bett gegangen war, am nächsten Tag ausschlafen und im Bademantel frühstücken zu können, spürte er schon beim ersten Erwachen, dass der siebte Tag der Schöpfung angebrochen war.

So auch an diesem Tag. Die Sonne leuchtete ins Zimmer, die Luft, die durchs geöffnete Fenster strömte, war mild, ein sanfter Wind blähte die Gardinen. Trotzdem hielt das gute Gefühl diesmal nicht lange. Ausgiebig im Bademantel frühstücken? Von wegen – um halb elf würde Felix' Fußballspiel beginnen, und danach wurde die Pressekonferenz übertragen.

Erik reckte sich und rieb sich die Augen. Severin Dogas würde jetzt seine Koffer packen und versuchen, ungesehen zum Flugplatz zu kommen, wo sein Manager mit einem Piloten auf ihn wartete. Und wenn ihn dort jemand erkannte, würde er das schmerzliche Lächeln aufsetzen, das er gestern Abend auf der Pressekonferenz ausgiebig präsentiert hatte. Der gramgebeugte Vater und trauernde Ehemann, der der Öffentlichkeit dankte, weil sie Verständnis für ihn hatte und ihn nicht verurteilte, und der seine Fans bat, weiterhin zu ihm zu halten. Eine glänzende Vorstellung! Die Staatsanwältin, die zunächst den Eindruck erweckte, als hätte das lange Zusammensein mit dem Star sie ernüchtert, hatte bald wieder das Glitzern in den Augen, für das sich Erik genauso schämte, als hätte sie während der Pressekonferenz ihren Rock angehoben und sich die Schenkel gekratzt.

Severin Dogas hatte seine Rolle erfolgreich gespielt. Keiner der Pressevertreter hatte ihm unangenehme Fragen gestellt, überall hatte es nur Verständnis für seine äußerst schwierige Situation gegeben. Die Frage nach seiner Mitschuld war gar nicht aufgekommen. Der Sohn ein Betrüger und Mörder! Was gab es Schlimmeres? Severin Dogas hatte alles verloren – sein Kind, seine Frau und den Glauben an das Gute in der Welt. Undenkbar, ihm auch noch sein Image als Publikumsliebling zu nehmen! Da waren selbst die Schmierenjournalisten keine Unmenschen. Nicht einmal Menno Koopmann.

Die Staatsanwältin hatte mit geschickten Formulierungen brilliert. Erik fragte sich, wie lange sie gebraucht hatte, um sich die Antworten auf die zu erwartenden Fragen zurechtzulegen, mit denen sie zwar die Neugier befriedigte, aber stets genug Raum ließ für Korrekturen, die später womöglich nötig sein würden.

Erik erhob sich, ging zum Fenster und hielt mit geschlossenen Augen sein Gesicht der Sonne und dem Wind entgegen. Also gut, jetzt ein schnelles Frühstück, das Fußballspiel, der Sieg von Felix' Mannschaft, dann die Fernsehübertragung, die hoffentlich keine Folgen für den Rest seines Sonntags haben würde – und schließlich ein schöner Ausflug über die Insel. Mamma Carlotta würde sich freuen, wenn er sie zu Kaffee und Kuchen in die Kupferkanne in Kampen einladen würde.

In der Küche sah es aus wie im Umkleideraum eines Fußballstadions. Auf den Stühlen Trikots, Fußballschuhe, Stirnbänder und Energy-Drinks. Auf dem Tisch der Held des Spielfeldes, der sich von seiner Großmutter die Schienbeine verpflastern ließ, damit die Fouls der Gegner keine Wirkung haben würden, neben ihm ein urgesundes Müsli und frisch gepresster Orangensaft. Mamma Carlotta wollte anscheinend nicht schuld daran sein, wenn aus dem Sieg nichts wurde.

Erik sah sich um. »Wo ist Carolin?«

»Die ist schon zu Gero Fürst aufgebrochen.«

Erik öffnete den Kühlschrank. »Und wo sind die Antipasti, die du gestern Abend eingelegt hast?«

Mamma Carlotta beugte sich tiefer über Felix' Schienbeine. »Carolina wollte den Schriftsteller damit überraschen. Sie sagt, ihm geht es zurzeit nicht so gut, weil er die letzten Kapitel umschreiben muss. Und da dachte ich ...«

Was sie gedacht hatte, führte sie nicht aus. Erik war es

auch gleichgültig. »Da muss er mit deinen Antipasti getröstet werden? Ich hatte mich so darauf gefreut.«

»Ich mache dir Rührei mit Schinken«, bot Mamma Carlotta eilfertig an und scheuchte Felix vom Tisch. »Du musst Carolina verstehen. Sie möchte, dass Gero Fürst sie in guter Erinnerung behält. Vielleicht kann er ihr später helfen, wenn sie ihren ersten Roman schreibt.«

Erik sah seine Schwiegermutter skeptisch an. Meinte sie wirklich, was sie da sagte? Gutgläubig hatte er sie oft erlebt, bisweilen auch naiv, aber dumm war sie nicht. Glaubte sie allen Ernstes, dass ein paar Antipasti Carolins Karriere fördern würden? Und vor allem – glaubte sie, dass der Beruf der Schriftstellerin für ihre Enkelin geeignet war?

»Carolin soll keinen Roman schreiben, sondern erst mal ihr Abi machen«, knurrte er. »Ich glaube, dieser Ferienjob setzt ihr nur Flausen in den Kopf. Ich werde mit ihr reden. Am besten, sie kündigt den Job wieder.«

»Gero Fürst hat einen verletzten Arm«, gab Mamma Carlotta zu bedenken und schlug die Eier in die Pfanne.

»Irgendwann wird er ja verheilt sein!« Von da an war Erik der Sonntag verdorben. Ein Schriftsteller aß seine Antipasti! Fehlte nur noch, dass Felix' Mannschaft das Spiel verlor und nach der Übertragung der Pressekonferenz sein Telefon nicht stillstand. Dann konnte er diesen Sonntag vollends vergessen!

»Ich muss schon eine Stunde vor Spielbeginn da sein«, sagte Felix. »Mathis will uns noch psychologisch einstellen.«

Erik sah auf die Uhr. »Dann müssen wir ja schon in einer halben Stunde los!«

»Du hast versprochen, mich mit dem Auto zum Fußballplatz zu fahren. Damit ich frisch bin, wenn das Spiel angepfiffen wird.«

»Es ist Sonntag – und ich darf nicht mal in Ruhe frühstücken? Was heißt überhaupt ›psychologisch einstellen‹? Hat Mathis vergessen, dass ihr keine Profifußballer seid?«

Damit war klar: Dieser Sonntag war nicht zu retten. Erik rechnete fest damit, dass am Nachmittag Überraschungsbesuch vor der Tür stehen oder ein Gewitter mit Sturm und Regen den Ausflug nach Kampen zunichtemachen würde. Dass seine Schwiegermutter sich beeilte, ihm ein gutes Frühstück zu servieren, konnte ihn nicht mehr fröhlich stimmen. Auch nicht, dass sie anbot, mit dem Fahrrad zum Fußballplatz nachzukommen. »Dann kann ich hier erst aufräumen und das Mittagessen vorbereiten. Sollte ich nicht pünktlich zum Anpfiff da sein, macht das doch nichts. Es wird schon nicht gleich in den ersten Minuten ein Tor fallen.«

Nein, Eriks Laune war dahin. Und das, obwohl die Mordfälle geklärt waren, ein dampfendes Rührei vor ihm stand und ein gutes Mittagessen vorbereitet wurde. Er war wütend und wusste eigentlich gar nicht genau, warum.

Das Westerländer Sylt-Stadion lag in der Nähe des Strandes, direkt neben dem Aquarium. Ein Dünenstadion, in dem das Meer zu hören, zu riechen und zu schmecken war, in dem der Wind manchmal der stärkste Gegner der Spieler war.

Mathis stand in der Tür des Vereinsgebäudes und sah jedem Sylter Lümmel mit strenger Miene entgegen, auch denen, die pünktlich waren, damit sie nicht vergaßen, was ihnen blühte, wenn sie einmal unpünktlich sein sollten. Erik wunderte sich wieder einmal, wie Mathis es schaffte, die Jungs für den Sport zu begeistern. Er selbst hätte bei seinem Sohn mit dieser Strenge nichts erreicht,

Mathis' Forderungen dagegen kam Felix nach, ohne zu murren.

»Mathis hat gesagt, ohne Disziplin gibt es keinen Erfolg.«

Als sein Vater diesen Satz in abgewandelter Form vorgebracht hatte, um Felix zum sorgfältigeren Umgang mit seinen Hausaufgaben zu bewegen, hatte er blanke Empörung geerntet. Wirklich erstaunlich, Mathis' Autorität! Er schaffte es sogar, seinen Stiefsohn Ole mit der gleichen Konsequenz zu behandeln wie alle anderen Spieler. Wahrscheinlich hatte Mamma Carlotta recht. Mathis war deswegen so ein düsterer Mann, weil er unglücklich war – mit seinem Leben, seinem finanziellen Desaster und seiner Ehe.

Gemächlich wanderte Erik am Rand des Spielfelds entlang und setzte sich schließlich auf eine der Bänke, die von einer gläsernen Wand vor dem Wind geschützt wurden. Er krempelte die Ärmel seines Hemdes hoch und genoss die Sonne auf seiner Haut. Ganz allmählich stellte sich das Sonntagsgefühl wieder ein. Die Stimmen der Jungen in den Umkleideräumen waren weit entfernt, auf dem Parkplatz vor dem Aquarium war es noch ruhig, die Touristen, die zum Strand unterwegs waren, nahmen einen anderen Weg.

Wieder schlug eine Autotür. Der Spieler, der von seiner Mutter gebracht wurde, war gerade noch pünktlich. Erik machte einen langen Hals. Ole war es, der auf Mathis zulief und von ihm mit einem liebevollen Griff in die Haare empfangen wurde. Valerie blieb auf dem Parkplatz neben dem Auto stehen. Mathis schien zu erwarten, dass sie zu ihm käme, doch dann merkte er wohl, dass er vergeblich wartete, drehte sich um und ging ins Gebäude zu seiner Mannschaft.

Valerie sah sich um, aber ihr Blick wanderte nicht so

weit, dass sie Erik entdeckte. Sie ging vor ihrem Wagen hin und her, schaute in den Himmel, nahm die Sonnenbrille von ihren Haaren und setzte sie auf die Nase. Valerie trug weiße Bermudas und ein schwarz-weiß gemustertes Top, dazu weiße Leinenturnschuhe. Ihre langen blonden Haare wurden im Nacken von einer gemusterten Spange zusammengehalten. Erik dachte an Carolins Gummiband und nahm sich vor, seiner Tochter bei nächster Gelegenheit eine ähnliche Haarspange zu schenken.

Gerade als Erik aufstand, um zu Valerie zu gehen, bemerkte er, wie sie plötzlich den Kopf reckte und eine angestrengte Haltung einnahm. Hinter dem Gebäude gab es etwas, was ihr Interesse erregte. Während Erik den Vorplatz des Vereinsgebäudes überquerte, verschwand Valerie hinter dem Haus, und kurz darauf hörte Erik ihre Stimme: »Was machen Sie hier?«

Erik blieb stehen. Er wollte die Stunde, bis das Spiel begann, auf angenehme Weise im Gespräch verbringen. Nun aber hatte Valerie anscheinend einen Bekannten getroffen, und eine Unterhaltung zu dritt wollte Erik nicht.

Er ging zurück zum Spielfeldrand, blickte von einem Tor zum anderen, dann wusste er, dass er sich geirrt hatte. Nein, ein Bekannter konnte es nicht sein, den Valerie angesprochen hatte. Dann wäre sie freundlich gewesen, verbindlich. Aber ihr Tonfall war aggressiv gewesen, ärgerlich und herausfordernd. Hatte sie am Ende jemanden hinter dem Haus gesehen, der dort etwas tat, was ihn, den Polizeibeamten, interessieren sollte? Ein Spanner, der versuchte, in die Umkleidekabinen zu blicken? Fietje Tiensch vielleicht, der es einfach nicht lassen konnte? Oder ein potenzieller Dieb, der die Vereinsräume auskundschaftete, um später, während des Spiels, die Sporttaschen und Kleidungsstücke zu durchsuchen?

Erik drehte sich wieder um und ging mit großen Schritten zurück. In den Umkleideräumen lärmten die Spieler, trotzdem konnte er Valeries Stimme gut verstehen.

»Mein Mann muss sich um seine Mannschaft kümmern! Lassen Sie ihn gefälligst in Ruhe!«

Erik bog um die Ecke des Gebäudes. Valerie hatte sich vor einem Mann aufgebaut, der in diesem Augenblick genervt den Blick zum Himmel drehte. »Warum soll ich mir von Ihnen Vorschriften machen lassen?«

Erik zog sich blitzartig zurück. Er hatte Glück, niemand hatte ihn bemerkt. Direkt an der Mauerkante blieb er stehen und presste sich gegen die Wand. Hoffentlich beobachtete ihn niemand! Es würde einen verdammt schlechten Eindruck machen, wenn Kriminalhauptkommissar Wolf beim Lauschen erwischt wurde.

»Ich will nicht, dass Sie mit ihm reden«, sagte sie jetzt, leise zwar, aber in einem derart scharfen Ton, dass sie mühelos zu verstehen war. »Ich warne Sie! Es gibt eine Vereinbarung, mehr können Sie nicht erwarten. Und mehr kriegen Sie auch nicht.«

Schritte knirschten, und Erik zog sich eilig zurück. Er ließ sich auf den Fahrradständer sinken und versuchte den Eindruck zu erwecken, als hockte er dort schon geraume Zeit und langweilte sich. Als Valerie zu ihm trat, erwiderte er lächelnd ihren Gruß und erhob sich. »Sollen wir den Jungs gemeinsam die Daumen drücken?«

Sie lächelte zurück, aber es war ein gequältes Lächeln. Der Zorn, der kurz zuvor aus ihrer Stimme geklungen hatte, stand noch in ihren Augen. Es dauerte eine ganze Weile, bis er verschwand. Trotzdem wagte Erik nicht, ihr die Frage zu stellen, die ihm auf den Lippen brannte.

Woher kannte sie Kurt Fehring?

»Madonna!« Wie schrecklich war es doch, den Himmel um Beistand anzuflehen, wenn es niemanden gab, der

Zeuge war! »Madonna!« Mamma Carlotta versuchte es noch einige Male, dann musste sie einsehen, dass ihre Verzweiflung niemanden anlockte. In ihrem Dorf wäre schon die Nachbarschaft zusammengelaufen, aber auf Sylt standen die Häuser weiter auseinander. Außerdem kümmerte sich der Friese, das hatte Mamma Carlotta längst erkannt, nicht gern um die Gefühle anderer. Er war zur Stelle, wenn es um das Auto des Nachbarn ging, das nicht anspringen wollte, oder um einen defekten Rasenmäher, aber mit seinen Gefühlen musste auf Sylt jeder selbst zurechtkommen. Und wenn eine Italienerin die Madonna anflehte, weil ihr Enkel zu einem wichtigen Fußballspiel aufgebrochen war, ohne sein Maskottchen mitzunehmen, dann versteckten sie sich vermutlich in ihren Häusern und hielten sich die Ohren zu.

»Madonna!« Ein letzter Versuch, dann hatte Mamma Carlotta sich damit abgefunden, dass sie auf sich allein gestellt war. Sie griff nach Willi, dem Stoffhasen, den sie unter einem Stuhl gefunden hatte, und schnappte sich den Fahrradschlüssel. Zwei Minuten später hätte Willi, wenn er dazu fähig gewesen wäre, die Madonna angerufen, denn seine Lage war alles andere als angenehm. Quer auf dem Gepäckträger klemmte er, seine langen Ohren flatterten im Wind, und seine Beine schlugen im Rhythmus, mit dem Carlotta in die Pedale trat. Zum Glück war der Wind zahm an diesem Morgen.

Als Carlotta die Nordsee-Klinik links liegen ließ, ahnte sie, dass sie pünktlich ankommen würde. Felix musste seinen Hasen unbedingt in den Arm schließen, noch bevor er aufs Spielfeld lief, musste noch Zeit für die heimliche Zeremonie haben, mit der er sein Glück beschwor: mit dem linken Ohr die rechte Wange streicheln, mit dem rechten Ohr die linke und dann ein Kuss auf jedes gläserne Auge.

Endlich kam die Abzweigung, die zum Aquarium und zum Fußballplatz führte. Als sie vom Fahrrad stieg, sah sie zu ihrer großen Erleichterung, dass sich auf dem Spielfeld lediglich der Paketbote und der Kellner vom Wienerwald die Beine vertraten, die als Linienrichter fungieren sollten, und der Schiedsrichter sich warmlief, der sonst in der Sylter Welle als Bademeister zu sehen war. Die Spieler waren noch in den Umkleideräumen.

Willis Körpermitte hatte leider Schaden genommen, er sah aus, als zöge er verzweifelt den Bauch ein. Aber während Carlotta auf das Vereinsgebäude zulief, plusterte sie ein wenig sein Fell auf, sodass Willi beim Einzug in die Umkleidekabine wieder einen einigermaßen runden Hasenbauch hatte.

Felix nahm Willi erleichtert in den Arm und rief seinen Mannschaftskameraden zu: »He, Leute! Es kann nichts mehr passieren! Mein Maskottchen ist da!«

Dann verzog er sich in die Waschräume, damit er allein sein konnte mit seiner Zeremonie. Ein Vierzehnjähriger, der vor allem cool sein will, verliert leicht sein Gesicht, wenn er einen Stoffhasen herzt.

Carlotta atmete tief durch, ehe sie zu den steinernen Bänken ging, auf denen die Eltern und Geschwister der Fußballer bereits Platz genommen hatten.

Tove hatte seine Imbissstube geschlossen und ging mit einem Bauchladen durch die Reihen, der alles enthielt, was in Käptens Kajüte neben der Kasse aufgebaut war: Schokoriegel, Erdnusspäckchen, Kaugummistangen und Tütchen mit Gummibären. Er winkte Mamma Carlotta zu und zeigte auf einen freien Sitzplatz. Sie bedankte sich mit einem Kopfnicken, sah sich aber zunächst nach Erik um. Sicherlich hielt er einen Platz für sie frei, denn die Familie eines Fußballers sollte im Daumendrücken, Pfeifen, Trommeln und in der La-Ola-Welle vereint sein.

Aber Erik war nicht zu sehen. Unsicher blickte Mamma Carlotta sich um. Wo mochte er stecken? Eine hilflose Angst überfiel sie. Traf er sich etwa heimlich mit Valerie, da er wusste, dass Mathis in den nächsten beiden Stunden beschäftigt sein würde? Hatte sich zwischen den beiden etwas entwickelt, was ihr entgangen war?

Oh, Lucia! Mamma Carlotta sah in den wolkenlosen Himmel. Lucia, das kannst du nicht zulassen! Diese Frau ist verheiratet! Und nicht nur das – sie ist, wenn du mich fragst, sogar eine Kriminelle. Egoistisch und grausam, wie Gero Fürst sie genannt hatte! Lucia, soll diese Frau in Zukunft deine Kinder erziehen?

Da plötzlich sah sie ihn. Erik stand vor dem Zaun, der das Stadion von dem Radweg trennte, und ließ den Blick über die Zuschauer und das leere Spielfeld wandern. Nein, Mamma Carlotta korrigierte sich. Sein Blick wanderte nicht, er hing an Valerie, die sich gerade intensiv mit ihrem Handy beschäftigte. Vermutlich schrieb sie eine SMS, das konnte Mamma Carlotta aber nicht so genau erkennen. Ihre Miene war ungehalten, ihre Körpersprache drückte Verärgerung aus. Erik wanderte ein paar Meter in ihre Richtung, als machte er sich Hoffnungen, die SMS lesen zu können.

Die Sorge fiel wie eine Zentnerlast von Carlotta ab. In Eriks Gesicht war keine Begehrlichkeit zu erkennen, keine Bewunderung für Valeries schlanken Körper, keine Zärtlichkeit für ihre blasse Haut. Seine Miene war verschlossen, zwischen seinen Brauen stand eine steile Falte, seine Augen waren verengt. Er sah aus wie ein Kriminalbeamter, der einem Verdächtigen auf der Spur ist und nur noch den letzten Beweis braucht, um ihn verhaften zu können. Oder wie ein Mann, der erkannt hat, dass die Frau, in die er sich verliebt hat, eine ganz andere ist, als er geglaubt hat?

Warum das so war, interessierte Mamma Carlotta nicht. Sie ging zu dem Platz, den Tove ihr gezeigt hatte, und winkte so lange, bis Erik auf sie aufmerksam wurde und mit einem Nicken bestätigte, dass er zu ihr kommen würde.

In diesem Moment liefen die Grauen Husumer mit ihrem Trainer ein und ließen sich von ihren Familien, die den Weg vom Festland auf die Insel nicht gescheut hatten, bejubeln. Dann erschienen mit Mathis Feddersen an der Spitze die Sylter Lümmel, die aufgrund ihres Heimvorteils erheblich lauter gefeiert wurden. Die beiden Trainer setzten sich auf zwei Stühle am Spielfeldrand, je drei Ersatzspieler hockten sich zu ihren Füßen.

Erik ließ sich genau in dem Moment neben seiner Schwiegermutter nieder, in dem das Spiel angepfiffen wurde. Mamma Carlotta strahlte, als Felix als einer der Ersten in Ballbesitz kam und aufs gegnerische Tor zustürmte. Dass er dort nicht ankam, spielte keine Rolle. »Benissimo! Ist er nicht großartig, unser kleiner Felice?«

Erik antwortete nicht. Als Mamma Carlotta ihm einen kurzen Blick zuwarf, stellte sie sogar fest, dass er das Spiel gar nicht verfolgte. Was war los mit ihm? War er von Valerie abgewiesen worden? Oder hatte er etwas von ihrer Affäre mit Gero Fürst läuten hören? Möglicherweise hatte er auch endlich eingesehen, dass es sich nicht gehörte, sich in eine verheiratete Frau zu vergucken! Egal, Hauptsache, seine Augen hatten das geheime Leuchten verloren, das Carlotta in ihnen entdeckt hatte, wenn er Valerie ansah. Sie schickte einen Blick in den wolkenlosen Himmel. Danke, Lucia!

Das Spiel wurde härter, Felix musste ein Foul hinnehmen. Er wälzte sich exakt so lange am Boden, bis der Schiedsrichter auf Freistoß entschieden hatte, trotzdem war Mamma Carlotta außer sich vor Sorge. »Er sah aus, als hätte er sich sehr weh getan!« Eriks stoische Ruhe und seine Teilnahmslosigkeit begannen sie nun zu ärgern. »Enrico, dein Sohn wird gefoult, und du sitzt da, als ginge dich das nichts an!«

Daraufhin bemühte Erik sich eine geraume Weile um einen engagierten Eindruck, aber als Felix kurz vor der Pause einen Grauen Husumer zu Fall brachte, sah er schon wieder zerstreut über das Spielgeschehen hinweg und äußerte sich mit keiner Silbe zum Fehlverhalten seines Sohnes. Mamma Carlotta hielt sich diesmal mit Unmutsäußerungen zurück, murmelte nur in sich hinein, dass ihr Enkel ganz klar von seinem Opfer provoziert worden sei.

Während der Halbzeitpause hätte sie gern bei Felix nach dem Rechten gesehen. Aber sie unterließ es, weil sie Erik nicht aus den Augen lassen wollte. Der sah sich zwar sehr unauffällig nach Valerie um, aber seiner Schwiegermutter konnte er natürlich nichts vormachen.

Zu Beginn der zweiten Halbzeit fegte ein Stöhnen durch die Zuschauermenge. Sitzflächen wurden gelüftet, Hände erhoben, das friesische Temperament machte sich zum Brodeln bereit. Die Sylter Lümmel griffen an, der kleinste der Spieler, der anscheinend nicht für voll genommen worden war, startete durch, Felix begleitete ihn an der linken Außenlinie, ein anderer Spieler an der rechten. Der bekam zu Carlottas Ärger den Ball zugespielt, gab ihn genau im richtigen Moment zurück, und der kleine Spieler brauchte nur noch sein rechtes Bein auszustrecken.

»Tor!«

Die Anhänger der Sylter Lümmel jubelten, die der Grauen Husumer saßen mit versteinerten Mienen da. Mamma Carlotta wurde von ihrem Schwiegersohn sanft auf den Sitz zurückgezogen, die drei Ersatzspieler der Sylter Lümmel hüpften um ihren Trainer herum, der auf seinem Stuhl sitzen geblieben war und mit erhobenem Daumen der Mannschaft seine Anerkennung aussprach. Einer der drei verlor im Freudentaumel sein Gleichgewicht, stolperte über seine eigenen Füße und fiel seinem Trainer auf den Schoß. Schwer stützte er sich auf Mathis' Oberschenkeln ab, als er sich wieder aufrichtete. Mathis schrie auf, stieß den Jungen weg, der ihn erschrocken anstarrte, und tastete mit schmerzverzerrtem Gesicht seinen Oberschenkel ab.

»Ja, zu viel Freude kann wehtun«, kommentierte der Stadionsprecher und hatte die Lacher auf seiner Seite.

Das Spiel ging weiter, die Grauen Husumer schienen entschlossen zu sein, so bald wie möglich für Ausgleich zu sorgen, und foulten, was das Zeug hielt. Wieder mal war ein Sylter Lümmel zu Fall gebracht worden, und auf dem Spielfeld setzte eine hitzige Debatte ein, ob es mit Absicht oder im Eifer des Gefechts geschehen war.

Erik griff so plötzlich nach Carlottas Arm, dass sie erschrak. »Ich muss weg. Bitte erklär Felix, warum ich nicht bleiben konnte. Und sorg dafür, dass er mit einem Freund zurück nach Wenningstedt fahren kann.«

Mamma Carlotta sah ihren Schwiegersohn verständnislos an. »Wie soll ich ihm das erklären?«

Erik sah sich bereits nach einem Weg um, auf dem er am schnellsten aus den Sitzreihen herausfinden konnte. Mit einer Erregung, die Carlotta noch nie in seinem Gesicht gesehen hatte, stieß er hervor: »Du hattest recht. Es war nicht Manuel Zöllner. Ich muss verhindern, dass die Pressekonferenz im Fernsehen übertragen wird.«

Carlotta saß noch immer wie erstarrt da, als sich jemand zu ihr setzte. »Was ist los, Signora? Gerade hat der Torwart der Sylter einen Elfmeter gehalten, und Sie tun so, als wäre die Welt untergegangen.«

Statt zu antworten, griff Carlotta in Toves Bauchladen

und holte sich einen Schokoriegel, ohne auch nur daran zu denken, ihn zu bezahlen.

Prompt zeigten sich Sorgenfalten auf Toves Stirn. »Ist Ihnen nicht gut?«

Carlotta schüttelte langsam, sehr langsam den Kopf. Und sie sprach erst, nachdem sie den kompletten Schokoriegel verzehrt hatte. »Ich kann's nicht fassen. Wir haben tatsächlich recht gehabt.«

Tove sah sie verständnislos an. »Sie meinen ...« Dann plötzlich begriff er, was sie meinte. »Valerie Feddersen war es tatsächlich?«

»Ja, Erik hat gesagt, ich hätte recht gehabt. Er will verhindern, dass die Pressekonferenz ausgestrahlt wird.«

»Mehr hat er nicht gesagt?«

»Nein, er ist sofort losgerannt.«

»Klar«, nickte Tove. »Um Valerie und Frettchen zu verhaften.«

»Valerie ist nicht lange im Stadion geblieben. Vielleicht hat sie gemerkt, dass Erik ein Licht aufgegangen ist. Wenn sie nach Hause gefahren ist, muss er sie bald haben.«

»Aber warum ist ihm plötzlich ein Licht aufgegangen?«

Mamma Carlotta zuckte hilflos die Achseln. »Wenn ich das wüsste! Er war die ganze Zeit schon so komisch.«

Sie wurde vom Jubel der Husumer unterbrochen, deren Mannschaft soeben ein Tor geschossen hatte. Carlotta sah, dass Felix ihr einen vorwurfsvollen Blick zuwarf. So, als wäre sie schuld an der fatalen Entwicklung des Spiels, weil sie sich auf ein Gespräch eingelassen hatte, statt Felix die Daumen zu drücken.

Sie riss sich zusammen und richtete ihr Augenmerk aufs Spielfeld, ohne zu sehen, was sich dort tat. Aber Felix durfte nicht enttäuscht werden, er musste glauben, dass seine Nonna mit Leib und Seele bei seinem Spiel war und den Sieg herbeifieberte. Ohne sich Tove zuzuwenden, ergänzte sie: »Wir werden es ja bald erfahren.«

Tove flüsterte plötzlich. »Ob Kurt Fehring die Morde begangen hat? In Valerie Feddersens Auftrag? Zuzutrauen wäre es ihm. Oder sind sie gemeinsam in das Haus eingestiegen?« Tove sah Mamma Carlotta an und lächelte. Plötzlich sprang er auf, griff seinen Bauchladen und machte sich davon. »Hier ist mir zu viel Polizei.«

Carlotta sah sich nach Erik um, aber der war nicht zu sehen. Erst als Sören sich neben sie setzte, verstand sie, was Tove gemeint hatte. »Ich suche den Chef. Er hat gesagt, ich könnte ihn hier finden, wenn was ist.«

»Hat er Sie nicht angerufen?«, fragte Mamma Carlotta erstaunt.

Sören schüttelte den Kopf, dann erschien plötzlich Schuldbewusstsein in seinem Blick. Hastig holte er sein Handy hervor. »Verdammt, ausgeschaltet!«, fluchte er leise und fragte Mamma Carlotta etwas, was im Jubel der Umsitzenden unterging. Felix warf seiner Großmutter einen strahlenden Blick zu, und sie winkte ebenso strahlend zurück. Alles sah danach aus, als hätte Felix etwas Großartiges geleistet, also musste es richtig sein, aufzuspringen, zu winken und zu lachen. Als der Stadionsprecher sein Megafon vor den Mund nahm und den neuen Spielstand verkündete, war anzunehmen, dass es Felix gewesen war, der soeben ein Tor für seine Mannschaft geschossen hatte. Mamma Carlotta schwor sich, nicht einmal unter Folter zu bekennen, dass sie nichts davon mitbekommen hatte.

Sören wartete geduldig, bis sie mit ihren Freudenbezeugungen fertig war, dann fragte er: »Warum hätte der Chef mich anrufen sollen?«

»Weil er Sie vielleicht braucht, wenn er Valerie Feddersen verhaftet.«

270

Sörens Kinnlade klappte herunter, sein rundes, rot-
bäckiges Gesicht sah mit einem Mal schmal und blass
aus. Ihm lag vieles auf der Zunge, aber die Überraschung
hatte sie gelähmt, und Sören blieb stumm.

»Außerdem will er versuchen, die Übertragung der
Pressekonferenz zu stoppen«, fuhr Mamma Carlotta fort.
»Er hat gesagt, Manuel Zöllner ist nicht der Mörder.«

»Aber wieso ...?« Mamma Carlotta konnte Sören beim
Denken zuschauen, konnte jeden Gedanken erkennen,
der sich in seinem Kopf formierte, konnte sehen, wie er
sich an das erinnerte, was sie vor Tagen zu bedenken
gegeben hatte: ihre Zweifel an Valeries Alibi, ihre Vermutung, dass sie mit Kurt Fehring unter einer Decke
steckte. Und dass sie nicht glauben konnte, dass Donata
einen Sohn gehabt hatte, der seine eigene Mutter umbrachte, daran dachte Sören auch.

Am Ende schüttelte er nur staunend den Kopf. »Dann
ist das, was ich dem Chef sagen wollte, nicht mehr wichtig. Ich dachte, ich hätte eine interessante Neuigkeit für
ihn. Ich habe nämlich erfahren, dass Gero Fürst der leibliche Sohn von Magdalena Feddersen ist.« Sören stand
auf und schaltete sein Handy ein. »Hoffentlich schaffen
wir es, die Übertragung der Pressekonferenz zu verhindern.« Er sagte noch etwas zum Abschied, was im Angst-
geschrei der Sylter unterging, die einen Grauen Husumer
auf das Tor zustürmen sahen, dessen Bewacher sich gerade
den Schuh schnürte. Als der Schuss am Tor vorbeiging,
kletterte Sören bereits über die Beine der Sitznachbarn und
war kurz darauf verschwunden.

Mamma Carlotta schluchzte, stieß immer wieder »Madonna!« hervor, reckte in jeder Kurve die Hände zum
Himmel und flehte ihn an, Toves altem Lieferwagen Flügel zu verleihen. Der war jedoch weit davon entfernt, es

mit einem Flugzeug aufzunehmen. Und das war auch gut so, denn bei den Geräuschen, die der Motor produzierte, hätte man jeden Augenblick mit einem Absturz rechnen müssen.

Sie rasten die Trift entlang, ließen den Bahnhof rechts liegen und unterbanden den Versuch einiger Passanten, bei grüner Fußgängerampel die Straße zu überqueren. Die Fahrt mit einer schluchzenden und betenden italienischen Mamma war für Toves Nerven das Äußerste, das Warten vor einer roten Ampel wäre zu viel gewesen.

»Warum sind wir nicht eher darauf gekommen?«, fragte Carlotta, als sie endlich in den Wennigstedter Weg einbogen, auf dem es keine Fußgänger mehr gab.

»Keine Ahnung, wichtig ist, dass Ihr Schwiegersohn davon erfährt. Der verhaftet Valerie Feddersen, und in Wirklichkeit sitzt der Mörder in Braderup und schreibt ein Buch.«

»Sie haben ja kein Handy«, schluchzte Mamma Carlotta. »Ich dachte, jeder Mensch in Deutschland hat heutzutage eins.«

»Ich brauche kein Handy«, knurrte Tove und trat das Gaspedal bis zum Anschlag durch. Sein Lieferwagen brüllte auf und stieß übel riechende Abgaswolken aus.

»Vielleicht ist es ja gar nicht so schlimm«, beruhigte Carlotta sich selbst und auch Tove, der ihr, wenn er schlecht gelaunt war, genauso unheimlich war wie jedem anderen Sylter. »Wir müssen nur Carolina aus seinem Haus holen. Solange er nicht weiß, dass wir ihn durchschaut haben, ist er nicht gefährlich.«

»Aber mit welchem Vorwand sollen wir Ihre Enkelin weglocken? Womöglich durchschaut er uns! Und Carolin müssen wir einen vernünftigen Grund präsentieren, damit sie uns folgt und keine Fragen stellt, die wir nicht beantworten können.«

Mamma Carlotta schloss gepeinigt die Augen. »Wir müssen sie heimlich aus dem Haus locken.«

»Ja, unbedingt. Die Tochter des leitenden Ermittlers wäre ja auch ein gefundenes Fressen für Gero Fürst. Eine bessere Geisel kann er sich gar nicht wünschen.«

Carlotta presste die Augen noch fester zusammen. »Sagen Sie so was nicht!«

Tove schwieg also. Für Augenblicke waren nur das Geschrei des Motors zu hören, der Protest der Karosserie und das Kreischen der Reifen, wenn Tove fluchend einen Autofahrer überholte, der sich partout an etwas so Banales wie die Geschwindigkeitsbegrenzung halten wollte.

»Das Ganze ist meine Schuld, weil ich nicht erkannt habe, dass alles, was gegen Valerie sprach, auch gegen Gero Fürst spricht«, seufzte Mamma Carlotta. »Die kleinen Diebstähle in Magdalenas Haus, der Hass auf die leibliche Mutter, die Beschreibung des Mordes in seinem Manuskript! Ich habe mich davon blenden lassen, dass er von einer Frau geschrieben hat, von einer Tochter! An dichterische Freiheit habe ich nicht gedacht.« Sie klammerte sich am Türgriff fest, als Toves Lieferwagen in den Braderuper Weg schlidderte.

»Und warum musste Donata Zöllner dran glauben?«, brüllte Tove gegen das Gewinsel seiner armen Reifen an. »Und warum hat er Valerie grausam genannt? Und dass sie bestraft und eingesperrt gehört?«

Aber Carlotta hatte nun vollauf damit zu tun, sich um ihre Unversehrtheit zu kümmern und dafür zu sorgen, dass sie auf dem Beifahrersitz hocken blieb und nicht unversehens im Fußraum landete.

Erik fuhr vor dem Hotel Feddersen vor und wählte erneut Sörens Handynummer. Als sein Assistent sich meldete, stieß er ein erleichtertes »Endlich!« aus. »Wie können Sie

Ihr Handy abstellen, während wir in zwei Mordfällen ermitteln?«

»Tut mir leid, Chef«, kam es zurück. »Ich dachte, weil Sonntag ist …«

»Sie haben doch mal in einer Sonderkommission gearbeitet! Haben die vielleicht am Sonntag die Arbeit zur Seite gelegt?«

»Das nicht, aber wir dachten, die Fälle wären gelöst. Und ich wusste ja, das Sie heute Morgen auf den Fußballplatz müssen.«

»Egal!« Erik beendete Sörens Rechtfertigungen mit einer energischen Handbewegung, obwohl sein Assistent sie nicht sehen konnte. »Machen Sie sich sofort auf den Weg! Ich warte vor dem Hotel Feddersen auf Sie!«

»Bin schon unterwegs!«, rief Sören zurück. »Ihre Schwiegermutter hat mir gesteckt, wo Sie sind. In spätestens zwei Minuten biege ich um die Ecke.«

»Meine Schwiegermutter?«, fragte Erik erstaunt zurück. »Ich habe ihr nicht gesagt, wohin ich fahre.«

»Sie hat es sich wohl zusammengereimt. Sie ist ja nicht dumm.«

»Nein, das ist sie nicht«, sagte Erik langsam und nachdenklich. Dann beendete er das Gespräch, weil er Sörens Auto sah, das kurz darauf neben ihm parkte.

Der junge Albaner sah sich auch diesmal nervös um, als die beiden Kriminalbeamten auf ihn zukamen. Wieder fragte Erik sich, was er auf dem Kerbholz haben mochte, aber jetzt war keine Zeit für diese Gedanken. Mit Fatlum würde er sich befassen, wenn die beiden Mordfälle abgeschlossen waren.

Als er nach den Feddersens fragte, ging Erleichterung über Fatlums Gesicht, was Erik in seinem Vorsatz bestärkte, in den nächsten Tagen ein Auge auf ihn zu haben. »Frau Feddersen hilft den Zimmermädchen, heute Morgen haben sich nämlich zwei krankgemeldet. Ich habe ihr eine SMS geschickt, um sie zurückzuholen. Eigentlich wollte sie ja gerne das Fußballspiel bis zum Ende sehen. Schließlich steht Ole in der Abwehr.«

»Und Herr Feddersen? Oder ist er noch nicht zurück?«

»Doch, er ist vor zehn Minuten gekommen. Jetzt muss er irgendwo im Haus sein. An der Tür von 202 funktioniert das Schloss nicht richtig. Kann sein, dass er sich darum kümmert.«

»Dann holen Sie die Feddersens bitte.«

Erik lehnte sich zurück und verschränkte die Arme vor der Brust. Aber sein wippender Fuß verriet, dass seine Ruhe nur vorgetäuscht war. Wer ihn so gut kannte wie Sören, der wusste, dass er unter größter Anspannung stand.

»Haben Enno und Rudi sich gemeldet?«, fragte Sören.

Erik nickte. »Kurt Fehring ist schon auf dem Revier. Und er ist sofort eingeknickt.«

»Er hat gestanden?«

»Noch bevor er in seiner Zelle ankam, hat er alles rausgelassen. Hoffen wir nur, dass er keinen Anwalt findet, der ihn dazu bringt, sein Geständnis zu widerrufen.«

»Und die Staatsanwältin?« Sören warf seinem Chef einen besorgten Blick zu. »Haben Sie die erreicht?«

Erik sah ihn nicht an, während er antwortete: »Ja, aber sie hat mich einen Idioten geschimpft und ist nicht bereit, den Sender anzurufen.«

»Das wird peinlich.«

»Vielleicht glaubt sie mir, wenn wir in der nächsten halben Stunde ein Geständnis bekommen. Wenn nicht, wird es ihr Problem sein, morgen der Öffentlichkeit zu erklären, dass die Pressekonferenz voreilig abgehalten wurde.«

»Morgen früh wird außerdem in allen Zeitungen stehen, dass Manuel Zöllner der Mörder ist.«

»Auch schon egal, wenn diese Meldung heute über sämtliche Bildschirme gegangen ist.«

»Severin Dogas wird ausrasten.«

»Auch damit muss die Staatsanwältin fertig werden.«

»Kann sein, dass sie danach kein Dogas-Fan mehr ist!«

»Das ist nicht unser Problem.«

»Wetten, doch? Sie wird irgendwie einen Weg finden, die Sache dem Kommissariat Westerland anzulasten. Und danach wird die Zusammenarbeit mit ihr noch schwieriger.«

Das Gras, das unter den Bäumen wuchs, duftete wie die ersten Tage des Sommers, doch hinter dem Zaun, der das Haus des Schriftstellers umfriedete, hatte es längst den Geruch der Reife angenommen, dumpf und holzig. Tove hatte mit energischen Handbewegungen für Platz hinter einem dichten Busch gesorgt und Mamma Carlotta dort zu Boden gedrückt. Unglücklich hockte sie hinter seinem Rücken und fragte sich, wie lange sie so ausharren und ob sie schnell genug wieder auf die Füße kommen würde, wenn Gefahr drohte.

Das Grundstück des Schriftstellers war groß, der Abstand zum Fenster seines Arbeitszimmers betrug sieben oder acht Meter. Es stand offen, Mamma Carlotta konnte Carolin am Computer sitzen sehen, eifrig über die Tastatur gebeugt. Gero Fürst ging im Zimmer auf und ab, erschien häufig am Fenster, viel zu häufig für Carlottas Geschmack, sah dann nachdenklich hinaus, wandte sich wieder Carolin zu und sprach weiter. Anscheinend diktierte er ihr eine längere Passage. Mamma Carlotta fiel auf, dass sein Arm keinen Verband mehr trug. Warum brauchte er eine Schreibkraft, wenn er selbst in der Lage war, seine Manuskripte zu tippen?

»Wie sollen wir Carolina auf uns aufmerksam machen?«, flüsterte Carlotta in Toves Rücken.

Tove zuckte die Schultern. »Wir müssen warten. Irgendwann wird er mal rausgehen, in die Küche oder ins Bad.«

Warten! Zu Carlottas Stärken gehörte geduldiges Ausharren nun wirklich nicht. Mit einem leisen Seufzen ließ sie sich gegen den Baumstamm sinken und überließ Tove das Auskundschaften.

Schon wenige Augenblicke später schreckte sie auf. Leises Motorgeräusch war zu hören, das langsam anschwoll. Kein Zweifel, ein Wagen näherte sich. Mamma Carlotta hielt den Atem an, wollte ihn erst wieder von sich geben, wenn das Auto vorbeigefahren war ... Aber dann quietschten Bremsen, und der Motor erstarb direkt vor dem Haus des Schriftstellers. Sie atmete geräuschvoll aus. »Es kommt Besuch«, wisperte sie und reckte den Hals.

»Vielleicht ein Nachbar?«, raunte Tove zurück.

Mamma Carlotta bewegte sich auf allen vieren am Zaun entlang und hoffte, dass außer Tove niemand Zeuge dieser unwürdigen Gangart wurde. Obwohl Tove mit aufgeregten Handzeichen versuchte, sie davon abzuhalten, streckte sie den Kopf aus dem schützenden Gebüsch, als sie eine Stelle erreicht hatte, von wo aus der Hauseingang zu überblicken war. Erschrocken zog sie den Kopf wieder ein und winkte Tove heran. Als er auf sie zukroch, stellte sie befriedigt fest, dass er dabei keine bessere Figur abgab als sie selbst.

»Es ist Valerie«, zischte sie ihm zu.

»Wie kommt die hierher?«, fragte Tove verblüfft zurück.

»Abgehauen, was sonst? Wahrscheinlich hat sie gemerkt, warum Erik zu ihr gekommen ist, und ist getürmt.«

»Aber warum? Sie hat doch mit den Morden nichts zu tun.«

»Vielleicht hat sie Angst, dass sie das nicht beweisen kann«, gab Mamma Carlotta zurück. »Oder sie weiß, dass Gero Fürst der Täter ist. Aber sie will ihn nicht an die Polizei verraten, weil sie ihn immer noch liebt. Und jetzt will sie ihn warnen. Stellen Sie sich vor, sie hat gehört, was Sören herausgefunden hat. Wenn Erik weiß, dass Gero Fürst der leibliche Sohn von Magdalena Feddersen ist, wird er Schlüsse daraus ziehen, das kann sie sich denken.«

»Oder sie will sich bei ihm verstecken«, flüsterte Tove zurück, »weil sie völlig ahnungslos ist. Sie will bei Gero Fürst bleiben, bis sich herausgestellt hat, dass sie unschuldig ist. Und sie hat keine Ahnung, dass sie ausgerechnet bei dem wahren Täter Schutz sucht.«

Mamma Carlotta rieselte eine Gänsehaut über die Arme. »Madonna! Was wird sich in den nächsten Stunden in diesem Haus abspielen! Wir müssen Carolina herausholen. Sofort!«

Sie hörten das Schrillen der Türklingel, das aus dem Fenster des Arbeitszimmers drang. Gero Fürst war gerade in der Nähe des Fensters stehen geblieben. »Wer mag das sein?«, fragte er. »Moment, Carolin! Bin gleich zurück.«

Sie hörten seine Schritte und kurz darauf das Geräusch der Tür. Dann seine Stimme, die sehr ungehalten klang.

»Jetzt!«, zischte Mamma Carlotta.

Geduckt huschten die beiden auf das geöffnete Fenster zu, hinter dem Carolin saß und auf den Bildschirm starrte. Sie zuckte zusammen, als sie die Stimme ihrer Nonna hörte. »Carolina!«

Der Mund blieb ihr offen stehen, als Mamma Carlottas Gesicht am Fenster erschien. »Schnell! Komm her!«

Carolins Gesicht, das sich gerade zu einem verwunderten Lächeln verziehen wollte, wurde schlagartig ernst. Der Klang der Stimme schien ihr zu denken zu geben. Schon stand sie an der Fensterbank und sah auf ihre Großmutter herab. »Was machst du hier?« Dann fiel ihr Blick auf Tove Griess, vor dem ihr Vater sie oft gewarnt hatte. »Und der? Was sucht der hier?«

»Das erkläre ich dir später«, flüsterte Mamma Carlotta zurück. »Spring aus dem Fenster! Sofort! Du bist in Gefahr.«

Carolin lachte ungläubig. »Wie kommst du denn auf so was?«

»Tu's einfach, Carolina! Es ist keine Zeit für Erklärungen. Vertrau mir! Bitte!«

Carolin sah sich um, blickte zur Tür, lauschte ... und zögerte.

Mamma Carlotta und Tove hörten Gero Fürst sagen: »Wir können nicht ins Haus, Valerie. Das junge Mädchen, das für mich schreibt, ist bei mir.«

Er hatte sie vom Eingang weggeführt, damit sie von der Straße aus nicht zu sehen war, und ein paar Schritte mit ihr in den Garten gemacht. Tove stieß Carlotta an. »Wir müssen zurück in unser Versteck. Wenn die beiden tiefer in den Garten hereingehen, können sie uns sehen.«

Mamma Carlotta nickte, folgte Tove aber erst, nachdem sie Carolin ein letztes Mal beschworen hatte: »Spring aus dem Fenster! Schnell!«

Dann huschte sie hinter Tove her, drückte sich wieder mit ihm hinter den Busch und stöhnte leise auf, als sie sah, dass Carolin noch immer unschlüssig am Fenster stand.

Carlotta stieß Tove an. »Das hat er also gemeint, als er Valerie grausam und egoistisch nannte. Sie hat auch ein Baby weggegeben. Und ich dachte, er hätte von dem Mord gesprochen.« Verzweifelt rang sie die Hände.

»Wenn Carolin doch endlich begreifen könnte, dass sie für einen Mörder arbeitet!«

Als Valerie zu weinen begann, hatte Carolin endlich einen Entschluss gefasst. So wenig sie begriff, was geschehen war, so allumfassend war ihr Vertrauen in ihre Großmutter. Wenn die Nonna sagte, dass sie in Gefahr war, dann musste es so ein. Im Nu war sie aufs Fensterbrett geklettert und sprang in den Garten. Vorsichtig sah sie sich um, dann huschte sie zu Carlotta und Tove.

»Was ist los?«, fragte sie atemlos.

Mamma Carlotta hielt ihr den Mund zu und flüsterte: »Pscht! Jetzt nicht! Nur so viel: Gero Fürst ist ein Mörder.«

»Woher weißt du das?«

Tove fragte zurück: »Hast du dein Handy dabei? Wir müssen deinen Vater verständigen.«

Carolin hob hilflos die Schultern. »Mein Handy ist irgendwo da drin.« Sie nickte zum Fenster des Arbeitszimmers. »Ich glaube, es liegt auf dem Schreibtisch.«

Tove wagte einen Blick aus dem Gebüsch, dann flüsterte er: »Die beiden haben genug mit sich selbst zu tun. Ich hole es.«

Atemlos sahen Carlotta und Carolin ihm nach, wie er geduckt über den Rasen lief und dann seine liebe Mühe hatte, ins Fenster zu klettern. Beinahe hätte Carlotta gelächelt. Tove war ein Kerl wie ein Baum, mit Kräften wie ein Bär, aber mit seiner Gelenkigkeit war es nicht weit her.

Es gab ein heftiges Gepolter, als er ins Zimmer sprang, anscheinend hatte er dabei einen Hocker umgestoßen. Carlotta duckte sich, weil sie befürchtete, dass Gero Fürst nun in seinem Arbeitszimmer nach dem Rechten sehen würde.

Aber nichts dergleichen geschah. Tove hatte recht gehabt, Gero Fürst und Valerie Feddersen hatten genug mit sich selbst zu tun. Ihre Stimmen waren hitzig geworden, aber leider auch so leise, dass außer ein paar Sprachfetzen nichts zu verstehen war.

»Warum kommt Tove nicht zurück?«, fragte Mamma Carlotta verzweifelt.

Carolin verzog das Gesicht. »Kann sein, dass ich die Ausdrucke aufs Handy gelegt habe. Oder eins der Bücher. Am besten, ich schleiche zurück und zeige ihm, wo er suchen muss.«

»Auf keinen Fall!« Mamma Carlotta hielt ihre Enkelin fest, ehe sie sich erheben konnte. »Du bleibst hier! Tove wird dein Handy schon finden.«

Sie zuckten beide zusammen, als sie Gero Fürst plötzlich schreien hörten: »Ich hasse dich! Ich hasse alle Frauen, die so etwas tun! Wisst ihr eigentlich, was ihr anrichtet?«

Carolin sah ihre Großmutter ängstlich an. »Was meint er damit, Nonna?«

Mamma Carlotta antwortete zögernd: »Dass er am liebsten alle Frauen, die ihre Babys nach der Geburt weggeben, umbringen würde. Jetzt wird mir klar, warum auch Donata sterben musste. Er hat anscheinend herausbekommen, dass sie dasselbe getan hat wie seine leibliche Mutter. Valerie kann froh sein, dass sie ihm nicht auch zum Opfer gefallen ist.«

Gero Fürsts Stimme entfernte sich, und Valeries schnelle Schritte waren zu hören. Kurz darauf heulte der Motor ihres Wagens auf, die Haustür fiel ins Schloss.

Mamma Carlotta rang die Hände. »Warum kommt Tove nicht zurück? Er muss da raus!«

Wieder war das Geräusch einer Tür zu hören, dann eine Stimme: »Carolin? Wo bist du?«

Ein undefinierbares Gepolter war die Antwort.

»Wer sind Sie?«, schrie Gero Fürst. »Was machen Sie hier?«

Carolin und Mamma Carlotta klammerten sich aneinander, Carolin kniff die Augen zusammen und legte ihre Stirn an die Schulter ihrer Großmutter. Die starrte das Fenster an, hinter dem offenbar ein Kampf tobte. Dumpfes Poltern drang heraus, dann ein unterdrückter Schrei, ein langgezogenes Stöhnen. Ein Fensterflügel erhielt einen Stoß, schlug klirrend zu, einmal, zweimal. Heftiges Keuchen war zu hören, zwei ineinander verkeilte Gestalten taumelten am Fenster vorbei. Und dann ein markerschütternder Schrei! Ein Stuhl fiel um, ein schwerer Gegenstand wurde zu Boden gerissen, etwas Hölzernes fiel auf die Erde, löste sich in mehrere Teile auf – dann wieder ein Schrei, kurz bevor jemand stürzte. Danach trat Stille ein.

Erik griff zum Telefon und wählte. Es dauerte lange, bis abgehoben wurde, so lange, dass er schon leise die durchdringende Stimme seiner Schwiegermutter verwünschte, die jedes Telefonklingeln übertönte.

»Felix Wolf!«

Erik hatte gehofft, Carolin oder Mamma Carlotta würden sein Gespräch annehmen. Dann wäre Zeit gewesen, sich über den Stand der Dinge zu erkundigen, über die der Vater eines hoffnungsvollen Fußballtalents Bescheid wissen sollte. So aber konnte er nur seine ganze Fröhlichkeit zusammennehmen und so tun, als wäre das Leben ein verpasstes Fußballspiel. Er erkundigte sich derart interessiert nach dem Sieger des Turniers, dass Felix gleich sein schlechtes Gewissen durchschauen musste. »Unentschieden«, brummte er zurück.

»Kein Sieg für die Sylter Lümmel? Die waren doch eindeutig die bessere Mannschaft!«

»Ihr habt mir nicht die Daumen gedrückt, so sieht's aus.«

Das wies Erik weit von sich. Zwar habe er nicht im Angesicht der sportlichen Leistungen seines Sohnes die Daumen drücken können, aber die Nonna habe sicherlich alles getan, was diesbezüglich nötig war. »Sie hat dir doch erklärt, warum ich weg musste, oder? Es war wirklich sehr wichtig, Felix.«

»Die Nonna war nicht mehr da, als das Spiel zu Ende war«, gab Felix zurück. »Niemand hat auf mich gewartet. Zum Glück hat Bens Vater mich mit dem Auto nach Wenningstedt mitgenommen, sonst stünde ich jetzt noch in Westerland herum.«

Erik konnte es nicht glauben. »Die Nonna war weg, als das Spiel zu Ende war?«

»Ja, und sie ist bis jetzt nicht nach Hause gekommen. Ich hatte keinen Schlüssel dabei. Ich musste über den Balkon einsteigen.« Felix' Stimme klang von Minute zu Minute weinerlicher. »Niemand interessiert sich für mich. Ob ich gewinne oder nicht, das ist allen egal. Ob ich was zu essen kriege, auch. Dabei ist Sonntag.«

Erik war nun voller Sorge und brachte prompt die ersten Vorschläge vor, mit denen Felix entschädigt werden sollte. »Die Mordfälle sind geklärt, mein Junge, demnächst werde ich mehr Zeit haben. Noch ein paar Vernehmungen, die Protokolle und das eine oder andere Gespräch mit der Staatsanwältin, der ich eine Menge erklären muss – aber dann kann ich mir ein paar Tage freinehmen. Wir könnten ins Kino gehen und in den Sportshop in Westerland, der die tollen Fußballklamotten hat.«

Felix ließ sich Zeit mit der Absolution. »Mal gucken«, meint er und schien sich auf längere Verhandlungen einzustellen, die ihm zum Vorteil gereichen würden.

Aber er hatte Pech. Erik musste das Schiedsgericht schließen, da Sören ins Zimmer trat.

»Es geht gleich los! In fünf Minuten! Die Pressekonferenz ist schon angekündigt worden.«

Erik gab sich noch eine Spur heiterer: »Willst du deinen Vater auf dem Bildschirm sehen, Felix? Dann schalte den Fernseher ein.«

»Und was ist mit der Nonna?«, kam es zurück. »Die hat schon überall damit angegeben, dass du im Fernsehen bist.«

»Nimm die Sendung auf Video auf«, antwortete Erik, »damit die Nonna sie heute Abend sehen kann.«

Er legte auf und sah Sören in die fragenden Augen. »Es scheint so, als wäre meine Schwiegermutter verschwunden.«

Sören lachte ungläubig. »Sie meinen, sie ist vom Fußballplatz entführt worden?«

Erik zuckte die Achseln und stand auf. »Wenn sie nach der Pressekonferenz nicht aufgetaucht ist, werde ich sie suchen müssen.«

Enno Mierendorf und Rudi Engdahl hatten es sich schon im Aufenthaltsraum vor dem Fernseher bequem gemacht. Dass das Notruftelefon im Revierzimmer gerade in dem Augenblick ging, in dem die Pressekonferenz anmoderiert, die Teilnehmer vorgestellt und die beiden Mordfälle skizziert wurden, gefiel keinem der beiden.

Enno Mierendorf sah seinen Kollegen an. »Du bist dran.«

Rudi Engdahl erhob sich stöhnend, kam aber schnell wieder zurück. »Schlägerei in Braderup«, rief er. »Im Haus dieses Schriftstellers.«

Erik schreckte auf. »Gero Fürst?«

»Genau! So heißt er.« Engdahl sah Enno Mierendorf ermunternd an. »Wir müssen los.«

Erik stand auf und drückte Mierendorf auf seinen Stuhl zurück. »Ich werde mitfahren.« Er strich sich den Schnauzer glatt, um seine zitternde Unterlippe zu verbergen. »Meine Tochter ist bei Gero Fürst. Wir nehmen den Streifenwagen mit Blaulicht.« Schon war er aus der Tür. »Wer hat die Schlägerei gemeldet?«, rief er über die Schulter zurück.

»Der Anrufer hat seinen Namen nicht genannt«, gab Engdahl zurück.

Mamma Carlotta und Carolin standen vor dem geöffneten Fenster und starrten fassungslos ins Arbeitszimmer von Gero Fürst. Der Schriftsteller lag am Boden, den rechten Arm ausgestreckt, als habe er noch versucht, sich irgendwo festzuhalten und den Sturz zu verhindern. Die Hand war zur Faust geballt, der Zorn hatte ihn augenscheinlich erst mit dem Bewusstsein verlassen.

»Ist er tot?«, fragte Mamma Carlotta und wurde sich erst in dem Augenblick, in dem sie die schrecklichen Worte aussprach, ihrer Tragweite bewusst. »Oh Gott! Er ist tot! Morto!«

Carolin begann zu weinen, drängte sich an ihre Großmutter, ließ sich von ihr umschlingen und trösten.

Tove blieb wesentlich gelassener. Er beugte sich über Gero Fürst und schüttelte den Kopf. »Nein, er lebt. Er ist mit dem Hinterkopf auf das Beistelltischchen geknallt, aber das bringt ihn nicht um. Mehr als eine Gehirnerschütterung wird er nicht haben.«

Mamma Carlotta atmete auf und schob Carolin sanft von sich. »Ganz ruhig, Piccola! Wir werden Hilfe holen. Vielleicht darf Gero Fürst seinen Roman im Gefängnis zu Ende schreiben. Womöglich wird er gerade dadurch ein Bestseller.«

Diese Aussicht vermochte Carolin nicht zu beruhigen.

»Wie konnten Sie das tun?«, fuhr sie Tove an. »Mein Vater hat recht. Sie sind ein brutaler Kerl! Ein Krimineller!«

Tove richtete sich auf und rieb seine Fäuste an den Oberschenkeln, als wollte er das Blut seines Opfers loswerden. Seine Hosenbeine sahen aus, als hätte es schon viele Opfer und viel Blut gegeben. »Nun mal langsam, junge Dame! Der Kerl hat mich angegriffen und nicht umgekehrt. Und er ist hier der Mörder, nicht ich!« Ärgerlich sah er Carolin an. »Der hat noch mehr verdient als die Beule, mit der er gleich aufwachen wird. Und er wird auch mehr bekommen. Lebenslänglich, schätze ich.«

Über Carolin brach plötzlich alles zusammen, was zum Gebäude ihrer Gewissheiten gehört hatte. Das Gute im Menschen, das Schlechte, das im Guten keinen Platz hatte, die klugen Gedanken, die nur von einem untadeligen Geist in Worte gekleidet werden konnten, die Intelligenz, die keinen Raum ließ für Heimtücke. Carlotta sah Tove streng an, der immer noch mit gerunzelter Stirn auf sein Opfer starrte, als wollte er Gero Fürst erneut zu Boden strecken, wenn er den Versuch machen sollte, sich zu erheben. »Wir müssen Hilfe holen.«

»Glauben Sie, der will das?«, knurrte Tove. »Vielleicht sollten wir ihn hier verrecken lassen, dann braucht er wenigstens nicht in den Knast.«

Carolin begann lauter zu weinen. »Sie sind ein Unmensch!«

»Aber kein Mörder«, gab Tove gereizt zurück. Er kam zum Fenster und sorgte dafür, dass Mamma Carlotta und Carolin zwei Schritte zurückwichen. Dann stieg er steifbeinig auf die Fensterbank und ließ sich in den Garten plumpsen. »Aber vorsichtshalber will ich mich hier nicht erwischen lassen.« Er sah Carolin bedeutungsvoll an. »Dein Vater ist immer gerne bereit, mir einen Strick zu drehen.«

»Mein Vater ist objektiv«, entgegnete Carolin empört. »Er urteilt nach Fakten und Beweisen.«

»Kann schon sein«, knurrte Tove. »Trotzdem hau ich jetzt besser ab. Auf deine Aussage möchte ich mich lieber nicht verlassen.« Er machte einen Schritt auf Carolin zu, die ängstlich zurückwich vor seinem zerfurchten Gesicht, den düsteren Brauen, dem funkelnden Blick und der rohen Kraft, die Toves Körper ausstrahlte. »Und wenn du mich bei deinem Vater anschwärzt, kannst du was erleben, verstanden? Dann solltest du nur noch mit Bodyguard zur Schule gehen.«

Mamma Carlotta griff nach seinem Arm, als befürchtete sie, dass er sich auf Carolin stürzen könnte. »Machen Sie dem Kind keine Angst, Tove! Sie sollten sich schämen.«

»Das erledige ich unterwegs«, gab Tove zurück und zeigte mit dem Daumen zur Straße. »Wir fahren zur nächsten Telefonzelle und holen Hilfe, damit der arme Mörder gesund und munter in den Knast wandern kann.« Und mit einer Stimme, die einem hungrigen Eisbären Angst eingejagt hätte, fuhr er Carolin an: »Du hast ja dein Handy irgendwo verbuddelt, wo es niemand finden kann. Im Grunde bist du schuld an dem ganzen Theater.«

Ehe Mamma Carlotta sich ein weiteres Mal schützend vor ihre Enkelin stellen konnte, war Tove schon losgestapft. Carolin folgte ihm mit gesenktem Kopf und reagierte nicht auf die Hand ihrer Nonna, die sich tröstend auf ihre Schulter legte.

Als sie an Toves Lieferwagen ankamen, brummte der Motor bereits. »Ein bisschen dalli, wenn ich bitten darf! Ich will mich hier nicht verhaften lassen. Einem wie mir wird immer was angehängt.«

Sie waren gerade losgefahren, als sie das Martinshorn hörten. Tove nahm den Fuß vom Gas, als das blaue

Flackern, das über den Bäumen zuckte, in den Bröns Wai einbog. »Verdammt! Wieso wissen die jetzt schon, was passiert ist?«

Er setzte den Fuß aufs Gas zurück, raste dem Blaulicht entgegen und bog, als der Streifenwagen gerade in Sicht kam, derart unvermittelt in einen schmalen Wirtschaftsweg ein, dass Carolin vor Schreck aufschrie. Hart trat er auf die Bremse und kam hinter einem dürren Busch zum Stehen. Nur wenige Augenblicke später brauste der Streifenwagen vorüber. Sie sahen ihm nach und konnten beobachten, wie er in einer riesigen Staubwolke vor dem Haus des Schriftstellers hielt.

»Der Anruf beim Notarzt hat sich damit erledigt«, brummte Tove und legte den Rückwärtsgang ein. »Anscheinend ist Ihrem Schwiegersohn gerade aufgegangen, dass nicht Valerie Feddersen, sondern Gero Fürst für die Morde verantwortlich ist. Ein guter Zeitpunkt. Handschellen wird er nicht brauchen.«

Seelenruhig setzte er auf den Bröns Wai zurück und umfuhr auf dem Weg zur Braderuper Straße sorgsam jedes Schlagloch. Die Karosserie seines zerbeulten Lieferwagens knirschte leise, als wollte sie ihm die Strapazen der Hinfahrt vergeben.

Als sie auf die Braderuper Straße eingebogen waren, sahen sie in der Ferne einen Radfahrer, der sich auf einem Fahrrad abmühte, das schon bessere Tage und noch nie eine Gangschaltung gesehen hatte.

»Das war Fietje«, stellte Mamma Carlotta fest. »Hat der eigentlich ein Handy?«

Tove nickte. »Hat er.«

Dann überquerte sein Lieferwagen stotternd die Westerlandstraße, weil der vierte Gang, nachdem er einmal überredet worden war, seinen Auftrag nicht wieder hergeben wollte.

Mamma Carlotta tat das, womit sie Freud wie Leid ausdrückte, wobei sie nachdenken und reden konnte, lachen und schimpfen, debattieren und zuhören: sie kochte! In diesem Fall dachte sie nach, während sie die Fenchelknollen putzte, sie mit den Mozarellascheiben in eine Auflaufform schichtete und mit Olivenöl beträufelte, damit sie später überbacken werden konnten. Beim Zubereiten der Feigensoße, die sie als Primo Piatto mit Spaghetti reichen wollte, wiederholte sie in ihrem Kopf immer wieder dieselbe Frage: Wie war das silberne Rechteck von Kurt Fehrings Manschettenknopf in den Garten von Magdalena Feddersen gekommen?

Wenn Valerie mit den Morden nichts zu tun hatte, dann konnte Fehring nicht ihr Komplize sein, der ihr zu einem falschen Alibi verholfen hatte. Der womöglich sogar die Morde in ihrem Auftrag begangen hatte! War es möglich, dass Gero Fürst sich jemanden gesucht hatte, der die schmutzige Arbeit für ihn erledigte, und Kurt Fehring gefunden hatte? Schwer vorstellbar! Gero Fürst war kein Sylter, wenn er hier auch ein Ferienhaus besaß. Woher sollte er Kurt Fehring kennen? Und woher wissen, dass der gerne bereit sein würde, für viel Geld sein Gewissen über Bord zu werfen?

»Finito!«, murmelte Mamma Carlotta. »Schluss mit den Grübeleien!«

Viel vernünftiger war es, sich mit den Problemen zu befassen, die es in ihrer unmittelbaren Umgebung gab. Felix war böse auf seine Nonna! Ein unhaltbarer Zustand! Sie hatte ihm sogar den wahren Grund gestehen müssen, warum sie den Fußballplatz vorzeitig verlassen hatte, obwohl sie in großer Sorge war, dass sie damit Eriks Dienstgeheimnis verriet und ihm außerdem etwas Wichtiges vorwegnahm. Aber sie hatte es trotzdem getan, jedoch keine Vergebung erhalten. Anscheinend wollte Felix ihr

nicht glauben, denn seine Laune besserte sich anschließend kein bisschen, nicht einmal durch die Aussicht auf
ein leckeres Abendessen.

Und Carolin? Die hatte sich in ihr Zimmer zurückgezogen und verweigerte jedes Gespräch über das schreckliche Erlebnis im Haus des Schriftstellers. Mit undurch-
dringlicher Miene hatte sie verkündet, dass sie ihre
Enttäuschung in ein Gedicht kleiden wolle, und Mamma
Carlotta damit schnell mundtot gemacht.

Dass sie eine Enkelin hatte, die Gedichte schrieb, erfüllte sie mit Stolz, aber wie viel einfacher war es doch,
sich eine Enttäuschung von der Seele zu reden, statt zu
schreiben! Dass für sie nur das Gespräch infrage kam,
verstand sich von selbst, trotzdem bemühte sie sich, Verständnis für Carolin aufzubringen. Wenn sie das schaffte,
würde Carolin vielleicht auch Verständnis für sie aufbringen und ihrem Vater nicht verraten, dass seine Schwiegermutter Kontakt zu dem zwielichtigen Tove Griess
unterhielt.

Seufzend belegte Mamma Carlotta die Schweine-
filets mit Parmaschinken und Salbeiblättern und be-
festigte beides mit dünnen Holzstäbchen. Wenn diese
»Schweinesteaks alla Saltimbocca« nicht dafür sorgten,
dass das Band der Liebe die Familie Wolf umschlang,
dann wusste sie nicht, was noch hätte getan werden können.

Erik stand auf und lächelte Sören an. »Wollen wir nachsehen, was meine Schwiegermutter zu essen gemacht hat?
Sie hatte ein sehr, sehr schlechtes Gewissen, als ich eben
mit ihr telefonierte. Dann ist das Essen immer besonders
gut.«

Sören machte aus seiner Freude keinen Hehl. »Da die
Staatsanwältin morgen bei den Verhören dabei sein will,

gibt es jetzt nichts mehr zu tun.« Sein Blick wurde ängstlich. »Wann wird sie kommen?«

»Gegen zehn. Und ich werde mich warm anziehen müssen.«

»Wieso eigentlich?«, begehrte Sören auf. »Sie hat Ihnen nicht glauben wollen. Wenn sie es getan hätte, wäre die Übertragung der Pressekonferenz noch zu verhindern gewesen.«

Erik schloss den Wagen auf und ließ sich stöhnend auf den Fahrersitz fallen. »Sie kennen ja Frau Dr. Speck. Die findet immer einen Weg, uns die Sache anzulasten. Sie muss diesen Fall in der Öffentlichkeit ausbaden, dafür wird sie uns intern bestrafen.«

Sören seufzte. »Bin gespannt, was die Presse mit uns macht«, meinte er sorgenvoll, als sie vom Hof des Polizeireviers fuhren. »Hoffentlich bleiben wenigstens unsere Namen aus dem Spiel. Ich möchte nicht, dass sich meine Eltern für mich schämen.«

Erik winkte ab. »Machen Sie sich keine Sorgen. Die Suppe der Sensationspresse wird Severin Dogas auslöffeln müssen. Nur gut, dass er nicht bestreiten kann, was er in der Pressekonferenz gesagt hat. Aber er hätte natürlich geschwiegen, wenn er gewusst hätte, dass sein Sohn doch nicht der Mörder ist. Nun hat er viel verraten, was eigentlich niemand wissen sollte.«

»Haben die New Yorker Kollegen sich noch nicht gemeldet? Ist Manuel Zöllner nach wie vor auf der Flucht?«

Erik zuckte die Achseln. »Das kann uns egal sein. Anscheinend hat er wirklich nur ein Techtelmechtel mit der falschen Frau gehabt. Pech für ihn! Wenn sie ihn schnappen, wird er eine Menge Ärger haben.«

Als das Handy klingelte, standen sie vor der roten Ampel, die die Einmündung der Kjeirstraße in den Kirchenweg regelte. »Gehen Sie ran, Sören! Wahrscheinlich sind es die Kinder. Sagen Sie ihnen, dass wir in einer Viertelstunde zu Hause sind.«

Sören betrachtete die Nummer auf dem Display. »Es ist die Staatsanwältin. Mir wäre es lieber, wenn Sie das Gespräch annehmen würden.«

Die Ampel wurde grün, Erik bog nach links in den kleinen Parkplatz ein, der zum Bahnhof gehörte. Als er das Gespräch endlich annehmen konnte, hatte das Handy mindestens zehnmal geläutet.

Die Stimme der Staatsanwältin war dementsprechend gereizt. »Haben Sie die Geständnisse?«

»Ja«, sagte Erik. Nur dieses eine Wort. Mehr nicht.

Eine kurze Pause entstand, dann schrie die Staatsanwältin: »Verdammt, Wolf! Warum sind Sie nicht eher darauf gekommen?«

Erik ließ sie schimpfen und reagierte erst wieder, als sie ihn aufforderte, Einzelheiten zu erzählen. »Ich muss Pressemitteilungen rausgeben. Die dürfen keine Unklarheiten enthalten, verstehen Sie? Keine Vermutungen, keine Andeutungen, nur Tatsachen! Eine solche Blamage darf sich nicht wiederholen! Die Öffentlichkeit wird uns jetzt genau auf die Finger gucken.«

Sören gab durch Handzeichen zu verstehen, dass er die Zeit, die Erik brauchte, um die Staatsanwältin zu informieren, nutzen würde, um sich im Bahnhofskiosk mit Kaugummi einzudecken.

Mathis war leicht humpelnd auf Erik zugekommen. Er hatte versucht, es sich nicht anmerken zu lassen, aber es war ihm nicht gelungen.

Erik wies auf seinen Oberschenkel. »Der Junge, der dir in den Schoß gefallen ist, scheint dich verletzt zu haben. Hatte er etwa ein Messer in der Hand? Oder … einen Brieföffner?«

Panik stieg in Mathis' Augen, sein Blick irrte herum, wurde erst ruhiger, als Sören sich erhob und sich in der Nähe der Eingangstür postierte. »Was redest du da?«, fragte er mühsam.

Erik antwortete mit einer Gegenfrage: »Bist du bereit, mir die Fleischwunde an deinem Oberschenkel zu zeigen?«

»Da ist keine Wunde.«

»Okay, dann wird sich der Polizeiarzt die Sache später ansehen. Oder – warst du bei deinem Hausarzt?«

»Wozu? Wegen so einer Kleinigkeit?«

»Wegen so einer Wunde, die niemand sehen soll?« Erik warf Sören einen Blick zu, der machte einen Schritt vor die Tür, sah sich um, kehrte dann zurück und nickte Erik zu. Die Verstärkung stand also vor dem Haus, für den Fall, dass Mathis den Versuch machen sollte zu fliehen.

Erik erhob sich, als er sah, dass Valerie in die Lobby gekommen war. »Wir sollten das Gespräch im Büro fortsetzen«, sagte er mit einem Blick auf Fatlum und zwei Gäste, die neugierig herübersahen.

Während Mathis auf die Bürotür zuging, sah er zu Boden. Obwohl Erik damit gerechnet hatte, geschah es dann so plötzlich, dass er nicht reagieren konnte. Sören allerdings, auf den Mathis zusprang, stellte sich ihm sofort in den Weg. Zwar hielt er ihn nicht auf, sorgte jedoch für die entscheidende Verzögerung. Als Mathis Feddersen aus seinem Hotel flüchtete, wurde er bereits erwartet. Von den Kollegen aus Wenningstedt und List, die Erik zur Verstärkung angefordert hatte. Sie standen mit vorgehaltenen Pistolen da.

Die Staatsanwältin konnte sich nicht über den Ermittlungserfolg freuen. »Sie wissen ja«, sagte sie spitz, »dass

293

ein Fluchtversuch nicht immer als Schuldeingeständnis gewertet werden kann.«

»Sie haben völlig recht«, entgegnete Erik höflich. »Aber diese Flucht konnte im Gegensatz zu Manuel Zöllners Flucht vereitelt werden. Fortgeführt habe ich die Vernehmung dann im Kommissariat.«

Vorher hatte er Valeries Arm genommen und sie ins Büro geführt. Es hatte ihm wehgetan, die Angst in ihren Augen zu sehen, das grelle Funkeln ihrer Entschlossenheit hatte ihn allerdings zurückgestoßen. Es war ihm nicht gelungen, Mitleid mit ihr zu haben, obwohl er sich darum bemüht hatte.

»Was weißt du?«, fragte er.

»Ich habe mit den Morden nichts zu tun«, entgegnete sie, setzte sich in einen Sessel und beugte sich vor, um ihre Turnschuhe neu zu binden. Oder um ihn nicht anblicken zu müssen? Der Ausschnitt ihres T-Shirts klaffte auf. Erik sah weg, er wollte den Ansatz ihrer Brüste nicht sehen.

»Das ist mir klar«, sagte er nur. »Aber – was weißt du?«

Sie richtete sich auf und sah Erik selbstbewusst an. Selbstbewusst und eiskalt. »Mathis wollte mich benutzen für seine Zwecke. Er wusste längst, dass ich eine Affäre mit Gero hatte, aber er hat mich nie darauf angesprochen. Doch er kennt mich. Er wusste, wie ich reagieren würde, wenn mir vor Geros Haus das Auto gestohlen wird.«

»Und wie hast du reagiert?«

»Das weißt du doch. Ich habe einen Diebstahl in Niebüll angezeigt. Dort, wo ich angeblich die Nacht verbracht hatte. Ist doch klar! Mathis wusste, dass ich alles tun würde, damit er nichts von meinem Seitensprung erfährt. Ole soll in einer Familie aufwachsen, er soll es besser haben als ich.« Sie stieß ein bitteres Lachen aus. »Ich konnte ja nicht ahnen, dass Mathis längst von Gero wusste.«

»Wie viel bedeutet dir dieser Mann?«

Valerie zuckte die Achseln. »Ich bin ... ich war sehr verliebt in ihn. Aber ich habe immer mit offenen Karten gespielt. Er wusste, dass ich Mathis nicht verlassen würde.«

»Wollte er, dass du Mathis verlässt?«

»Keine Ahnung, aber nachdem ich ihm mein Geheimnis anvertraut habe, war ja sowieso alles vorbei.«

Erik sah sie fragend an. »Was für ein Geheimnis?«

»Ich habe als Fünfzehnjährige ein Baby bekommen und weggegeben.« Jetzt endlich erschien ein Gefühl in Valeries Augen, das Erik nicht zwang, den Blick von ihr zu nehmen. »Ich habe es ihm in einem sehr ... sehr innigen Augenblick gestanden. Ich dachte, er würde mich verstehen. Ich konnte ja nicht ahnen, dass er alle Frauen hasst, die so etwas tun.«

»Damit war die Beziehung zu Ende?«

Valerie nickte. »Und als ich ging, stellte ich fest, dass mein Auto nicht mehr da war, wo ich es abgestellt hatte. Heute weiß ich, dass Kurt Fehring es gestohlen hat.« Sie blickte Erik an, als hätte sie einen dringenden Wunsch an ihn. »Kannst du dir vorstellen, wie verblüfft ich war, als ich hörte, dass er einen Diebstahl in Niebüll zugegeben hatte?«

»Wie hast du seinen Namen herausbekommen?«

Sie lachte ungläubig. »Du selbst hast ihn mir genannt. Schon vergessen?«

Erik brauchte nicht lange zu überlegen. Ja, er hatte den Namen Kurt Fehring erwähnt, als er ins Hotel Feddersen gegangen war, um die Ankunft von Severin Dogas zu melden.

»Ein unverzeihlicher Fehler!«, kam es prompt von der Staatsanwältin.

Erik biss sich auf die Lippen. Hätte er darüber nur geschwiegen! Nun hatte sie eine Waffe in der Hand, mit der sie auf ihn einschlagen konnte.

»Sehr unprofessionell!«, betonte die Staatsanwältin, und Erik wusste, sie würde es noch oft betonen. Aber zum Glück war die Klärung der beiden Mordfälle zunächst doch wichtiger als der Fehler des Hauptkommissars Erik Wolf. »Feddersen hat also für sein eigenes Alibi gesorgt und für Kurt Fehrings auch.« Plötzlich stahl sich Anerkennung in ihre Stimme. »Ein raffinierter Plan. Wer überführt ist, ein Auto in Niebüll gestohlen zu haben, kann nicht in derselben Nacht einen Mord auf Sylt begangen haben.«

Erik verbot es sich, Mathis irgendwelche Anerkennung spüren zu lassen. »Warum musste Donata Zöllner sterben?«, fragte er, als er Mathis im Vernehmungszimmer gegenübersaß. »Oder willst du behaupten, auch dafür ist Kurt Fehring verantwortlich?«

Mathis hatte anscheinend Zeit genug gehabt, um einzusehen, dass er Fehring nicht mit Donatas Tod belasten konnte. Er begann zögernd zu reden, dann immer flüssiger und schließlich so schnell, als wollte er sein Geständnis endlich loswerden, um dann seine Ruhe zu haben.

»Am Morgen nach Tante Magdalenas Tod bin ich mit der Brötchentüte in ihr Haus gegangen und habe erst mal nach einem Testament gesucht. Alles wäre ja sinnlos gewesen, wenn es nicht zu meinen Gunsten ausgefallen wäre. Ich wusste, dass sie ein Testament plante. In einem Telefongespräch mit einem Anwalt hat sie es erwähnt. Ich habe es zufällig mitbekommen. Es wurde also Zeit, dass ich was unternahm.«

»Und? Hast du das Testament gefunden?«

»Nein, aber einen Entwurf.«

»Wen wollte sie als Erben einsetzen?«

»Ihren leiblichen Sohn.« Mathis lachte ungläubig. »Bis zu diesem Zeitpunkt wusste ich gar nicht, dass sie einen hatte. Aber dann fiel mir ein, dass ich mal das Foto eines Neugeborenen in ihrem Schreibtisch gesehen hatte und einen Mutterpass. Das hatte ich mir damals nicht erklären können. Aber da ich unerlaubt an ihren Schreibtisch gegangen war, konnte ich sie nicht fragen.« Er schüttelte den Kopf, als ärgerte er sich über eine Dummheit, die er begangen hatte. »Wenn ich doch nur gleich diesen Testamentsentwurf durchgelesen hätte! Aber ich war nervös, habe ihn nur eingesteckt und erst zu Hause studiert. Und dann ...« Er brach ab und betrachtete den schmucklosen Raum, als dächte er darüber nach, wie lange er es in dieser Umgebung aushalten würde.

»Und dann?«

»Ich habe mir überlegt, dass dieser Sohn vielleicht auch ohne Testament erbberechtigt ist. Jedenfalls dann, wenn er nie adoptiert wurde. Also dachte ich, dass niemand etwas von diesem Sohn erfahren darf.«

Erik ging ein Licht auf. »Deswegen wolltest du alles aus dem Haus holen, was auf den Sohn hinweist?«

Mathis nickte. »Du kannst dir vielleicht vorstellen, wie erschrocken ich war, als ich auf eine Frau stieß, die Tante Magdalenas Schreibtisch durchwühlte.« Er seufzte, als erwartete er Mitgefühl oder zumindest Verständnis von Erik. »Sie hat mir auf den Kopf zugesagt, dass ich meine Tante umgebracht habe. Das stimmte zwar nicht, aber trotzdem musste ich sie mundtot machen.«

»Aber sie hat sich gewehrt. Mit dem Brieföffner, der seitdem verschwunden ist.« Er sah Mathis eindringlich an. »Wahrscheinlich liegt er irgendwo im Watt?«

Mathis nickte. »Der hölzerne Engel auch.«

Erik zögerte, ehe er fragte: »Und Valerie? War sie ahnungslos? Oder hat sie dich durchschaut?«

Mathis' Gesicht blieb ohne Regung. »Als Fehring einen Diebstahl in Niebüll zugab, war sie natürlich alarmiert. Damit habe ich gerechnet. Aber ich kenne meine Valerie.« Nun stahl sich ein Lächeln auf sein Gesicht, das Erik ihm am liebsten aus dem Gesicht geschlagen hätte. »Sie hätte mich nie verraten. Sie war froh, dass es uns demnächst besser gehen würde.«

»Hat sie das gesagt?«, fragte Erik und gab sich Mühe, sich seine Erschütterung nicht anmerken zu lassen.

Mathis schüttelte den Kopf. »Nein, gesagt hat sie's nicht. Aber das brauchte sie auch nicht. Ich kenne sie.« Sein Gesicht wurde weich, für wenige Augenblicke verlor er das Düstere, das ihn gewöhnlich umgab. »Schade«, sagte er leichthin, als ginge es um ein kleines Versehen. »Ich dachte, mein Plan wäre genial. Alles wäre gut geworden, wenn er gelungen wäre.«

Er zuckte die Schultern, wieder sah es so aus, als hätte er nichts als einen dummen Irrtum zu bereuen. Anscheinend brauchte Mathis Feddersen noch eine Weile, um die Hoffnungslosigkeit zuzulassen.

Mamma Carlotta drehte der Küchentür den Rücken zu, als Erik und Sören eintraten, und beschäftigte sich intensiv mit dem Rhabarber, als könnte der Mascarponegratin missraten, wenn die Rhabarberstücke nicht exakt zwei Zentimeter lang wären. Sie war entschlossen, der Frage, warum sie das Fußballspiel vorzeitig verlassen hatte, so lange aus dem Wege zu gehen, bis die Rede nur noch von Gero Fürst sein würde und dem Motiv für seine schrecklichen Taten.

Auch Carolin, die mittlerweile in die Küche zurückgekehrt war, sah nur kurz auf. Sie grübelte darüber nach, wie sie mit der merkwürdigen Bekanntschaft ihrer Großmutter und dem Imbissstubenbesitzer Tove Griess umgehen sollte.

Felix wurde weniger von Fragen gequält als vielmehr von einer Tatsache, die sich in der Familie Wolf noch nicht herumgesprochen hatte. Er wollte unbedingt, dass das zumindest noch heute so blieb. Ein wenig hatte er sogar die Hoffnung, dass er die Montagszeitung unauffällig verschwinden lassen konnte, damit überhaupt nicht zur Sprache kam, dass das Tor, das zum Unentschieden geführt hatte, ein Eigentor gewesen war. Geschossen von Felix Wolf …

Erik und Sören spürten beide, dass in dieser Küche etwas fehlte, was sonst in Carlottas Gegenwart immer da war. Das Leichte, Schnelle, Überschäumende, Laute. Erik legte seine Hand auf Carolins Schulter. »Gut, dass du rechtzeitig bei Gero Fürst aufgebrochen bist. Sonst wärst du es am Ende gewesen, die den Einbrecher überrascht hätte.«

Sören mischte sich ein. »Hast du ihn vielleicht noch gesehen, Carolin? Ist dir jemand entgegengekommen, als du Gero Fürst verlassen hast? Nach seiner Beschreibung könnte es Tove Griess gewesen sein.«

Carolin fiel plötzlich ein, dass sie schon vor einer halben Stunde mit dem Tischdecken beginnen wollte, und machte sich eilig ans Werk. Niemand merkte, dass ihre Großmutter die Luft anhielt, als Carolin mit klarer Stimme sagte: »Nein, Tove Griess kann es nicht gewesen sein. Er war ja in seiner Imbissstube. Die Nonna und ich waren dort, wir haben uns ein Eis gekauft.«

Felix war empört, dass man ihn bei dieser Unternehmung übergangen hatte. Er zeterte so laut, dass Erik nicht auffiel, wie schweigsam seine Schwiegermutter war. Aufmerksam wurde er erst, als sie fragte: »Sitzt Gero Fürst schon in Untersuchungshaft? Oder ist er von dem Einbrecher so schwer verletzt worden, dass er zunächst ins Krankenhaus musste?«

Erik schüttelte verblüfft den Kopf. »Warum sollte ich Gero Fürst verhaften?«

»Weil er ein Mörder ist«, antwortete Carolin anstelle ihrer Großmutter.

»Wie kommst du denn darauf?« Erik sah seine Tochter an, als wüchse ihr eine Warze auf der Nase.

»Da muss ein Missverständnis vorliegen«, sagte auch Sören, setzte sich an den Tisch und warf einen begehrlichen Blick in den Ofen, in dem Fenchel und Mozzarella überbacken wurden.

»Dann war es doch Valerie?«, fragte Carlotta atemlos. »Du hast gesagt, ich hätte recht gehabt!«

»Ja, du hattest recht! Ich habe plötzlich erkannt, dass Kurt Fehring tatsächlich Valeries Auto auf Sylt gestohlen hat und nicht in Niebüll.«

»Um Valerie ein falsches Alibi zu verschaffen«, ergänzte Mamma Carlotta mit einem Feuer in den Augen, das Erik Angst machte.

»Nein, um sein eigenes Alibi zu sichern«, korrigierte Erik, setzte sich zu Sören und blickte wie er in den Backofen. Er schluckte, weil ihm das Wasser im Munde zusammenlief. »Also, das war so …«

Seine Erzählung war lang. Sie überdauerte die Vorspeise, sorgte dafür, dass niemand Zeit hatte, die pikante Feigensoße mit den Spaghetti zu loben, dass die Schweinesteaks alla Saltimbocca ohne besondere Aufmerksamkeit gegessen wurden und Mamma Carlottas Löffel schließlich in den Mascarponegratin fiel. Da endlich war heraus, wer und was hinter den beiden Morden steckte.

Als von Donatas Tod die Rede war, rief sie laut die Heiligen an, die für Gerechtigkeit, Liebe und Freundschaft zuständig waren, sodass Erik aufstand und das Fenster schloss.

»Also stimmt es«, meinte Carolin, nachdem sich ihre Nonna beruhigt hatte, »dass sie das Foto ihres Sohnes suchte?«

Erik nickte. »Davon gehen wir aus.«

»Warum hat sie dich nicht darum gebeten?«, fragte Mamma Carlotta.

»Weil sie fürchtete, dass ihr Mann oder ihr Sohn Magdalena Feddersen umgebracht hatte.«

Mamma Carlotta sah Carolin lange an. Die verstand, welche Frage ihre Großmutter bewegte, und schüttelte unmerklich den Kopf. Nein, der Vertrag, den sie mit Gero Fürst geschlossen hatte, behielt seine Gültigkeit. Sie durfte nicht verraten, was er in seinem Manuskript beschrieben hatte. Anscheinend hatte Gero Fürst es so gemacht wie die Heldin seines Romans. Er hatte herausgefunden, wer seine leibliche Mutter war, hatte sie beobachtet, um sie kennenzulernen, war in ihr Haus eingedrungen, um ihr nahe zu sein, um zu wissen, was für ein Mensch sie war. Und er hatte einige Gegenstände mitgenommen, um etwas von seiner Mutter bei sich zu haben. Vielleicht hatte er manchmal davon geträumt, sie zu lieben und von ihr geliebt zu werden. Aber noch öfter hatte er wohl davon geträumt, sie umzubringen, weil er sie hasste für das, was sie getan hatte. Ausgeführt aber hatte die schreckliche Tat die Protagonistin in seinem Roman, nicht der Autor.

Mittlerweile waren die Kinder zu Bett gegangen. Erik, Sören und Mamma Carlotta saßen noch zusammen.

»Und Angela Reitz?«, fragte Carlotta.

»Sie ist trotz des Mordes an Magdalena Feddersen bei ihrer Aussage geblieben«, erklärte Erik, »weil sie ganz sicher war, dass Valerie nichts damit zu tun hatte. Sie hatte ja recht.«

Eine lange Stille entstand. Draußen hatte sich ein sanfter Wind erhoben, der ein paar Ranken an die Fensterscheiben wehte. Gelächter drang aus dem Nachbargarten, über die Westerlandstraße fuhr ein Wagen, in dem das Autoradio laut aufgedreht war. Wie eine riesige Welle bäumte sich die Musik auf, als der Wagen die Einmündung zum Süder Wung passierte, dann lief sie aus und verstummte.

Sören sah auf die Uhr und verabschiedete sich. Als Erik ihm nachblickte, setzte ein sanfter Regen ein, wie er typisch für die Sommermonate war. Ein Regen, dem man das Gesicht entgegenhielt, von dem man wusste, dass er keinen Schaden anrichten würde und am nächsten Morgen längst weitergezogen war.

Als er in die Küche zurückging, sah er gleich, dass seine Schwiegermutter sich während seiner kurzen Abwesenheit mit einer Frage befasst hatte. »Wirst du dich nun viel um Valerie kümmern? Wirst du sie über das Alleinsein hinwegtrösten?«

Erik ging zum Schrank, holte die Grappaflasche und zwei Gläser heraus. »Ich glaube nicht, dass Valerie auf Sylt bleiben wird«, antwortete er. »Sie kommt aus Bochum, dorthin wird sie wahrscheinlich zurückkehren. Sie kann das Hotel ja nicht allein führen. Und Geld, um einen Geschäftsführer zu bezahlen, hat sie nicht. Mathis wollte an das Vermögen seiner Tante kommen, aber nun wird er sie nicht beerben, nachdem er ihren Tod in Auftrag gegeben hat. Was sollte Valerie auf der Insel halten?«

Mamma Carlotta antwortete nicht, sie lächelte nur. Erik hob sein Glas, prostete ihr zu und lächelte zurück. Wie sie ihn ansah, wie sie versuchte, auf dem Grund seiner Seele zu forschen, wie sie den Blick nicht von ihm nahm, während sie das Grappaglas ansetzte und den Kopf in den Nacken warf, wie sie ihn sogar noch ansah, während sie sich mit dem Handrücken über den Mund fuhr!

Erik erinnerte sich, was Lucia ihm einmal erzählt hatte: ihre Mutter habe schon eher gewusst, dass Lucia sich in Erik verliebt hatte, als sie selbst.

Er schenkte die Gläser wieder voll und beschloss, es auszusprechen: »Du glaubst, ich bin in Valerie verliebt? Wie kommst du nur darauf?«

Mamma Carlotta hätte ihm ein Dutzend Indizien vorlegen können – von Beweisen wollte sie nicht reden, denn sie hatte gelernt, dass mit diesem Wort im Haus eines Kriminalhauptkommissars vorsichtig umgegangen wurde. Aber aufgrund von Indizien war niemand zu verurteilen, auch das hatte sie gelernt.

Mehrere Kapitel dieses Buches sind auf der Insel Juist entstanden, auf der ich zwei Wochen im Rahmen des Stipendiums »Tatort Töwerland« als Gast der Insel leben und arbeiten durfte. Ich danke der Jury und besonders Inka Extra, die mich in der Villa Charlotte gehegt und gepflegt hat.

Außerdem danke ich meinem Sohn Jan, der als Polizeibeamter auch diesmal dafür gesorgt hat, dass sich kein polizeilicher Ermittlungsfehler einschlich, und meiner Freundin Gisela Tinnermann, die geduldig alles gelesen hat, was ich ihr vorlegte.